교육의 힘으로
세상의 차이를 좁혀 갑니다
차이가 차별로 이어지지 않는 미래를 위해
EBS가 가장 든든한 친구가 되겠습니다.

모든 교재 정보와 다양한 이벤트가 가득!
EBS 교재사이트 book.ebs.co.kr

본 교재는 EBS 교재사이트에서
eBook으로도 구입하실 수 있습니다.

KB132603

2025학년도
수능 연계교재 수능완성

사회탐구영역
정치와 법

기획 및 개발
김은미
이규미(개발총괄위원)
박 민
박빛나리
여운성

감수
한국교육과정평가원

책임 편집
김미나

본 교재의 강의는 TV와 모바일 APP, EBSi 사이트(www.ebsi.co.kr)에서 무료로 제공됩니다.

발행일 2024. 5. 20. 1쇄 인쇄일 2024. 5. 13. 신고번호 제2017-000193호 펴낸곳 한국교육방송공사 경기도 고양시 일산동구 한류월드로 281
표지디자인 ㈜무닉 내지디자인 다우 내지조판 신흥이앤비 인쇄 팩컴코리아㈜
인쇄 과정 중 잘못된 교재는 구입하신 곳에서 교환하여 드립니다. 신규 사업 및 교재 광고 문의 pub@ebs.co.kr

정답과 해설 PDF 파일은 EBSi 사이트(www.ebsi.co.kr)에서 내려받으실 수 있습니다.

교재 내용 문의
교재 및 강의 내용 문의는
EBSi 사이트(www.ebsi.co.kr)의 학습 Q&A 서비스를
활용하시기 바랍니다.

교재 정오표 공지
발행 이후 발견된 정오 사항을
EBSi 사이트 정오표 코너에서 알려 드립니다.
교재 → 교재 자료실 → 교재 정오표

교재 정정 신청
공지된 정오 내용 외에 발견된 정오 사항이 있다면
EBSi 사이트를 통해 알려 주세요.
교재 → 교재 정정 신청

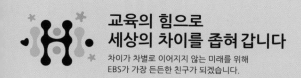

2025학년도

수능 연계교재

수능완성

사회탐구영역

정치와 법

이 책의 차례 CONTENTS

이 책의 **구성과 특징** STRUCTURE

테마별 교과 내용 정리

주제별 핵심 개념을 쉽게 이해할 수 있도록 표, 그림 등을 활용하여 체계적이고 일목요연하게 정리하였습니다.

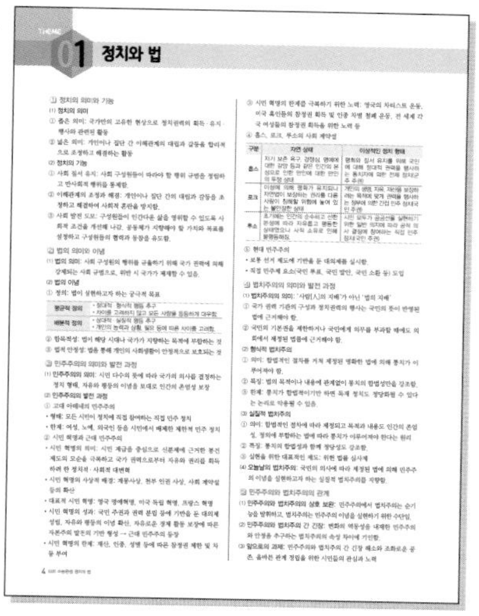

수능 실전 문제

수능에 대비할 수 있는 다양한 유형의 문항들로 구성하여 응용력과 탐구력 및 문제 해결 능력을 향상시킬 수 있도록 하였습니다.

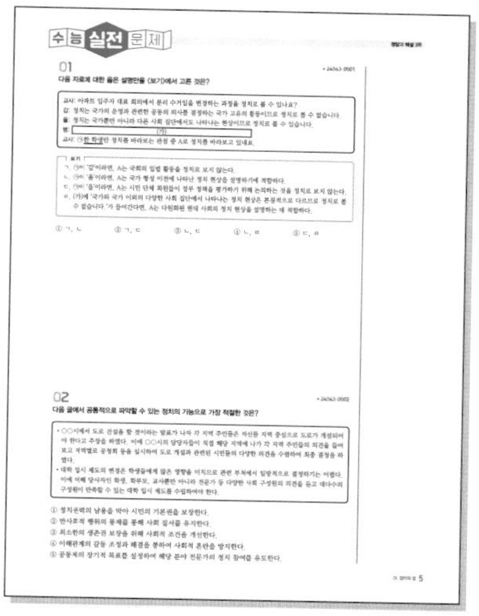

실전 모의고사

학습 내용을 최종 점검하여 실력을 테스트하고, 수능에 대한 실전 감각을 기를 수 있도록 수능 시험 형태로 구성하였습니다.

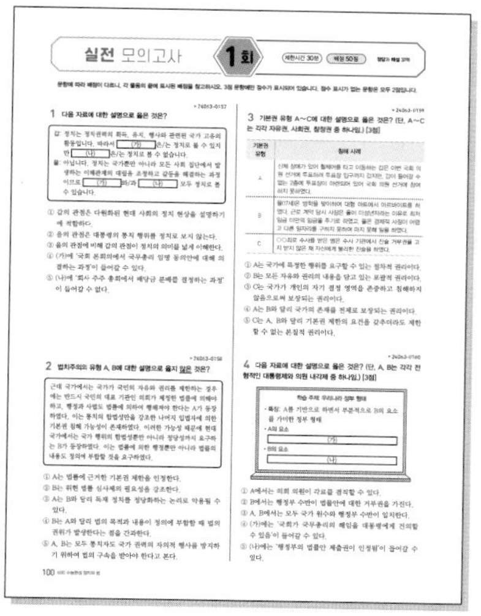

정답과 해설

정답의 도출 과정과 교과의 내용을 연결하여 설명하고, 오답을 찾아 분석함으로써 유사 문제 및 응용 문제에 대한 대비가 가능하도록 하였습니다.

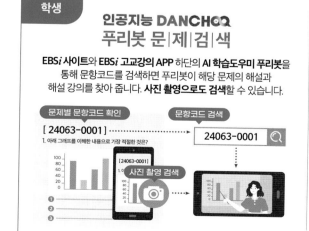

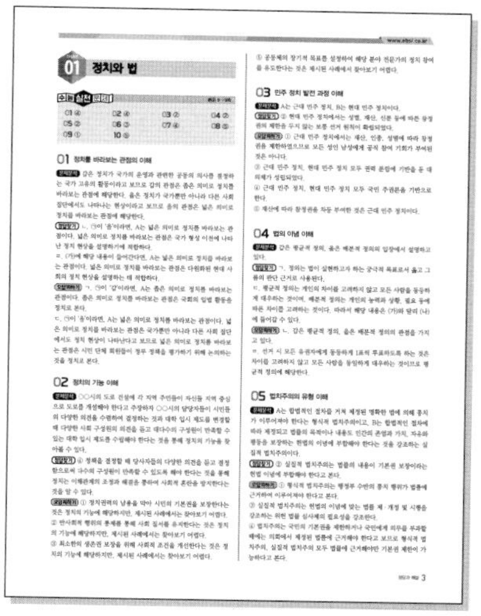

THEME 01

정치와 법

1 정치의 의미와 기능

(1) 정치의 의미

① 좁은 의미: 국가만의 고유한 현상으로 정치권력의 획득·유지·행사와 관련된 활동

② 넓은 의미: 개인이나 집단 간 이해관계의 대립과 갈등을 합리적으로 조정하고 해결하는 활동

(2) 정치의 기능

① 사회 질서 유지: 사회 구성원들이 따라야 할 행위 규범을 정립하고 반사회적 행위를 통제함.

② 이해관계의 조정과 해결: 개인이나 집단 간의 대립과 갈등을 조정하고 해결하여 사회적 혼란을 방지함.

③ 사회 발전 도모: 구성원들이 인간다운 삶을 영위할 수 있도록 사회적 조건을 개선해 나감. 공동체가 지향해야 할 가치와 목표를 설정하고 구성원들의 협력과 동참을 유도함.

2 법의 의미와 이념

(1) 법의 의미: 사회 구성원의 행위를 규율하기 위해 국가 권력에 의해 강제되는 사회 규범으로, 위반 시 국가가 제재할 수 있음.

(2) 법의 이념

① 정의: 법이 실현하고자 하는 궁극적 목표

평균적 정의	• 절대적·형식적 평등 추구 • 차이를 고려하지 않고 모든 사람을 동등하게 대우함.
배분적 정의	• 상대적·실질적 평등 추구 • 개인의 능력과 상황, 필요 등에 따른 차이를 고려함.

② 합목적성: 법이 해당 시대나 국가가 지향하는 목적에 부합하는 것

③ 법적 안정성: 법을 통해 개인의 사회생활이 안정적으로 보호되는 것

3 민주주의의 의미와 발전 과정

(1) 민주주의의 의미: 시민 다수의 뜻에 따라 국가의 의사를 결정하는 정치 형태, 자유와 평등의 이념을 토대로 인간의 존엄성 보장

(2) 민주주의의 발전 과정

① 고대 아테네의 민주주의

• 형태: 모든 시민이 정치에 직접 참여하는 직접 민주 정치

• 한계: 여성, 노예, 외국인 등을 시민에서 배제한 제한적 민주 정치

② 시민 혁명과 근대 민주주의

• 시민 혁명의 의미: 시민 계급을 중심으로 신분제에 근거한 봉건 제도의 모순을 극복하고 국가 권력으로부터 자유와 권리를 획득하려 한 정치적·사회적 대변혁

• 시민 혁명의 사상적 배경: 계몽사상, 천부 인권 사상, 사회 계약설 등의 확산

• 대표적 시민 혁명: 영국 명예혁명, 미국 독립 혁명, 프랑스 혁명

• 시민 혁명의 성과: 국민 주권과 권력 분립 등에 기반을 둔 대의제 성립, 자유와 평등의 이념 확산, 자유로운 경제 활동 보장에 따른 자본주의 발전의 기반 형성 → 근대 민주주의 등장

• 시민 혁명의 한계: 재산, 인종, 성별 등에 따른 참정권 제한 및 차등 부여

③ 시민 혁명의 한계를 극복하기 위한 노력: 영국의 차티스트 운동, 미국 흑인들의 참정권 획득 및 인종 차별 철폐 운동, 전 세계 각국 여성들의 참정권 획득을 위한 노력 등

④ 홉스, 로크, 루소의 사회 계약설

구분	자연 상태	이상적인 정치 형태
홉스	자기 보존 욕구, 경쟁심, 명예에 대한 갈망 등과 같은 인간의 본성으로 인한 만인에 대한 만인의 투쟁 상태	평화와 질서 유지를 위해 국민에 대해 절대적 권력을 행사하는 통치자에 의한 전제 정치(군주 주권)
로크	이성에 의해 평화가 유지되나 자연법이 보장하는 권리를 다른 사람이 침해할 위험에 놓여 있는 불안정한 상태	개인의 생명, 자유, 재산을 보장하려는 목적에 맞게 권력을 행사하는 정부에 의한 간접 민주 정치(국민 주권)
루소	초기에는 인간의 순수하고 선한 본성에 따라 자유롭고 평등한 상태였으나 사적 소유로 인해 불평등해짐.	시민 모두가 공공선을 실현하기 위한 일반 의지에 따라 공적 의사 결정에 참여하는 직접 민주 정치(국민 주권)

⑤ 현대 민주주의

• 보통 선거 제도에 기반을 둔 대의제를 실시함.

• 직접 민주제 요소(국민 투표, 국민 발안, 국민 소환 등) 도입

4 법치주의의 의미와 발전 과정

(1) 법치주의의 의미: '사람[人]의 지배'가 아닌 '법의 지배'

① 국가 권력 기관의 구성과 정치권력의 행사는 국민의 뜻이 반영된 법에 근거해야 함.

② 국민의 기본권을 제한하거나 국민에게 의무를 부과할 때에도 의회에서 제정된 법률에 근거해야 함.

(2) 형식적 법치주의

① 의미: 합법적인 절차를 거쳐 제정된 명확한 법에 의해 통치가 이루어져야 함.

② 특징: 법의 목적이나 내용에 관계없이 통치의 합법성만을 강조함.

③ 한계: 통치가 합법적이기만 하면 독재 정치도 정당화될 수 있다는 논리로 악용될 수 있음.

(3) 실질적 법치주의

① 의미: 합법적인 절차에 따라 제정되고 목적과 내용도 인간의 존엄성, 정의에 부합하는 법에 따라 통치가 이루어져야 한다는 원리

② 특징: 통치의 합법성과 함께 정당성도 강조함.

③ 실현을 위한 대표적인 제도: 위헌 법률 심사제

(4) 오늘날의 법치주의: 국민의 의사에 따라 제정된 법에 의해 민주주의 이념을 실현하고자 하는 실질적 법치주의를 지향함.

5 민주주의와 법치주의의 관계

(1) 민주주의와 법치주의의 상호 보완: 민주주의에서 법치주의는 순기능을 발휘하고, 법치주의는 민주주의 이념을 실현하기 위한 수단임.

(2) 민주주의와 법치주의 간 긴장: 변화의 역동성을 내재한 민주주의와 안정을 추구하는 법치주의의 속성 차이에 기인함.

(3) 앞으로의 과제: 민주주의와 법치주의 간 긴장 해소와 조화로운 공존, 올바른 관계 정립을 위한 시민들의 관심과 노력

01

▸ 24063-0001

다음 자료에 대한 옳은 설명만을 〈보기〉에서 고른 것은?

교사: 아파트 입주자 대표 회의에서 분리 수거일을 변경하는 과정을 정치로 볼 수 있나요?
갑: 정치는 국가의 운영과 관련한 공동의 의사를 결정하는 국가 고유의 활동이므로 정치로 볼 수 없습니다.
을: 정치는 국가뿐만 아니라 다른 사회 집단에서도 나타나는 현상이므로 정치로 볼 수 있습니다.
병: (가)
교사: ㉠한 학생만 정치를 바라보는 관점 중 A로 정치를 바라보고 있네요.

보기

ㄱ. ㉠이 '갑'이라면, A는 국회의 입법 활동을 정치로 보지 않는다.
ㄴ. ㉠이 '을'이라면, A는 국가 형성 이전에 나타난 정치 현상을 설명하기에 적합하다.
ㄷ. ㉠이 '을'이라면, A는 시민 단체 회원들이 정부 정책을 평가하기 위해 논의하는 것을 정치로 보지 않는다.
ㄹ. (가)에 '국가와 국가 이외의 다양한 사회 집단에서 나타나는 정치 현상은 본질적으로 다르므로 정치로 볼 수 없습니다.'가 들어간다면, A는 다원화된 현대 사회의 정치 현상을 설명하는 데 적합하다.

① ㄱ, ㄴ ② ㄱ, ㄷ ③ ㄴ, ㄷ ④ ㄴ, ㄹ ⑤ ㄷ, ㄹ

02

▸ 24063-0002

다음 글에서 공통적으로 파악할 수 있는 정치의 기능으로 가장 적절한 것은?

- ○○시에서 도로 건설을 할 것이라는 발표가 나자 각 지역 주민들은 자신들 지역 중심으로 도로가 개설되어야 한다고 주장을 하였다. 이에 ○○시의 담당자들이 직접 해당 지역에 나가 각 지역 주민들의 의견을 들어 보고 지역별로 공청회 등을 실시하여 도로 개설과 관련된 시민들의 다양한 의견을 수렴하여 최종 결정을 하였다.
- 대학 입시 제도의 변경은 학생들에게 많은 영향을 미치므로 관련 부처에서 일방적으로 결정하기는 어렵다. 이에 이해 당사자인 학생, 학부모, 교사뿐만 아니라 전문가 등 다양한 사회 구성원의 의견을 듣고 대다수의 구성원이 만족할 수 있는 대학 입시 제도를 수립하여야 한다.

① 정치권력의 남용을 막아 시민의 기본권을 보장한다.
② 반사회적 행위의 통제를 통해 사회 질서를 유지한다.
③ 최소한의 생존권 보장을 위해 사회적 조건을 개선한다.
④ 이해관계의 갈등 조정과 해결을 통하여 사회적 혼란을 방지한다.
⑤ 공동체의 장기적 목표를 설정하여 해당 분야 전문가의 정치 참여를 유도한다.

03

▶ 24063-0003

A, B에 대한 설명으로 옳은 것은? (단, A, B는 각각 근대 민주 정치와 현대 민주 정치 중 하나임.)

구분	특징
A	의회 의원 선거 시 여성, 노동자 등은 선거에 참여할 수 없다.
B	의회 의원 선거 시 일정한 연령에 도달한 모든 국민이 선거에 참여할 수 있다.

① A에서는 모든 성인 남성에게 공직 참여의 기회가 부여되었다.
② B에서는 보통 선거의 원칙이 확립되었다.
③ A에서는 B와 달리 권력 분립에 기반을 둔 대의제가 성립되었다.
④ B는 A와 달리 주권이 국민에게 있다는 원리를 기반으로 한다.
⑤ A, B에서는 모두 재산에 따라 참정권을 차등 부여하였다.

04

▶ 24063-0004

다음 자료에 대한 옳은 설명만을 〈보기〉에서 고른 것은?

교사: 현재 우리나라의 경우 자동차 속도 위반을 하여도 소득에 상관없이 일정액의 범칙금이나 과태료를 부과하게 됩니다. 이와 관련하여 핀란드처럼 소득 수준에 비례해서 범칙금이나 과태료를 부과하는 일수 벌금제 도입에 대해 어떻게 생각하는지 법의 이념인 ㉠정의에 입장에서 설명해 보세요.

갑: [(가)] 하므로 같은 잘못을 한 사람들에게는 같은 금액의 과태료 등을 부과해야 합니다. 따라서 일수 벌금제 도입에 반대합니다.

을: [(나)] 하므로 같은 잘못을 하더라도 당사자의 소득 수준에 비례하여 과태료 등을 부과해야 합니다. 따라서 일수 벌금제 도입에 찬성합니다.

보기

ㄱ. ㉠은 법이 실현하고자 하는 궁극적 목표이다.
ㄴ. 갑은 배분적 정의, 을은 평균적 정의의 관점을 가지고 있다.
ㄷ. '개인의 능력과 상황, 필요 등에 따른 차이를 고려해야'는 (가)와 달리 (나)에 들어갈 수 있다.
ㄹ. 선거 시 모든 유권자에게 동등하게 1표씩 투표하도록 하는 것은 갑과 달리 을이 지닌 정의의 관점에 해당한다.

① ㄱ, ㄴ　② ㄱ, ㄷ　③ ㄴ, ㄷ　④ ㄴ, ㄹ　⑤ ㄷ, ㄹ

05

▸ 24063-0005

법치주의의 유형 A, B에 대한 설명으로 옳은 것은?

> 근대 국가에서 법치주의는 행정과 사법이 법률이 정하는 절차와 내용에 근거하여 이루어져야 한다는 A를 강조하였는데, 이는 의회가 적법한 절차를 거쳐 법으로 제정하고 그 법에 따라 통치가 이루어진다면 법의 목적이나 내용은 문제 삼지 않는다. 결국 A는 의회 다수당의 횡포나 독재를 견제하지 못하고 오히려 통치권을 강화하기도 하였다. 이러한 문제점을 극복하기 위하여 현대 민주주의 국가에서는 법적 안정성 유지와 더불어 인간의 존엄성 및 정의를 추구하는 것을 내용으로 하는 B가 정립되어 실현되고 있다.

① A는 법률에 근거 없이 이루어진 행정부 수반의 통치 행위를 인정한다.
② B는 법률의 내용이 기본권 보장이라는 헌법 이념에 부합해야 한다고 본다.
③ A는 B와 달리 위헌 법률 심사제의 필요성을 강조한다.
④ B는 A와 달리 법률에 근거하여 기본권 제한이 가능하다고 본다.
⑤ A, B는 모두 독재 정치를 정당화하는 논리로 악용될 수 있다는 비판을 받는다.

06

▸ 24063-0006

다음 자료에 대한 설명으로 옳은 것은?

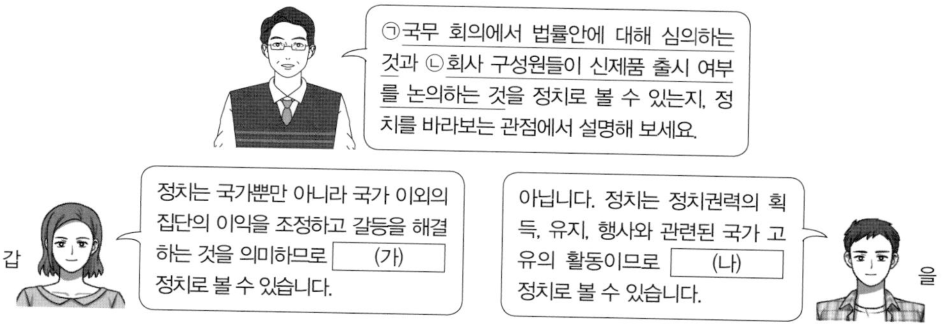

㉠국무 회의에서 법률안에 대해 심의하는 것과 ㉡회사 구성원들이 신제품 출시 여부를 논의하는 것을 정치로 볼 수 있는지, 정치를 바라보는 관점에서 설명해 보세요.
갑
정치는 국가뿐만 아니라 국가 이외의 집단의 이익을 조정하고 갈등을 해결하는 것을 의미하므로 (가) 정치로 볼 수 있습니다.
아닙니다. 정치는 정치권력의 획득, 유지, 행사와 관련된 국가 고유의 활동이므로 (나) 정치로 볼 수 있습니다.
을

① 갑의 관점은 대통령의 통치 행위에 대해서 정치로 보지 않는다.
② 을의 관점은 현대 사회의 다양한 정치 현상을 설명하기에 적합하다.
③ 갑의 관점은 을의 관점과 달리 국가의 정치 현상과 사회 집단의 정치 현상이 본질적으로 같다고 본다.
④ 을의 관점은 갑의 관점과 달리 물리적 강제력을 독점한 통치 기구가 사회적 희소가치를 권위적으로 배분하는 것을 정치로 본다.
⑤ '㉡과 달리 ㉠만'은 (나)가 아닌 (가)에 들어갈 수 있다.

▸ 24063-0007

07

법치주의를 바라보는 갑, 을의 관점에 대한 설명으로 옳은 것은?

△△ 신문

의회에서 의결된 ○○법이 곧 시행될 예정이다. 하지만 ○○법의 일부 내용이 국민의 기본권을 지나치게 훼손한다는 비판이 제기되고 있다. ……

의회에서 의결된 법이라도 국민의 기본권을 훼손한다면 ○○법은 정당화될 수 없어.
갑
을
의회에서 적법한 절차를 거쳐 제정되었으므로 ○○법의 내용과 상관없이 인정되어야 해.

① 갑의 관점은 어떠한 경우에도 국민의 기본권을 제한할 수 없다고 본다.
② 을의 관점은 법률에 근거하지 않은 국가 권력의 행사를 인정한다.
③ 갑의 관점은 을의 관점과 달리 통치자를 포함한 모든 사람이 법에 구속되어야 한다고 본다.
④ 을의 관점은 갑의 관점과 달리 독재 정치를 정당화하는 논리로 악용될 수 있다.
⑤ 갑, 을의 관점은 모두 통치의 합법성뿐만 아니라 정당성도 강조한다.

▸ 24063-0008

08

다음 근대 정치 사상가의 주장에 대한 설명으로 옳은 것은?

자기 인신과 소유물을 보호하려는 의지와 힘, 곧 사적인 이익을 추구하려는 특수 의지가 사회적 갈등과 혼란을 야기하는 원천이다. 그러므로 오로지 공동의 이익만을 추구하고자 자기의 인신과 소유물 및 이를 추구하는 권리와 능력 등 모든 것을 전적으로 양도하여 공동의 힘을 형성해야 한다. 또한 주권은 양도할 수 없으며 또한 대표될 수도 없다. 따라서 시민의 대의원은 대표자도 아니며, 대표자가 될 수도 없다. 즉 그들은 심부름꾼에 불과하며 아무것도 확정적으로 결정할 수 없다. 그러므로 시민이 직접 승인하지 않는다면 법이라고 할 수 없는 것이다.

① 선거를 기반으로 한 대의 민주제를 강조하였다.
② 자연 상태를 만인에 대한 만인의 투쟁 상태로 보았다.
③ 부당한 국가 권력의 행사에 대한 국민의 저항권을 인정하였다.
④ 개인 간 계약을 통해 형성된 국가는 수단이 아니라 목적이라고 보았다.
⑤ 공공선을 추구하는 일반 의지에 따라 국가가 운영되어야 한다고 보았다.

09

▸ 24063-0009

다음은 법치주의의 유형 A, B와 관련한 질문에 대한 학생들의 답변을 나타낸 것이다. 이에 대한 옳은 설명만을 〈보기〉에서 고른 것은?

질문	갑	을
A는 B와 달리 법률에 근거한 합법적 독재를 정당화하는 논리로 활용되는가?	예	아니요
B는 A와 달리 통치 행위의 합법성뿐만 아니라 실질적 정당성까지도 중시하는가?	예	예
(가)	예	예
맞은 개수	1개	2개

보기

ㄱ. A는 합법적인 절차를 거쳐 제정된 법이 인간의 존엄성과 정의에 위반되어서는 안 된다고 본다.
ㄴ. B는 법의 목적과 내용이 정의에 부합할 때 법의 권위가 발생한다는 점을 간과한다.
ㄷ. 현대 사회에서는 A보다 B가 강조되고 있다.
ㄹ. (가)에 'A, B는 모두 국가 권력이 법률에 근거하여 행사된다고 보는가?'가 들어갈 수 없다.

① ㄱ, ㄴ ② ㄱ, ㄷ ③ ㄴ, ㄷ ④ ㄴ, ㄹ ⑤ ㄷ, ㄹ

10

▸ 24063-0010

다음 자료에 대한 설명으로 옳은 것은? (단, A～C는 각각 고대 아테네 민주 정치, 근대 민주 정치, 현대 민주 정치 중 하나임.)

교사: A와 구분되는 B의 특징에 대해 설명해 볼까요?
갑: 모든 시민이 정책을 결정하는 직접 민주 정치를 기본 원리로 하고 있습니다.
교사: B와 구분되는 C의 한계점을 설명해 볼까요?
을: (가)
교사: C와 구분되는 A의 특징에 대해 설명해 볼까요?
병: 보통 선거 제도가 확립되었습니다.
교사: 갑, 병은 옳게 설명하였지만, 을은 틀리게 설명하였네요.

① B는 계몽사상과 천부 인권 사상을 바탕으로 등장하였다.
② 국가의 중요 정책을 결정하기 위한 국민 투표는 C에서 실시되었다.
③ A보다는 C에서 정치 참여의 주체가 다양하다.
④ B, C는 A와 달리 국민 주권주의를 바탕으로 한다.
⑤ (가)에는 '성별에 따라 정치 참여에 제한을 두었습니다.'가 들어갈 수 있다.

THEME 02

헌법의 의의와 기본 원리

1 헌법의 의의와 기능

(1) 헌법의 의미와 의의

① 헌법의 의미: 국가의 통치 조직과 통치 작용의 원리 및 국민의 기본권을 규정하는 국가의 기본법이자 최고법

② 헌법 의미의 변천

고유한 의미의 헌법	국가 통치 기관을 조직·구성하고 이들 기관의 권한과 상호 관계 등을 규정한 규범
근대 입헌주의의 헌법	고유한 의미의 헌법에서 더 나아가 개인의 자유권을 중심으로 국민의 기본권을 보장하기 위해 국가 권력을 제한하는 규범
현대 복지 국가 헌법	근대 입헌주의의 헌법에서 더 나아가 사회권을 보장하여 국민이 인간다운 생활을 영위할 수 있도록 하는 복지 국가의 이념을 추구하는 규범

③ 헌법의 의의
- 한 국가의 법체계에서 가장 상위에 있는 최고법
- 헌법은 모든 법령의 제정 근거이자 법령의 정당성을 평가하는 기준이 됨.
- 헌법에 어긋나는 법률이나 국가 권력 작용 등은 그 효력을 인정받을 수 없음.
- 민주주의는 입헌주의를 기반으로 함.

(2) 헌법의 기능

① 국가 창설의 토대: 국가 성립에 필요한 요소를 규정하여 국가를 창설하기 위한 토대가 됨.

② 기본권 보장: 국민의 자유와 권리에 대한 규정을 두어 국가 권력이 국민의 기본권을 함부로 침해하지 못하도록 함.

③ 조직 수권: 국가의 통치 조직을 구성하고 각 조직에 일정한 권한을 부여함.

④ 권력 제한: 권력 분립과 권력 기관 간 상호 견제를 통해 권력을 제한하여 권력 남용을 방지함.

⑤ 정치 생활 주도: 정치적 의사 결정의 기준이 됨.

⑥ 사회 통합 실현: 국민의 합의된 의사로서 다원화된 이익을 조정하며, 사회 통합의 매개체가 됨.

2 우리나라 헌법의 기본 원리

(1) 국민 주권주의

① 의미: 국가 의사를 결정하는 주권이 국민에게 있다는 원리

② 실현 방안
- 국민의 참정권 보장: 민주적 선거 제도, 국민 투표제 등
- 복수 정당제 및 언론·출판·집회·결사의 자유 보장 → 국민의 다양하고 자유로운 정치적 의사 형성 및 표출

(2) 자유 민주주의

① 의미: 자유주의와 민주주의가 결합한 정치 원리
- 자유주의: 개인주의를 바탕으로 개인의 자유 존중을 근본 가치로 삼아 국가 권력의 간섭을 최소화한다는 정치 원리
- 민주주의: 국가 권력의 창출과 권리의 행사 과정이 국민적 합의에 근거하여 정당성을 가져야 한다는 정치 원리

② 실현 방안
- 법치주의 → '법의 지배' 확립
- 적법 절차의 원리 → 국민의 자유와 권리에 대한 국가의 자의적 제한 금지
- 권력 분립 제도와 사법권의 독립
- 복수 정당제를 기반으로 하는 자유로운 정당 활동 등

(3) 복지 국가의 원리

① 의미: 국민에게 인간다운 생활을 할 권리를 보장하기 위하여 국가가 적극적인 역할을 해야 한다는 원리

② 등장 배경: 자본주의의 발달에 따라 발생한 빈부 격차 확대, 독과점 기업의 횡포 등을 해결하기 위한 국가의 적극적인 역할 필요

③ 실현 방안
- 국가에 사회 보장 및 사회 복지의 증진 의무 부여
- 국가에 인간다운 생활을 요구할 수 있는 사회권 보장
- 근로자에 대한 적정 임금 보장과 최저 임금제 실시
- 여성 및 연소자의 근로에 대한 특별한 보호 등

(4) 국제 평화주의

① 의미: 국제 질서를 존중하고 세계 평화와 인류의 공동 번영을 위해 노력해야 한다는 원리

② 실현 방안
- 침략적 전쟁의 부인 및 국제 평화 유지 활동 참여
- 국제법 존중 및 국제법과 조약이 정하는 바에 의하여 외국인의 법적 지위 보장 등

(5) 평화 통일 지향

① 의미: 자유 민주적 기본 질서에 입각한 평화적 통일을 추구해야 한다는 원리

② 등장 배경: 남북 분단이라는 역사적 상황

③ 실현 방안
- 대통령에게 평화적 통일을 위해 노력할 의무 부과
- 대통령 자문 기구로 민주 평화 통일 자문 회의 설치
- 남북 교류 협력 추진 및 북한에 대한 인도적 지원 등

(6) 문화 국가의 원리

① 의미: 국가가 문화를 보호하고 개인의 문화적 자유와 자율을 보장함으로써 문화의 발전을 지향해야 한다는 원리

② 목적: 문화 진흥을 통해 개개인이 윤택한 삶을 영위할 수 있도록 보장

③ 실현 방안
- 전통문화의 계승·발전과 민족 문화의 창달
- 종교·학문·예술 활동의 자유와 표현의 자유 보장
- 의무 교육 제도의 시행과 평생 교육의 진흥 등

01

▸ 24063-0011

다음 글에서 파악할 수 있는 헌법의 기능으로 가장 적절한 것은?

> 헌법을 제외한 모든 법 규범은 헌법에 위반되어서는 안 된다. 헌법은 법 규범의 위계 질서에서 최고의 지위를 차지하는 규범이므로, 법률, 명령, 조례 등과 같이 헌법의 하위에 위치하는 헌법을 제외한 모든 법 규범은 헌법에 규정된 절차에 따라 제정되어야 하며 그 내용에 있어서 헌법의 지침에 위반되어서는 안 된다. 따라서 헌법에 위반되는 법 규범은 무효이다. 예를 들어 우리나라는 위헌 법률 심판 제도를 두어 법률이 헌법에 보장된 국민의 자유와 권리를 침해할 경우 헌법 재판소의 심판을 통해 해당 법률이나 조항에 대해 무효로 한다.

① 최고 규범으로서 국민의 기본권을 보장한다.
② 정치 생활 주도를 통해 사회 문제를 해결한다.
③ 다원화된 이익을 조정함으로써 사회 통합을 실현한다.
④ 국가 기관을 조직하고 각 조직에 일정한 권한을 부여한다.
⑤ 국가 성립에 필요한 내용을 규정함으로써 국가 창설의 토대를 마련한다.

02

▸ 24063-0012

헌법의 의미 A～C에 대한 설명으로 옳은 것은? (단, A～C는 각각 고유한 의미의 헌법, 근대 입헌주의 헌법, 현대 복지 국가 헌법 중 하나임.)

> 헌법의 의미 중 A는 국가의 통치 조직을 구성하고 그 권한과 상호 관계 및 국가와 국민의 관계에 관한 기본 원칙을 정한 기본법을 의미한다. 이러한 의미의 헌법은 국가가 존재하는 곳이면 반드시 존재한다고 볼 수 있다. 근대 시민 혁명으로 형성된 B는 국민의 기본권을 보장하기 위해 국가 권력을 제한하는 규범으로 작용하게 된다. 이후 근대 국가의 사회적·경제적 모순과 문제점을 극복하고 모든 국민의 인간다운 삶을 보장하기 위해 C가 등장하게 되었다.

① B에서는 사회권을 명시적으로 보장하고 있다.
② C에서는 국가의 소극적 역할을 강조하고 있다.
③ A에서는 B와 달리 권력 분립에 관한 내용이 규정되어 있다.
④ C에서는 B에 비해 국민의 실질적 평등의 보장을 중시하고 있다.
⑤ A에서는 B, C와 달리 헌법을 국가의 통치 체제에 관한 기본 사항을 정한 국가의 최고 규범으로 보고 있다.

▶ 24063-0013

03

다음은 우리나라 헌법의 기본 원리 A, B에 대해 정리한 것이다. 이에 대한 설명으로 옳은 것은?

1. A
   가. 관련 헌법 조항
   - (가)

   나. 실현 방안
   - 국민의 자유와 권리에 대한 국가의 자의적 제한 금지
   - 적법 절차의 원리
2. B
   가. 관련 헌법 조항
   - 대통령은 조국의 평화적 통일을 위한 성실한 의무를 진다.

   나. 실현 방안
   - (나)

① A에 따라 국가는 국민의 인간다운 생활을 보장하기 위한 적극적인 역할을 해야 한다.
② B는 남북 분단의 특수한 상황을 반영한 우리나라 헌법 특유의 원리이다.
③ A, B에 근거하여 국가는 경제의 민주화를 위하여 경제에 관한 규제와 조정을 할 수 있다.
④ (가)에 '국가는 전통문화의 계승 · 발전과 민족문화의 창달에 노력하여야 한다.'가 들어갈 수 있다.
⑤ (나)에 '복수 정당제를 기반으로 하는 자유로운 정당 활동 보장'이 들어갈 수 있다.

▶ 24063-0014

04

우리나라 헌법의 기본 원리 A, B에 대한 설명으로 옳은 것은?

사회자: 최근 집회 시 소음으로 인해 고통을 호소하는 사람들이 소음 규제를 강화해야 한다는 주장을 제기하고 있습니다. 이에 대한 의견을 말씀해 주시기 바랍니다.
갑: 집회 시 일정 기준 이상의 소음이 지속됨으로 인해서 집회와 관련 없는 시민들은 소음으로 인하여 일상생활에 심각한 피해를 입고 있습니다. A에 따라 헌법에서는 모든 국민이 건강하고 쾌적한 환경에서 생활할 권리를 가진다고 규정하고 있으므로, 소음 규제를 강화할 수 있도록 관련법을 개정해야 합니다.
을: 집회는 시민들이 의견을 개진할 수 있는 중요한 의사 표현의 한 형태로 보호되어야 합니다. B에 따라 헌법에서는 모든 국민이 집회의 자유를 가진다고 규정하고 있습니다. 만약 소음 규제를 강화하는 방향으로 관련법을 개정하게 되면, 시민들의 대중에 대한 의사 표현이 위축될 수 있습니다.

① A는 국민의 인간다운 생활 보장을 통한 실질적 평등 실현을 강조한다.
② A의 실현을 위해 우리나라에 거주하는 외국인에 대하여 지방 선거에서의 선거권을 보장한다.
③ B는 국가가 시장에 개입할 수 있는 근거가 된다.
④ B의 실현을 위해 대통령 자문 기구인 민주 평화 통일 자문 회의를 설치한다.
⑤ A, B는 모두 근대 입헌주의 헌법에서부터 강조된 원리이다.

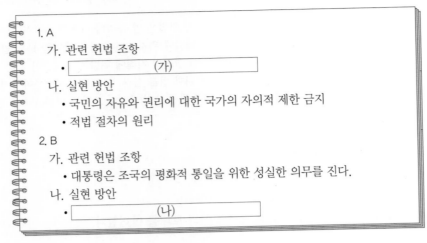

05

▶ 24063-0015

우리나라 헌법의 기본 원리 A를 실현하기 위한 방안으로 적절한 것만을 〈보기〉에서 고른 것은?

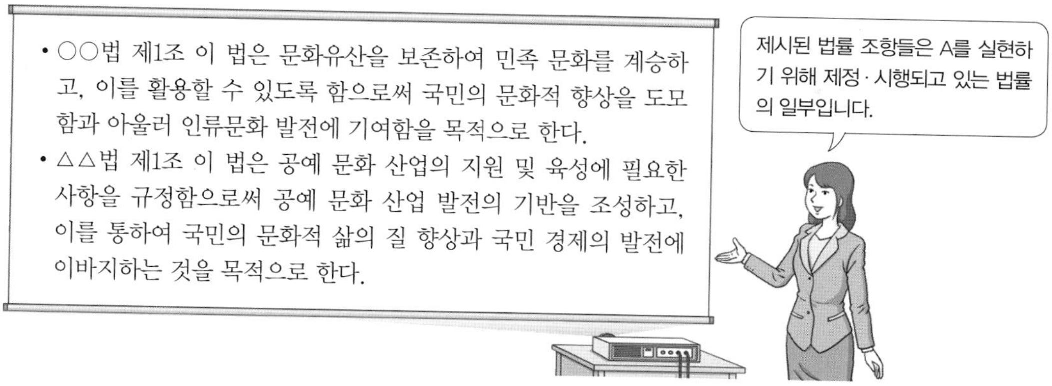

• ○○법 제1조 이 법은 문화유산을 보존하여 민족 문화를 계승하고, 이를 활용할 수 있도록 함으로써 국민의 문화적 향상을 도모함과 아울러 인류문화 발전에 기여함을 목적으로 한다.
• △△법 제1조 이 법은 공예 문화 산업의 지원 및 육성에 필요한 사항을 규정함으로써 공예 문화 산업 발전의 기반을 조성하고, 이를 통하여 국민의 문화적 삶의 질 향상과 국민 경제의 발전에 이바지하는 것을 목적으로 한다.
제시된 법률 조항들은 A를 실현하기 위해 제정·시행되고 있는 법률의 일부입니다.

보기

ㄱ. 전통문화를 계승하고 발전시킨다.
ㄴ. 아동 보육을 위한 국가 예산을 증대시킨다.
ㄷ. 종교·학문·예술 활동의 자유를 보장한다.
ㄹ. 보통·평등·직접·비밀 선거에 의해 대통령을 선출한다.

① ㄱ, ㄴ　② ㄱ, ㄷ　③ ㄴ, ㄷ　④ ㄴ, ㄹ　⑤ ㄷ, ㄹ

06

▶ 24063-0016

다음 자료에 대한 설명으로 옳지 <u>않은</u> 것은?

헌법의 기본 원리는 헌법의 이념적 기초인 동시에 헌법을 지배하는 원리이다. 이는 ㉠기본권을 해석하거나 제한하는 입법의 심사 기준으로 작용한다. 우리나라 헌법에서는 헌법의 기본 원리와 관련된 조항을 규정하고 있다. 이 중 '대한민국의 주권은 국민에게 있고, 모든 권력은 국민으로부터 나온다.'는 헌법의 기본 원리 중 A와 관련된 조항이며, '외국인은 국제법과 조약이 정하는 바에 의하여 그 지위가 보장된다.'는 헌법의 기본 원리 중 B와 관련된 조항이다. 또한 '국가는 사회 보장·사회 복지의 증진에 노력할 의무를 진다.'는 헌법의 기본 원리 중 C와 관련된 조항이다.

① ㉠의 예로 우리나라에서는 위헌 법률 심판 제도를 두고 있다.
② 우리나라의 선거권 연령을 18세로 하향 조정한 것은 A를 실현하기 위한 방안 중 하나이다.
③ B에 따라 우리나라는 침략적 전쟁을 부인한다.
④ C의 실현을 위하여 우리나라는 북한과의 경제 교류 협력을 추진하고 있다.
⑤ A~C는 모두 입법이나 정책 결정의 방향을 제시한다.

▶ 24063-0017

07

다음 글에서 설명하는 제도와 관련된 우리나라 헌법의 기본 원리에 대한 옳은 설명만을 〈보기〉에서 고른 것은?

최저 임금 제도란 국가가 노사 간의 임금 결정 과정에 개입하여 임금의 최저 수준을 정하고, 사용자에게 이 수준 이상의 임금을 지급하도록 법으로 강제함으로써 저임금 근로자를 보호하는 제도이다. 우리나라는 최저 임금법을 통해 매년 고용 노동부 장관이 최저 임금 위원회의 심의를 거쳐 최저 임금을 결정 · 고시하고 있다. 최저 임금 제도는 저임금 해소로 임금 격차가 완화되고 소득 분배 개선에 기여하며, 근로자에게 일정한 수준 이상의 생계를 보장해 줌으로써 근로자의 생활을 안정시키고 근로자의 사기를 올려 주어 노동 생산성의 향상을 도모할 수 있다.

보기

ㄱ. 근대 입헌주의 헌법에서부터 강조된 원리이다.
ㄴ. 국가가 경제에 관한 규제와 조정을 할 수 있는 근거가 되는 원리이다.
ㄷ. 국가 권력이 국민의 동의와 지지를 바탕으로 형성 · 유지되어야 한다는 원리이다.
ㄹ. 국민의 인간다운 생활을 보장하기 위해 국가의 적극적 역할을 강조하는 원리이다.

① ㄱ, ㄴ ② ㄱ, ㄷ ③ ㄴ, ㄷ ④ ㄴ, ㄹ ⑤ ㄷ, ㄹ

▶ 24063-0018

08

다음 자료에 대한 설명으로 옳은 것은?

교사: 우리나라 헌법의 기본 원리 A에 대해 설명해 보세요.
갑: 국가의 최고 의사를 결정하는 주권이 국민에게 있다는 원리입니다.
을: 국가가 세계 평화와 인류 번영을 위해 노력해야 한다는 원리입니다.
병: (가)
교사: ㉠한 학생만 옳게 말했네요.

① A가 국민 주권주의이면, (가)에는 '실현 방안으로 국민 투표제 실시를 들 수 있습니다.'가 들어갈 수 있다.
② A가 국제 평화주의이면, (가)에는 '국가가 국제 질서를 존중하고 침략적 전쟁을 부인한다는 원리입니다.'가 들어갈 수 있다.
③ ㉠이 '갑'이라면, '모든 국민은 인간다운 생활을 할 권리를 가진다.'는 A와 관련된 헌법 조항이다.
④ ㉠이 '을'이라면, '모든 국민은 언론 · 출판의 자유와 집회 · 결사의 자유를 가진다.'는 A와 관련된 헌법 조항이다.
⑤ (가)에 '실현 방안으로 국제법이 정하는 바에 의하여 외국인의 지위를 보장하고 있습니다.'가 들어가면, A의 실현 방안으로 민주적 선거 제도를 통한 국민의 참정권 보장을 들 수 있다.

THEME

03 기본권의 보장과 제한

1 기본권의 의의

(1) 기본권의 의미: 인간이라면 누구나 기본적으로 누려야 하는 권리 중 헌법에 보장되어 있는 권리

(2) 기본권의 천부 인권성

① 인간은 태어나면서부터 남에게 양도하거나 빼앗길 수 없는 권리를 가짐.

② 인간의 자유와 권리는 국가 성립 이전에 존재하는 초국가적 권리임.

③ 국가는 천부 인권의 보장을 위해 헌법을 만들고 기본적 인권에 관한 규정을 둠.

2 기본권의 유형

(1) 인간의 존엄과 가치 및 행복 추구권

① 인간의 존엄과 가치

- 인간은 인간이라는 이유만으로 존중받기 때문에 다른 목적을 위한 수단이 될 수 없음.
- 헌법이 추구하는 최고의 가치이자 국가 권력 행사의 한계
- 성격: 다른 모든 기본권 조항에 적용되는 일반 원칙

② 행복 추구권

- 물질적 · 정신적으로 안락하고 만족스러운 삶을 살 수 있는 권리
- 성격: 행복 추구에 필요한 모든 자유와 권리의 내용을 담고 있는 포괄적 권리

(2) 평등권

① 의미: 모든 국민을 원칙적으로 평등하게 대우하고, 합리적 이유 없이 차별적 대우를 하지 않을 것을 국가에 요구할 수 있는 권리

② 성격: 다른 모든 기본권 보장의 전제가 되는 기본권

③ 내용: 법 앞의 평등, 사회적 특수 계급 제도의 금지, 교육의 기회 균등, 근로관계에서의 양성평등, 가족생활에서의 양성평등 등

(3) 자유권

① 의미: 개인이 자신의 자유로운 생활 영역에서 국가 권력에 의한 간섭이나 침해를 받지 않을 권리

② 성격: 역사적으로 가장 오래된 기본권, 국가 권력이 행사되지 않음으로써 보장되는 소극적 권리, 국가 권력에 의한 간섭이나 침해를 배제하는 방어적 권리, 구체적인 내용이 헌법에 열거되지 않아도 보장되는 포괄적 성격의 권리

③ 내용

신체의 자유	죄형 법정주의, 적법 절차의 원리, 고문 금지 및 진술 거부권(묵비권), 영장 제도, 변호인의 조력을 받을 권리, 체포 · 구속의 이유 및 변호인의 조력을 받을 권리 고지, 체포 · 구속 적부 심사제, 자백의 증거 능력과 증명력 제한, 소급효 금지의 원칙, 일사부재리의 원칙, 연좌제 금지 등
정신적 자유	양심의 자유, 종교의 자유, 언론 · 출판 · 집회 · 결사의 자유, 학문 · 예술의 자유 등
사회 · 경제적 자유	거주 · 이전의 자유, 주거의 자유, 사생활의 비밀과 자유, 통신의 자유, 직업 선택의 자유, 재산권 행사의 자유 등

(4) 참정권

① 의미: 국민이 주권자로서 국가의 정치 과정에 적극적으로 참여할 수 있는 권리

② 등장 배경: 신분 · 재산 · 성별에 따라 제한되다가 보통 선거 제도가 확립되면서 모든 국민의 참정권 보장

③ 성격: 정치적 기본권, 능동적 권리

④ 내용: 선거권, 공무 담임권, 국민 투표권 등

(5) 사회권

① 의미: 모든 국민의 인간다운 생활의 보장과 실질적 평등의 실현을 국가에 요구할 수 있는 권리

② 등장 배경

- 자본주의 경제의 급속한 성장으로 인한 사회 불평등 심화 → 모든 사회 구성원이 최소한의 인간다운 생활의 보장과 실질적 평등을 누릴 수 있어야 한다는 사회적 기본권 강조
- 1919년 독일의 바이마르 헌법에서 사회권을 처음 규정

③ 성격: 최근에 등장한 현대적 권리, 적극적 권리, 복지 국가의 필수적 요소

④ 내용: 인간다운 생활을 할 권리, 교육을 받을 권리, 근로의 권리, 근로 3권(단결권, 단체 교섭권, 단체 행동권), 환경권, 보건권 등

(6) 청구권

① 의미: 국민이 국가에 적극적으로 일정한 행위를 요구하거나 국민의 기본권이 국가나 타인에 의해 침해당하였을 때 그 구제를 청구할 수 있는 권리

② 성격: 다른 기본권을 보장하기 위한 수단적 · 절차적 권리(기본권 보장을 위한 기본권), 적극적 권리

③ 내용: 청원권, 재판 청구권, 범죄 피해자 구조 청구권, 형사 보상 청구권, 국가 배상 청구권 등

3 기본권의 제한

(1) 기본권 제한의 요건

① 관련 헌법 조항: 국민의 모든 자유와 권리는 국가 안전 보장 · 질서 유지 또는 공공복리를 위하여 필요한 경우에 한하여 법률로써 제한할 수 있으며, 제한하는 경우에도 자유와 권리의 본질적인 내용을 침해할 수 없다(제37조 제2항).

② 목적: 국가 안전 보장 · 질서 유지 또는 공공복리를 위한 목적 외에는 제한할 수 없음.

③ 형식: 국민의 대표 기관인 국회가 제정한 법률에 의거하여 제한 → 국민의 기본권이 함부로 국가에 의해 침해당하지 않도록 보장

④ 방법적 요건: 과잉 금지의 원칙 → 기본권을 제한할 때는 정당한 목적을 달성하는 데 필요한 범위 안에서만 제한하여야 함.

(2) 기본권 제한의 한계: 자유와 권리의 본질적인 내용 침해 금지 → 개별 기본권이 기본권으로서의 기능을 상실하게 될 정도로 본질적인 내용을 침해할 수 없음.

(3) 의의: 헌법에 제시된 목적, 방법, 한계에 부합하지 않게 기본권을 제한하는 것을 막아 국민의 기본권을 보장하기 위함.

정답과 해설 6쪽

▶ 24063-0019

01

다음은 헌법 재판소 결정문 중 일부이다. 기본권 유형 (가)에 대한 설명으로 옳은 것은?

> 심판 대상 조항은 교통 약자의 이동 편의를 위한 특별 교통 수단에 표준 휠체어만을 기준으로 휠체어 고정 설비의 안전 기준을 정하고 있어 표준 휠체어를 사용할 수 없는 장애인은 안전 기준에 따른 특별 교통 수단을 이용할 수 없게 된다. 그런데 표준 휠체어를 이용할 수 없는 장애인은 장애의 정도가 심하여 특수한 설비가 갖춰진 차량이 아니고서는 사실상 이동이 불가능하다. 그럼에도 불구하고 표준 휠체어를 이용할 수 없는 장애인에 대한 고려 없이 표준 휠체어만을 기준으로 고정 설비의 안전 기준을 정하는 것은 불합리하고, …(중략)… 따라서 심판 대상 조항은 합리적 이유 없이 표준 휠체어를 이용할 수 있는 장애인과 표준 휠체어를 이용할 수 없는 장애인을 달리 취급하여 청구인의 (가) 을/를 침해한다.

① 다른 모든 기본권 보장의 전제가 되는 권리이다.
② 다른 기본권 보장을 위한 수단적 성격의 권리이다.
③ 구체적 내용이 헌법에 열거되어야만 보장되는 권리이다.
④ 국가의 정치 과정에 능동적으로 참여할 수 있는 권리이다.
⑤ 개인의 자유로운 생활에 대하여 국가 권력에 의한 침해를 받지 않을 권리이다.

▶ 24063-0020

02

기본권 유형 A, B에 대한 설명으로 옳지 않은 것은?

> 교육을 받을 권리는 교육을 받을 수 있도록 국가가 적극적으로 배려할 것을 요구할 수 있는 권리, 즉 수학권을 의미하므로 A의 내용으로 볼 수 있다. 헌법 재판소는 교육을 받을 권리에 대해 능력에 따른 균등한 교육을 통해서 직업 생활과 경제생활 영역에서 실질적인 평등을 실현시킴으로써 헌법이 추구하는 복지 국가의 이념을 실현한다는 의의와 기능을 가지고 있다고 하였다. 반면, 교사의 교육의 자유, 즉 수업권에 대해 헌법 재판소는 교육을 받을 권리에 포함되기보다는 학문의 자유에서 헌법적 근거를 찾을 수 있다고 하여 B의 내용으로 볼 수 있다고 하였다.

① A는 국가의 적극적 개입을 통하여 실현될 수 있는 권리이다.
② B는 국가가 개인의 자기 결정의 영역을 존중하고 침해하지 않음으로써 보장되는 권리이다.
③ A는 B와 달리 자본주의 문제점을 해결하는 과정에서 등장한 권리이다.
④ B는 A와 달리 법률을 통해 기본권을 구체화함으로써 보장될 수 있는 권리이다.
⑤ A, B는 모두 필요한 경우에 한하여 법률로써 제한할 수 있다.

03

▶ 24063-0021

기본권 유형 A~C에 대한 설명으로 옳은 것은? (단, A~C는 각각 자유권, 사회권, 청구권 중 하나임.)

구분	A	B	C
적극적 성격의 권리인가?	㉠	㉠	㉡
기본권을 실현하기 위한 절차적 권리인가?	㉡	㉠	㉡

* ㉠, ㉡은 각각 '예', '아니요' 중 하나임.

① A는 다른 기본권을 보장하기 위한 수단적 권리이다.
② B는 모든 국민의 인간다운 생활 보장을 통해 실질적 평등을 실현하기 위한 권리이다.
③ C는 국가 권력의 간섭 내지 침해를 받지 않을 권리이다.
④ A는 근대 입헌주의 헌법에서부터, C는 현대 복지 국가 헌법에서부터 강조된 권리이다.
⑤ C는 B와 달리 헌법에 열거되어야만 보장되는 권리이다.

04

▶ 24063-0022

표는 기본권 유형 A, B와 관련된 헌법 조항이다. B와 구분되는 A의 특징에 대한 옳은 설명만을 〈보기〉에서 고른 것은?

기본권 유형	관련 헌법 조항
A	제26조 ① 모든 국민은 법률이 정하는 바에 의하여 국가 기관에 문서로 청원할 권리를 가진다. 제27조 ① 모든 국민은 헌법과 법률이 정한 법관에 의하여 법률에 의한 재판을 받을 권리를 가진다.
B	제31조 ① 모든 국민은 능력에 따라 균등하게 교육을 받을 권리를 가진다. 제32조 ① 모든 국민은 근로의 권리를 가진다.

보기

ㄱ. 기본권을 실현하기 위한 절차적 권리이다.
ㄴ. 복지 국가와 밀접한 연관이 있는 권리이다.
ㄷ. 다른 기본권을 보장하기 위한 수단적 권리이다.
ㄹ. 국가의 적극적 노력이 있어야 보장되는 권리이다.

① ㄱ, ㄴ ② ㄱ, ㄷ ③ ㄴ, ㄷ ④ ㄴ, ㄹ ⑤ ㄷ, ㄹ

05

▸ 24063-0023

다음 자료에 대한 옳은 설명만을 〈보기〉에서 고른 것은?

청구인 갑은 ○○ 공항에서 특수 경비 업무를 담당하는 경비업체에 소속된 특수 경비원으로서, 특수 경비원의 파업·태업 그 밖에 경비 업무의 정상적인 운영을 저해하는 일체의 쟁의 행위를 금지하는 △△법 □□조가 단체 행동권을 침해한다고 주장하면서 헌법 소원 심판을 청구하였다. 이에 대해 헌법 재판소는 "심판 대상 조항으로 인하여 특수 경비원이 단체 행동권 중 파업·태업 그 밖에 경비 업무의 정상적인 운영을 저해하는 일체의 쟁의 행위만을 제한받는 불이익을 받게 되나, 국가와 사회의 중추를 이루는 국가 중요 시설 운영의 안정을 기함으로써 얻게 되는 국가 안전 보장, 질서 유지, 공공복리 등의 공익이 매우 크고 안정적인 운영이 저해될 경우 발생할 피해는 너무도 크다. 심판 대상 조항에 따르더라도 특수 경비원의 단결권, 단체 교섭권은 전혀 제한되지 아니하고 단체 행동권도 경비 업무의 정상적인 운영을 저해하는 쟁의 행위의 범위 내에서만 제한될 뿐이다. 따라서 심판 대상 조항으로 인하여 특수 경비원의 쟁의 행위가 제한되나 이로써 받는 불이익이 국가나 사회의 중추를 이루는 중요 시설 운영에 안정을 기함으로써 얻게 되는 국가 안전 보장, 질서 유지, 공공복리 등의 공익보다 중대한 것이라고 볼 수 없다."라고 결정하였다.

보기

ㄱ. 갑이 침해받았다고 주장한 기본권 유형은 국가의 적극적 노력이 있어야 보장되는 권리이다.
ㄴ. 헌법 재판소는 기본권 제한으로 얻는 공익이 기본권 제한으로 침해되는 사익보다 크다고 보았다.
ㄷ. 헌법 재판소는 심판 대상 조항이 피해의 최소성을 갖추었지만 목적의 정당성을 갖추지 못했다고 보았다.
ㄹ. 헌법 재판소는 해당 심판 조항이 근로자가 근로 조건의 향상을 위하여 노동조합을 조직·운영할 수 있는 권리를 제한한다고 보았다.

① ㄱ, ㄴ ② ㄱ, ㄷ ③ ㄴ, ㄷ ④ ㄴ, ㄹ ⑤ ㄷ, ㄹ

06

▸ 24063-0024

그림은 기본권 유형 A~C를 질문에 따라 구분한 것이다. 이에 대한 설명으로 옳은 것은? (단, A~C는 각각 자유권, 청구권, 참정권 중 하나임.)

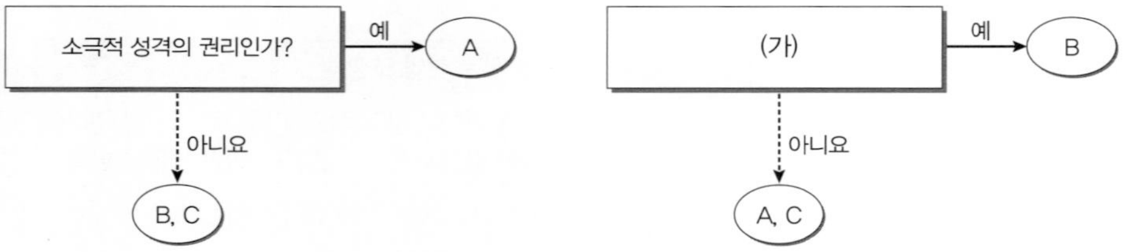

① A는 법률로도 제한할 수 없는 절대적 권리이다.
② C가 청구권이라면, B는 국가 권력에 의한 간섭이나 침해를 배제하는 성격의 권리이다.
③ (가)에는 '국가의 존재를 전제로 인정되는 권리인가?'가 들어갈 수 있다.
④ (가)에 '국가의 정치 과정에 능동적으로 참여할 수 있는 권리인가?'가 들어가면, B는 다른 기본권을 보장하기 위한 수단적 권리이다.
⑤ (가)에 '기본권 실현을 위한 절차적 권리인가?'가 들어가면, 국민이 대표자를 선출할 수 있는 권리는 C에 해당한다.

07

▸ 24063-0025

다음 자료에 대한 설명으로 옳지 않은 것은? (단, A~C는 각각 자유권, 사회권, 참정권 중 하나임.)

• 질문: 기본권 유형 A, B, C에 해당하는 내용을 각각 두 가지씩만 서술하시오. 단, 옳은 답을 쓴 경우 하나당 1점, 틀린 답을 쓴 경우 하나당 0점을 부여함.

구분	기본권 내용	채점 결과
A	• 근로의 권리 • (가)	2점
B	• 국민 투표권 • 인간다운 생활을 할 권리	1점
C	• 고문 금지 및 진술 거부권 • (나)	1점

① A는 실질적 평등을 보장해야 할 필요성이 제기되면서 등장하였다.
② B는 국가의 정치 과정에 참여할 수 있는 능동적 권리이다.
③ C는 가장 최근에 등장한 현대적 권리이다.
④ A, B는 C와 달리 국가의 존재를 전제로 하는 권리이다.
⑤ (가)에는 '환경권', (나)에는 '선거권'이 들어갈 수 있다.

08

▸ 24063-0026

다음 사례에서 갑, 을이 공통적으로 침해받은 기본권 유형에 대한 설명으로 옳은 것은?

• 현행범으로 체포된 갑은 유치장에 수용되는 과정에서 흉기 등 위험물이 없다는 것을 경찰관들이 인지하였는데도 불구하고 여러 경찰관이 보는 앞에서 옷을 전부 벗긴 상태에서 수색을 받아 모욕감과 수치심을 느꼈다.
• 군입대를 위해 ○○ 훈련소에 입소한 을은 종교를 가지고 있지 않았는데도 불구하고 훈련 기간 중 특정 종교 행사에 참여하도록 강요를 받았다.

① 국민이 국가 의사 형성 과정에 참여하는 권리이다.
② 자본주의 문제점을 해결하는 과정에서 등장한 권리이다.
③ 개인의 자유 영역에 대한 국가의 부당한 침해를 배제하는 권리이다.
④ 모든 국민에 대하여 최소한의 인간다운 생활을 보장하기 위한 권리이다.
⑤ 권리의 보장을 위하여 국가에 일정한 행위를 적극적으로 요청할 수 있는 권리이다.

정답과 해설 6쪽

▶ 24063-0027

09

다음 자료에 대한 설명으로 옳은 것은?

표는 기본권 유형 A, B의 성격을 묻는 질문에 대한 갑의 응답을 나타낸 것이다. 단, A, B는 각각 자유권과 사회권 중 하나이며, 옳은 응답을 하면 1점, 틀린 응답을 하면 0점을 부여한다.

질문	응답	채점 결과
(가)	아니요	1점
(나)	예	1점
A는 국가가 개입하는 것을 배제하는 방어적인 성격을 갖는가?	아니요	0점
B는 가장 최근에 등장한 현대적 권리인가?	아니요	0점

① A는 국민이 국가에 인간다운 생활의 보장을 요구할 수 있는 권리이다.
② B는 구체적 내용이 헌법에 명시되지 않아도 보장되는 포괄적 권리이다.
③ A는 적극적 성격의 권리, B는 소극적 성격의 권리이다.
④ (가)에는 'A는 국가의 정치 과정에 능동적으로 참여할 수 있는 권리인가?'가 들어갈 수 있다.
⑤ (나)에는 'B는 복지 국가의 원리를 실현하기 위한 권리인가?'가 들어갈 수 없다.

▶ 24063-0028

10

다음 자료에 대한 설명으로 옳은 것은? (단, A, B는 각각 자유권과 사회권 중 하나임.)

○○회사의 아파트가 우리 학교 앞에 지어지게 되면 학교의 일조권이 침해되고 소음으로 인하여 기본권 A가 침해될 수 있습니다. 따라서 아파트 공사를 중지해야 합니다.
아파트 공사를 중지하게 되면 우리 회사의 정당한 재산권 행사를 할 수 없어 기본권 B가 침해될 수 있습니다. 따라서 아파트 공사를 계속 진행해야 합니다.
법원
아파트 신축으로 인해 ○○회사가 얻을 수 있는 이익에 비해 학교에 발생하는 일조 방해와 공사 과정에서의 소음 침해가 참을 수 있는 정도를 넘어섰으므로 공사를 중지해야 합니다.

① A는 다른 모든 기본권 보장의 전제가 되는 권리이다.
② B는 자본주의 문제점을 해결하는 과정에서 등장한 권리이다.
③ A는 B와 달리 국가에 대해 인간다운 생활의 보장을 요구할 수 있는 권리이다.
④ B는 A와 달리 기본권을 행사하기 위해서 입법자에 의한 구체적인 형성을 필요로 하는 권리이다.
⑤ 법원은 ○○회사의 아파트 공사 진행이 학교 구성원의 자유롭게 생활할 수 있는 권리를 침해한다고 보았다.

THEME 04

정부 형태

1 정부 형태

(1) 정부 형태의 의미와 유형

① 의미: 한 국가의 권력 체계의 구성 형태

② 유형

- 구분 기준: 행정부와 입법부의 관계
- 대표적 유형: 의원 내각제, 대통령제

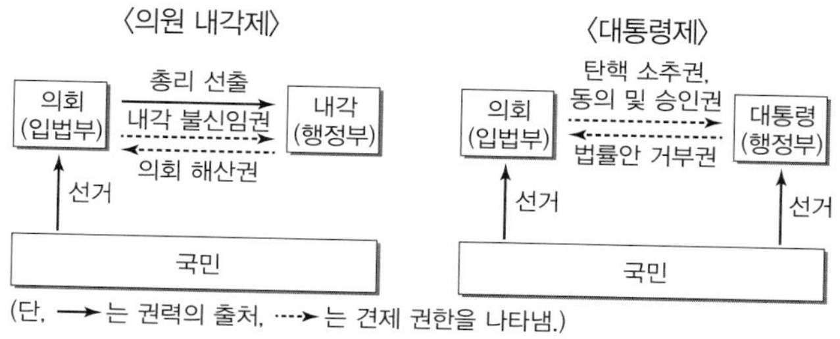

(단, ⟶ 는 권력의 출처, ···> 는 견제 권한을 나타냄.)

(2) 의원 내각제

① 의미: 의회에서 선출된 총리를 중심으로 국정을 운영하는 정부 형태

② 성립 배경: 영국에서 명예혁명을 통해 입헌 군주제를 바탕으로 한 의회 중심의 정치 체제를 형성하면서 성립

③ 행정부 구성 방식: 국민의 선거를 통해 의회를 구성하고 의회에서 선출된 총리가 내각을 구성함.

④ 특징

권력 융합	입법부가 행정부를 구성함으로써 권력이 융합된 정부 형태
의회와 내각의 긴밀한 협조	• 의회에서 선출된 총리가 내각 구성 • 내각은 의회에 대해 연대 책임을 짐. • 의회 의원의 각료 겸직 가능 • 내각도 법률안 제출 가능
의회와 내각의 상호 견제	• 의회의 내각에 대한 불신임권 행사 • 내각의 의회 해산권 행사
국가 원수와 행정부 수반	• 국가 원수: 국정 운영의 실질적 권한 없음(국왕 또는 대통령). • 정치적 실권은 행정부 수반인 총리에게 있음.

⑤ 장점과 단점

장점	• 의회와 내각의 긴밀한 협조로 능률적 국정 처리 가능 • 내각의 존속 여부가 의회에 의존하므로 책임 정치 구현 가능 • 내각 불신임, 의회 해산을 통해 입법부와 행정부의 정치적 대립 해결 가능
단점	• 다수당이 의회 과반 의석을 차지할 경우 입법부와 행정부를 모두 장악하여 다수당의 횡포 우려 • 과반 의석을 확보한 정당이 없어 연립 내각이 구성될 경우 정치적 책임 소재가 불명확해질 수 있음.

(3) 대통령제

① 의미: 국민에 의해 선출된 대통령이 국가 원수이자 행정부 수반으로서의 권한을 행사하는 정부 형태

② 성립 배경: 영국의 식민지였던 미국이 독립 과정에서 권력의 집중을 막고 국민의 자유와 권리를 보장하기 위해 견제와 균형의 원리에 입각하여 입법부와 행정부를 엄격히 분리하면서 성립

③ 행정부 구성 방식

- 국민이 선거로 대통령을 선출하며 대통령은 행정부를 구성함.
- 대통령과 행정부는 국민에게 정치적 책임을 질 뿐 의회에 대해서는 정치적 책임을 지지 않음.

④ 특징

엄격한 권력 분립	행정부와 입법부 간 엄격한 권력 분립으로 견제와 균형의 원리에 충실
입법부와 행정부의 상호 독립	• 대통령과 의회 의원은 각각 국민이 별도의 선거를 통해 선출 • 의회 의원은 각료를 겸직할 수 없음. • 법률안 제출은 의회 의원만 가능함.
입법부와 행정부의 상호 견제와 균형	• 대통령의 법률안 거부권 행사 • 의회의 각종 동의권 및 승인권 행사, 주요 공직자에 대한 탄핵 소추권 행사
국가 원수와 행정부 수반	대통령은 국가 원수인 동시에 행정부 수반으로서의 지위를 가짐.

⑤ 장점과 단점

장점	• 대통령의 법률안 거부권을 통해 의회 다수당의 횡포 방지 • 대통령의 임기 보장을 통해 대통령의 임기 동안 정국 안정, 정책의 계속성 확보 가능
단점	• 대통령에게 권한이 집중됨으로써 독재 출현 우려 • 여소야대 상황에서 입법부와 행정부 대립 발생 시 조정 곤란

2 우리나라의 정부 형태

(1) 우리나라의 정부 형태의 특징

① 특징: 대통령제를 기본으로 하면서 의원 내각제 요소를 일부 도입함.

② 역사적 변천 과정: 대통령제 → 의원 내각제(3차 개헌) → 대통령제(5차 개헌~현재)

(2) **우리나라 정부 형태의 대통령제 요소**: 대통령이 국가 원수와 행정부 수반의 지위를 동시에 가짐, 대통령의 법률안 거부권, 국회의 각종 동의권 및 승인권 행사 등

(3) **우리나라 정부 형태의 의원 내각제 요소**: 국무총리의 행정 각부 통할, 국회 의원의 국무 위원 겸직 가능, 정부의 법률안 제출권, 국회의 국무총리 및 국무 위원 해임 건의권, 대통령의 국회 임시회 집회 요구권 등

수능 실전 문제

▶ 24063-0029

01

(가), (나)는 각각 전형적인 대통령제와 의원 내각제 중 하나이다. 이에 대한 설명으로 옳은 것은?

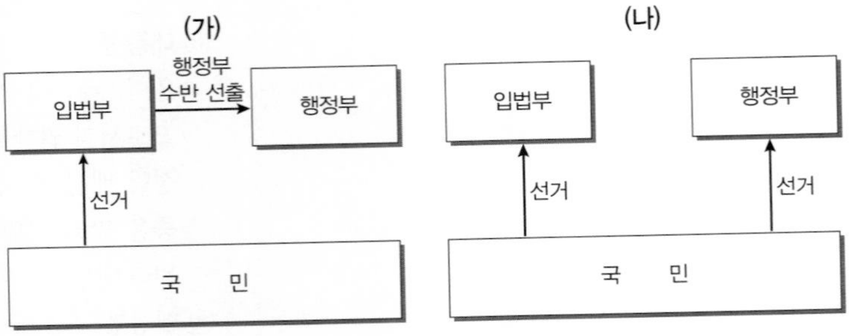

① (가)에서는 의회가 내각을 불신임할 수 있다.
② (나)에서는 행정부가 법률안을 제출할 수 있다.
③ (가)에서는 (나)에서와 달리 행정부 수반의 임기가 엄격히 보장된다.
④ (나)에서는 (가)에서와 달리 사법부의 독립이 보장된다.
⑤ (가)와 (나)에서는 모두 의회 제1당이 과반수가 되지 않을 경우 연립 내각이 구성된다.

▶ 24063-0030

02

다음 자료에 나타난 갑국과 을국의 정부 형태에 대한 설명으로 옳은 것은? (단, 갑국과 을국의 정부 형태는 각각 전형적인 대통령제와 의원 내각제 중 하나임.)

〈갑국 TV 뉴스〉
오늘 행정부 수반인 A가 얼마 전 의회에서 의결된 ○○법률안에 대해 거부권을 행사했습니다.
〈을국 TV 뉴스〉
의회 의원 선거 결과 제1당이 된 (가)당의 대표는 오늘 (나)당의 대표와 만나 연립 내각을 구성하기로 합의했습니다.

① 갑국에서는 의회 의원의 각료 겸직이 가능하다.
② 을국에서는 국민이 선거로 행정부 수반을 선출한다.
③ 갑국은 을국과 달리 입법부와 행정부의 권력이 융합된 정부 형태이다.
④ 을국에서는 갑국과 달리 내각이 의회 해산권을 갖는다.
⑤ 갑국과 을국에서는 모두 행정부 수반과 국가 원수가 동일인이다.

03

▸ 24063-0031

다음 자료에 대한 옳은 설명만을 〈보기〉에서 고른 것은?

A와 B는 각각 전형적인 대통령제와 의원 내각제 중 하나이다. 표는 갑과 을이 제시된 각 내용에 해당하는 정부 형태를 적은 것이다. 단, ㉠모든 내용에 대하여 옳은 답을 적은 사람은 1명뿐이다.

내용	갑	을
행정부의 법률안 제출권이 인정된다.	B	A
(가)	B	B
(나)	A	B

보기

ㄱ. A에서 연립 내각이 구성된다면 ㉠은 갑이다.
ㄴ. (가)에 '의회 의원은 각료를 겸직할 수 없다.'가 들어가면, ㉠은 을이다.
ㄷ. ㉠이 갑이면, (가)에 '의회는 내각 불신임권을 행사할 수 있다.'가 들어갈 수 있다.
ㄹ. ㉠이 을이면, (나)에 '행정부 수반이 국가 원수의 지위를 동시에 가진다.'가 들어갈 수 없다.

① ㄱ, ㄴ ② ㄱ, ㄷ ③ ㄴ, ㄷ ④ ㄴ, ㄹ ⑤ ㄷ, ㄹ

04

▸ 24063-0032

다음 자료에 대한 추론으로 옳은 것은?

- 갑국은 의회 10대~13대에 각각 전형적인 대통령제와 의원 내각제 중 하나를 채택하고 있다.
- 갑국의 의회 의석수는 10대~13대 모두 200석으로 동일하다.
- 갑국의 정부 형태는 의회 10대~13대 중 한 번만 바뀌었으며, 연립 내각은 한 번만 구성되었다.
- 갑국은 의회 10대~13대 중 각 시기 내에서 행정부 수반의 소속 정당 변동은 없다.
- 갑국의 모든 의회 의원은 정당 소속으로 무소속 의원은 없다.

〈갑국의 의회 10대~13대 정치 상황〉

구분	10대	11대	12대	13대
의회 제1당	A당	B당	C당	A당
의회 제1당 의석수	105석	90석	102석	110석
행정부 수반의 소속 정당	A당	B당	B당	A당

① 행정부 수반의 법률안 거부권 행사는 11대에서 가능했을 것이다.
② 13대에서 의회는 행정부에 대한 불신임권을 행사할 수 있었을 것이다.
③ 10대와 11대는 의회가 행정부 수반을 선출하는 정부 형태였을 것이다.
④ 10대와 달리 11대의 정국은 여소야대 상황이었을 것이다.
⑤ 11대에 비해 13대의 행정부 수반은 의회의 요구에 민감했을 것이다.

05

▶ 24063-0033

다음 우리나라 헌법 조항에 대한 설명으로 옳지 않은 것은?

제52조 국회 의원과 정부는 법률안을 제출할 수 있다.
제53조 ① 국회에서 의결된 법률안은 정부에 이송되어 15일 이내에 대통령이 공포한다.
② 법률안에 이의가 있을 때에는 대통령은 제1항의 기간 내에 이의서를 붙여 국회로 환부하고, 그 재의를 요구할 수 있다. 국회의 폐회 중에도 또한 같다.
제61조 ① 국회는 국정을 감사하거나 특정한 국정사안에 대하여 조사할 수 있으며, 이에 필요한 서류의 제출 또는 증인의 출석과 증언이나 의견의 진술을 요구할 수 있다.
제67조 ① 대통령은 국민의 보통·평등·직접·비밀 선거에 의하여 선출한다.
제103조 법관은 헌법과 법률에 의하여 그 양심에 따라 독립하여 심판한다.

① 제52조는 행정부와 입법부의 권력이 융합된 정부 형태의 특징을 나타낸다.
② 제53조 제2항은 행정부가 입법부를 견제하는 수단을 나타낸다.
③ 제61조 제1항은 입법부가 행정부를 견제하는 수단을 나타낸다.
④ 제67조 제1항은 대통령제의 특징이다.
⑤ 제103조는 의원 내각제와 달리 대통령제에서 강조하는 내용이다.

06

▶ 24063-0034

다음 자료에 대한 설명으로 옳은 것은?

〈게임 규칙〉
• 상자 안에 총 7장의 카드가 있다. 각 카드의 내용이 우리나라에서 시행하고 있는 대통령제 요소이면 2점, 우리나라에서 시행하고 있는 의원 내각제 요소이면 1점, 우리나라에서 시행하고 있지 않으면 0점을 부여한다.
• 첫 번째 사람이 상자 안에서 카드 3장을 뽑아 총점을 계산한 후, 뽑은 카드를 다시 상자 안에 넣는다. 그리고 두 번째 사람이 상자 안에서 카드 3장을 뽑아 총점을 계산하여 총점이 높은 사람이 게임의 승자가 된다.
〈게임 진행〉 갑과 을이 게임에 참여하였고, 갑이 카드 3장을 뽑은 다음 다시 상자에 넣고 을이 카드 3장을 뽑았다.
〈게임 결과〉 갑에 비해 을이 1점을 더 얻어 승자가 되었다.

구분	내용
카드 A	대통령은 국회를 해산할 수 있다.
카드 B	행정부가 법률안을 제출할 수 있다.
카드 C	국회 의원의 국무 위원 겸직이 가능하다.
카드 D	국회는 내각 불신임권을 행사할 수 있다.
카드 E	국회는 대통령에게 국무총리와 국무 위원의 해임을 건의할 수 있다.
카드 F	국회는 주요 고위 공직자에 대한 탄핵 소추권을 가진다.
카드 G	대통령은 국회가 의결한 법률안에 대해 재의를 요구할 수 있다.

① 카드 A와 카드 C의 점수는 같다.
② 카드 3장의 조합으로 획득할 수 있는 최대 점수는 6점이다.
③ 카드 3장의 조합으로 획득할 수 있는 최소 점수는 2점이다.
④ 갑이 카드 B, 카드 C, 카드 F를 뽑았다면 을이 뽑을 수 있는 카드의 조합은 3개이다.
⑤ 우리나라에서 시행하고 있는 대통령제 요소에 해당하는 카드의 개수가 우리나라에서 시행하고 있는 의원 내각제 요소에 해당하는 카드의 개수보다 많다.

07

▸ 24063-0035

다음 대화의 밑줄 친 ㉠, ㉡에 해당하는 학생으로 옳은 것은?

교사: 우리나라 정부 형태는 대통령제를 기본으로 합니다. 그러나 의원 내각제의 요소도 일부 포함되어 있습니다. 우리나라에서 실시하는 의원 내각제의 요소를 발표해 보세요.
갑: 대통령이 국회를 해산할 수 있어요.
을: 국회 의원이 국무총리나 국무 위원을 겸직할 수 있어요.
병: 국회 의원뿐만 아니라 정부도 법률안을 제출할 수 있어요.
정: 대통령은 국회가 의결한 법률안의 재의를 요구할 수 있어요.
무: 국회는 국무총리나 국무 위원의 해임을 대통령에게 건의할 수 있어요.
교사: 잘 대답했어요. 그런데 ㉠한 학생은 우리나라에서 실시하지 않는 의원 내각제의 요소를 발표했고, ㉡다른 학생은 대통령제의 요소를 발표했어요.

	㉠	㉡
①	갑	을
②	갑	정
③	을	병
④	병	정
⑤	병	무

08

▸ 24063-0036

다음 자료에 대한 옳은 설명만을 〈보기〉에서 고른 것은? (단, A, B는 각각 전형적인 대통령제 또는 의원 내각제 중 하나임.)

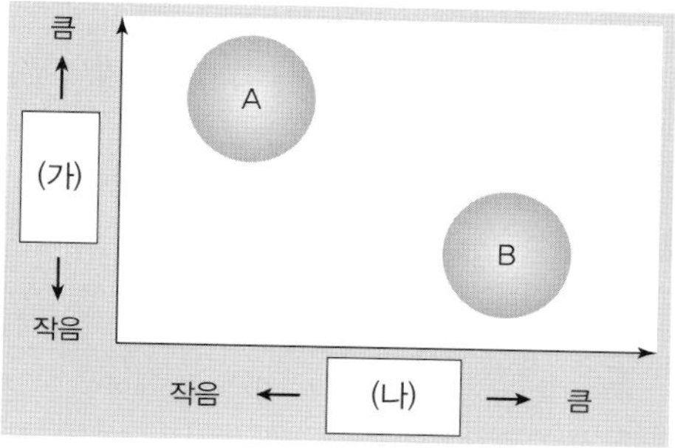

보기

ㄱ. (가)가 '권력의 융합 정도'이면, B는 행정부의 법률안 제출권이 인정된다.
ㄴ. (나)가 '정책의 지속 가능성'이면, A는 의회 의원이 내각의 각료를 겸직할 수 있다.
ㄷ. A가 대통령제라면, (가)에 '의회 다수당의 횡포 견제 가능성'이 들어갈 수 있다.
ㄹ. B가 의원 내각제라면, (나)에 '사법부의 독립 보장 가능성'이 들어갈 수 있다.

① ㄱ, ㄴ ② ㄱ, ㄷ ③ ㄴ, ㄷ ④ ㄴ, ㄹ ⑤ ㄷ, ㄹ

09

▸ 24063-0037

다음 자료에 대한 옳은 설명만을 〈보기〉에서 있는 대로 고른 것은?

- 갑국과 을국은 각각 전형적인 대통령제와 의원 내각제 중 하나의 정부 형태를 채택하고 있다.
- 갑국과 을국은 최근 비슷한 시기에 의회 의원 선거를 실시하였으며, 국민이 행정부 수반을 선출하기 위한 선거를 실시하지 않았다.
- 갑국과 을국 모두 의회 의원 선거 전과 후의 정부 형태는 동일하다.
- 갑국과 을국 모두 의회 의원 선거 전과 후의 전체 의석은 200석으로 동일하다.
- 갑국과 을국의 의회 의원 선거 전과 후의 상황은 다음과 같다.

구분	의회 의원 선거 전		의회 의원 선거 후	
	갑국	을국	갑국	을국
제1당의 의석수	106석	110석	102석	114석
제2당의 의석수	64석	72석	60석	75석
제1당	A당	(가)당	B당	(나)당
행정부 수반의 소속 정당	A당	(가)당	A당	(나)당

보기

ㄱ. 갑국은 의회 의원 선거 후 연립 내각을 구성하였다.
ㄴ. 갑국은 의회 의원 선거 후 행정부 수반의 법률안 거부권 행사 가능성이 커졌다.
ㄷ. 을국의 행정부는 법률안 제출권을 가지고 있다.
ㄹ. 을국은 의회 의원 선거 후 (나)당 소속 의원이 행정부의 각료가 될 수 있다.

① ㄱ, ㄴ ② ㄱ, ㄷ ③ ㄷ, ㄹ ④ ㄱ, ㄴ, ㄹ ⑤ ㄴ, ㄷ, ㄹ

10

▸ 24063-0038

다음 자료에 대한 분석 및 추론으로 옳은 것은?

- 갑국은 국민이 의회 의원을 선출하여 입법부를 구성하면, 입법부가 행정부를 구성하는 전형적인 정부 형태를 채택하고 있다.
- 표는 갑국의 t대 의회와 t+1대 의회의 정당별 의석 분포를 나타낸 것이다.
- 갑국의 t대 의회와 t+1대 의회의 총의석수는 각각 300석이다.

(단위: 석)

구분	A당	B당	C당	D당	E당	계
t대 의회	63	85	60	55	37	300
t+1대 의회	155	100	30	10	5	300

① 갑국에서는 행정부 수반의 임기가 엄격히 보장된다.
② t대에 비해 t+1대에 정치적 책임 소재가 불분명했을 것이다.
③ 행정부 수반 소속 정당은 t대와 t+1대 모두 A당이었을 것이다.
④ t대 의회에서는 최소 3개 이상의 정당이 행정부 구성에 참여했을 것이다.
⑤ t+1대에 비해 t대에서는 행정부 수반의 법률안 거부권 행사가 빈번했을 것이다.

THEME

05 우리나라의 국가 기관

1 국회

(1) **국회의 지위**: 국민 대표 기관, 입법 기관, 국정 통제 기관

(2) **국회 의원의 구성**: 지역구 의원, 비례 대표 의원 → 임기 4년

(3) **국회의 기능과 권한**

① 입법에 관한 사항: 헌법 개정안 제안 · 의결권, 법률 제 · 개정권, 조약의 체결 · 비준 동의권 등

② 재정에 관한 사항: 국가 예산안 심의 · 의결권, 결산 심사권 등

③ 일반 국정에 관한 사항

- 국가 기관 구성: 국무총리 · 감사원장 · 대법원장 및 대법관 · 헌법 재판소장 임명 동의권, 헌법 재판소의 재판관 3인 선출권 등
- 국정 감시 및 통제: 국정 감사 · 조사권, 대통령 권한 행사에 대한 동의 · 승인권, 국무총리 및 국무 위원 해임 건의권, 탄핵 소추권 등

(4) **입법 절차**

① 헌법 개정 절차

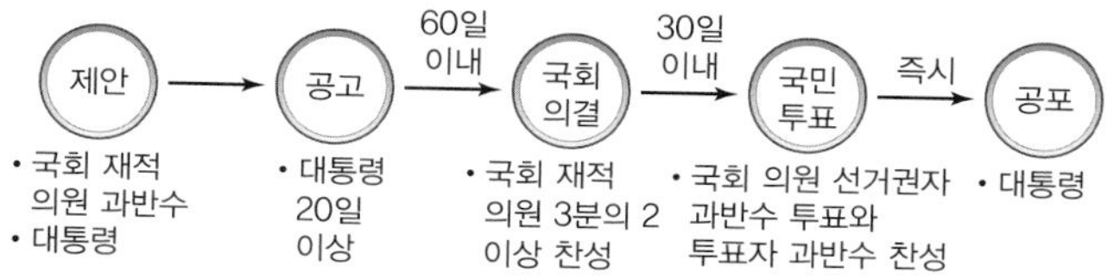

② 법률 제 · 개정 절차

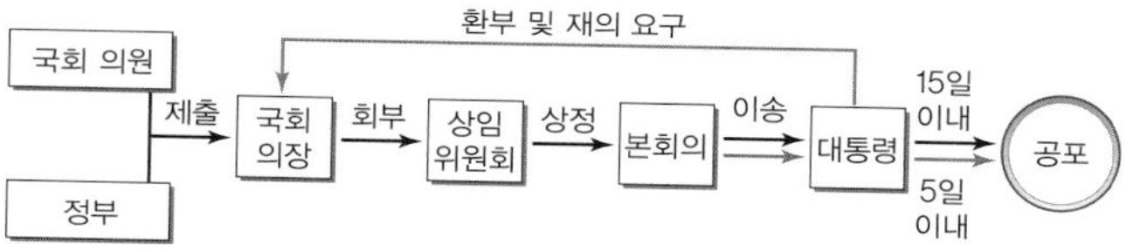

* 제출: 국회 의원(10명 이상), 국회의 위원회 또는 정부
* 심의 · 의결: 소관 상임 위원회 심의 · 의결 → 본회의 상정 → 질의 및 토론 → 의결(재적 의원 과반수 출석과 출석 의원 과반수 찬성)
* 공포: 정부로 이송된 법률안은 15일 이내에 대통령이 공포
* 재의결: 재의 요구된 법률안이 재적 의원 과반수의 출석과 출석 의원 3분의 2 이상의 찬성으로 의결되면 법률로서 확정

2 대통령과 행정부

(1) **대통령**

① 지위: 국가 원수와 행정부 수반의 지위를 동시에 가짐.

② 선출 및 임기: 국민의 직접 선거, 임기 5년, 중임 금지

③ 주요 권한

- 국가 원수로서의 권한: 조약 체결 및 비준권, 선전 포고와 강화권, 대법원장 및 대법관 · 헌법 재판소장 등에 대한 임명권 등
- 행정부 수반으로서의 권한: 행정부 지휘 · 감독권, 공무원 임면권, 대통령령 발포권 등

④ 대통령 권한 행사에 대한 통제 방법: 국회의 탄핵 소추 및 헌법 재판소의 탄핵 심판, 선거에 의한 통제, 여론에 의한 통제 등

(2) **행정부의 주요 기구**

① 국무총리: 대통령이 국회의 동의를 얻어 임명, 행정 각부를 통할함, 국무 위원 임명 제청, 국무 위원 해임 건의, 총리령 발포 등

② 국무 회의: 정부의 권한에 속하는 중요 정책을 심의하는 행정부 최고의 심의 기관, 의장(대통령) · 부의장(국무총리) · 국무 위원으로 구성

③ 행정 각부: 대통령이 결정하는 정책과 행정부의 권한에 속하는 사무를 집행함.

④ 감사원: 대통령 직속의 독립적 헌법 기관, 국가의 세입 · 세출의 결산 검사, 공무원의 직무 감찰, 국가 및 법률이 정한 단체의 회계 검사 등

3 법원과 헌법 재판소

(1) **사법권의 독립**

① 의미: 외부의 간섭과 압력으로부터 법원과 법관을 독립시킴.

② 목적: 공정한 재판을 보장하여 국민의 기본권 보장

③ 실현 방법: 법원의 독립, 법관의 독립

(2) **법원의 조직과 기능**

① 대법원: 위헌 · 위법한 명령 · 규칙 · 처분에 대한 최종 심사권, 상고 · 재항고심 관할권 등

② 고등 법원: 원칙적으로 항소 · 항고 사건의 제2심을 담당함.

③ 지방 법원: 원칙적으로 제1심을 담당함(지방 법원 본원 합의부는 지방 법원 및 지원 단독 판사의 판결에 대한 항소 사건과 결정 · 명령에 대한 항고 사건의 제2심을 담당함.).

④ 위헌 법률 심판 제청권: 법률이 헌법에 위반되는 여부가 재판의 전제가 된 경우에는 각급 법원이 헌법 재판소에 제청할 수 있음.

(3) **심급 제도**

① 의미: 공정한 재판을 보장하기 위해 법원에 급을 두어 여러 번 재판을 받을 수 있도록 하는 제도 → 원칙적으로 3심제

② 상소 제도: 하급 법원의 판결이나 결정 · 명령에 불복하여 상급 법원에 다시 재판을 청구하는 제도(항소, 상고, 항고, 재항고)

(4) **헌법 재판소**

① 지위: 헌법 수호 기관, 기본권 보장 기관

② 구성: 법관의 자격을 가진 9인의 재판관으로 구성 → 국회에서 선출된 3인, 대법원장이 지명한 3인을 포함하여 대통령이 임명, 헌법 재판소장은 국회의 동의를 얻어 재판관 중에서 대통령이 임명

③ 권한: 위헌 법률 심판, 헌법 소원 심판, 탄핵 심판, 권한 쟁의 심판, 정당 해산 심판

④ 위헌 법률 심판: 법률의 위헌 여부가 재판의 전제가 된 경우에 법원의 제청에 의해 해당 법률의 위헌 여부를 결정함.

⑤ 헌법 소원 심판

- 권리 구제형 헌법 소원: 공권력의 행사 또는 불행사로 헌법상 보장된 기본권을 침해당한 국민이 직접 헌법 재판소에 그 공권력의 취소 또는 위헌 확인을 구하는 심판
- 위헌 심사형 헌법 소원: 재판 당사자가 법원에 위헌 법률 심판 제청을 신청하였으나 법원이 이를 받아들이지 않았을 때 신청을 한 당사자가 직접 헌법 재판소에 법률의 위헌 확인을 구하는 심판

01

▸ 24063-0039

(가)~(마)는 우리나라의 국회 활동의 일부이다. 이와 관련된 설명으로 옳은 것은?

(가) 국무 위원 갑에 대한 해임 건의안을 의결하였다.
(나) ○○ 사건의 진상 규명을 위해 국정 조사를 실시하였다.
(다) A국과 체결한 통상 조약 비준안에 대한 동의권을 행사하였다.
(라) 국무총리 및 관계 국무 위원을 출석시켜 외교 문제를 질의하였다.
(마) 출석 의원 280명 중 162명의 찬성으로 □□법률 개정안을 의결하였다.

① (가)에 따라 대통령은 갑을 해임해야 한다.
② (나)의 국정 조사는 매년 1회 정기적으로 실시된다.
③ (라)는 전형적인 대통령제의 요소에 해당한다.
④ (마)의 의결로 □□법률 개정안은 법률로서 확정된다.
⑤ (다)와 (마)는 모두 국회의 입법 권한을 행사한 것이다.

02

▸ 24063-0040

밑줄 친 ㉠~㉤에 대한 설명으로 옳은 것은?

〈국회 의원 갑의 일정표〉

일자	주요 일정
월	제△△회 국회(㉠임시회) 참석
화	㉡교섭 단체(A당) 대표 연설
수	㉢헌법 개정안 발의 문제 협의
목	㉣상임 위원회, ○○법률안 의결 참석
금	㉤본회의, ◇◇법률안 재의결 참석

① ㉠은 대통령 또는 국회 재적 의원 1/4 이상의 요구에 의해 집회된다.
② ㉡은 효율적이고 전문적인 안건 심의가 주된 역할이다.
③ ㉢은 국회 재적 의원 2/3 이상이 찬성해야 가능하다.
④ ㉣에서 ○○법률안이 가결되더라도 대통령은 국회에 재의를 요구할 수 있다.
⑤ ㉤에서 재의결된 ◇◇법률안은 대통령이 공포해야 법률로서 확정된다.

03

▸ 24063-0041

표는 우리나라 국회의 정당별 의석수를 가상으로 나타낸 것이다. 이에 대한 분석 및 추론으로 옳은 것은?

(단위: 석)

정당	A당	B당	C당	D당	E당	계
의석수	98	86	74	34	8	300

* 정당은 A~E당만 존재하며 무소속 의원은 없음.
** 같은 정당 소속 의원은 모두 일치된 의견을 표시함.

① 교섭 단체는 3개만 구성될 수 있다.
② 국회의 제1당이 국정을 책임지기 때문에 대통령은 A당 소속이다.
③ A당과 B당이 찬성하면 다른 정당이 반대하더라도 법률안 의결이 가능하다.
④ B당, C당, D당이 연합하면 다른 정당이 반대하더라도 헌법 개정안을 의결할 수 있다.
⑤ A당을 제외한 다른 정당이 모두 연합하더라도 대통령이 거부권을 행사한 법률안의 재의결은 불가능하다.

04

▸ 24063-0042

그림은 뉴스 장면이다. 우리나라 국가 기관 A~D에 대한 설명으로 옳은 것은?

A는 B가 재의를 요구한 △△법률안을 재의결하였습니다.
C는 상고심 재판 도중 ○○ 법률에 대한 위헌 법률 심판을 D에 제청하였습니다.

① A는 조약 체결 및 비준에 대한 동의권을 가진다.
② B의 모든 권한 행사는 국무 회의의 심의를 필요로 한다.
③ C는 B에 대한 탄핵 소추권을 가진다.
④ D의 결정에 불복할 경우 C에 재항고할 수 있다.
⑤ B는 A의 동의를 얻어 D의 재판관을 임명한다.

05

▸ 24063-0043

다음 자료에 대한 설명으로 옳은 것은? (단, A～D는 각각 대통령, 국회, 헌법 재판소, 감사원 중 하나임.)

국가 기관 / 권한	A	B	C	D
행정 기관 및 공무원에 대한 직무 감찰권을 가진다.	○			
(가)		○	○	
주요 고위 공무원에 대한 탄핵 소추권을 가진다.		○		
법원의 제청에 의해 법률의 위헌 여부를 심판한다.				○

* 해당 국가 기관이 권한을 가진 경우 ○로 표시함.

① A는 국정 감사를 통해 C를 견제한다.
② B는 헌법 개정안을 최종 확정하는 권한을 가진다.
③ C는 D의 장(長) 임명 시 B의 동의를 얻어야 한다.
④ D는 위헌 · 위법한 명령, 규칙, 처분에 대한 최종 심사권을 가진다.
⑤ (가)에 '국가의 세입 · 세출의 결산 검사권을 가진다.'가 들어갈 수 있다.

06

▸ 24063-0044

다음 자료에 대한 설명으로 옳은 것은?

> 갑은 ○○법 제10조 위반으로 1심 법원에서 벌금형을 선고받았다. 이에 갑은 항소하였고, 항소심 재판이 진행되던 중, 갑은 ○○법 제10조의 위헌 여부가 재판의 전제가 된다고 판단하여 법원에 [㉠] 제청을 신청하였으나, 법원이 이를 기각하였다. 이에 갑은 헌법 재판소에 직접 [㉡]을/를 청구하였다.

① 갑은 민사 사건으로 재판을 받고 있다.
② ㉠의 제청은 사법부가 행정부를 견제하는 수단이다.
③ ㉡의 유형은 권리 구제형이 아니라 위헌 심사형에 해당한다.
④ 항소심 법원은 ○○법 제10조가 위헌이라고 보았다.
⑤ 법원이 ㉠을 제청하기 위해서는 갑의 신청이 있어야 한다.

07

▸ 24063-0045

그림은 우리나라 국가 기관 간 견제 관계를 나타낸다. 이에 대한 설명으로 옳은 것은? (단, A～C는 각각 국회, 대법원, 헌법 재판소 중 하나임.)

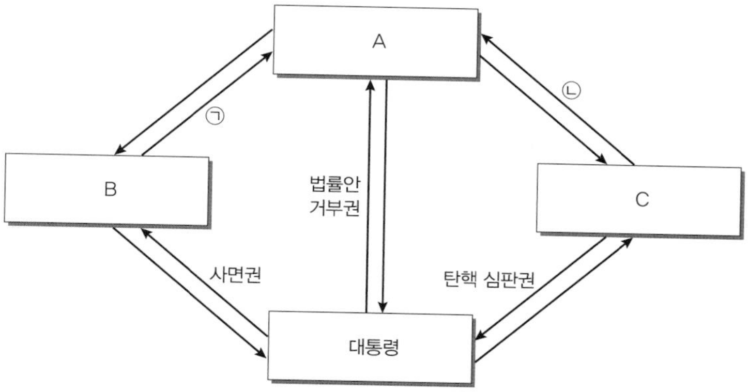

* 화살표 방향은 견제 권한의 행사를 의미함.

① A는 헌법 개정안의 의결 및 확정권을 가진다.
② B는 주요 고위 공무원에 대한 탄핵 소추권을 가진다.
③ C는 국정을 감사하거나 특정한 국정 사안에 대하여 조사할 수 있다.
④ 대통령은 A의 동의를 얻어 A의 장(長), B의 장(長), C의 장(長)을 임명한다.
⑤ ㉠에는 '위헌 법률 심판 제청권', ㉡에는 '위헌 법률 심판권'이 들어갈 수 있다.

08

▸ 24063-0046

다음은 우리나라의 헌법 조항 중 일부이다. 국가 기관 A～E에 대한 설명으로 옳은 것은?

> 제53조 ② 법률안에 이의가 있을 때에는 A는 제1항의 기간 내에 이의서를 붙여 B로 환부하고, 그 재의를 요구할 수 있다. B의 폐회 중에도 또한 같다.
> 제88조 ① C는 정부의 권한에 속하는 중요한 정책을 심의한다.
> 제107조 ① 법률이 헌법에 위반되는 여부가 재판의 전제가 된 경우에는 법원은 D에 제청하여 그 심판에 의하여 재판한다.
> ② 명령 · 규칙 또는 처분이 헌법이나 법률에 위반되는 여부가 재판의 전제가 된 경우에는 E는 이를 최종적으로 심사할 권한을 가진다.

① A는 B가 재의결한 법률안에 대해 재의를 요구할 수 있다.
② B는 외국과의 조약 체결에 대한 비준권을 가진다.
③ C가 심의한 결과는 A를 구속하지 않는다.
④ D는 B의 장(長), E의 장(長)에 대한 탄핵 심판을 담당한다.
⑤ E는 D의 위헌 법률 심판 결정에 대한 재항고심을 담당한다.

▸ 24063-0047

09

우리나라의 국가 기관 A~C에 대한 설명으로 옳은 것은? (단, A~C는 각각 감사원, 대법원, 헌법 재판소 중 하나임.)

- A는 11개 국가 기관을 대상으로 예산 집행 실태를 점검한 결과 상당수 기관의 교부금 집행 과정에서 불필요한 낭비가 심각하게 발생했다고 밝혔다. 이에 따라 A는 현행 교부금 제도의 방만한 운영을 개선할 것을 관계 기관에 통보하였다.
- B는 누워서 이동해야 하는 장애인(와상 장애인)을 위한 탑승 설비 내용을 규정하지 않은 ○○법 시행 규칙 제6조 제3항이 위헌인지 판단해 달라고 낸 헌법 소원 심판 사건에서 해당 조항은 평등권을 침해해 헌법에 어긋난다고 결정하였다.
- C는 ◇◇법 위반 혐의로 기소된 갑에 대한 상고심에서 "전화를 걸어 피해자의 휴대 전화에 벨소리가 울리게 하거나 부재중 전화 문구 등이 표시되도록 해 상대방에게 불안감이나 공포심을 유발한 행위는 실제 전화 통화가 이뤄졌는지 여부와 상관없이 스토킹 행위에 해당한다."라고 판결하였다.

① A는 직무 수행에 있어서 대통령의 지휘·감독을 받는다.
② B는 국가 및 법률이 정한 단체의 회계를 검사한다.
③ C는 정부가 청구한 위헌 정당에 대한 해산 심판권을 가진다.
④ A는 국정 감사권을 행사하여 B와 C를 견제할 수 있다.
⑤ A~C의 장(長)은 모두 국회의 동의를 얻어 대통령이 임명한다.

▸ 24063-0048

10

다음 자료에 나타난 우리나라 법원의 조직 A~C에 대한 설명으로 옳은 것은?

- [A]는 폭행 혐의로 기소된 갑의 상고심에서 징역 2년을 선고한 원심을 확정하였다.
- 사기 혐의로 기소된 을은 ☆☆ 지방 법원 합의부에서 징역 5년을 선고받았다. 을은 이에 불복하여 항소하였고, 항소심 법원인 [B]에서 징역 3년을 선고받았다.
- 실화 혐의로 기소된 병은 ☆☆ 지방 법원 단독 판사로부터 징역 2년을 선고받았다. 병은 이에 불복하여 항소하였고, 항소심 법원인 [C]에서 벌금 300만 원을 선고받았다.

① A는 법률이 헌법에 위배되는지 여부를 심판한다.
② B는 국회 의원 선거의 당선 무효 소송을 담당한다.
③ 을은 B의 판결에 불복할 경우 해당 판결에 대해 헌법 소원 심판을 청구할 수 있다.
④ 병은 C의 판결에 불복할 경우 A에 상고할 수 있다.
⑤ C는 B와 달리 위헌 법률 심판 제청권을 가진다.

11

▸ 24063-0049

그림은 헌법 재판소의 권한 행사와 관련된 내용을 나타낸다. 이에 대한 설명으로 옳은 것은?

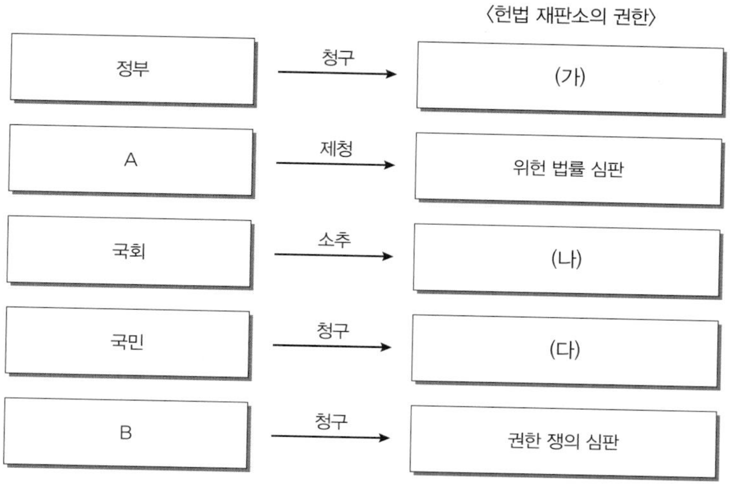

① A는 재판 당사자의 신청이 없어도 위헌 법률 심판을 제청할 수 있다.
② B는 지방 자치 단체를 제외한 모든 국가 기관이다.
③ (가)에서는 정당의 목적이 복지 국가의 실현에 있는지를 판단한다.
④ (나)의 대상에는 대통령, 국무총리, 국회 의장이 포함된다.
⑤ (다)의 대상에는 공권력의 불행사가 포함되지 않는다.

12

▸ 24063-0050

다음은 헌법 재판소 결정문의 일부이다. 이에 대한 옳은 설명만을 〈보기〉에서 있는 대로 고른 것은?

[심판 대상 조문]
㉠ ○○법 제4조 제1항

[당사자]
제청 법원 □□ 지방 법원
제청 신청인 갑
…(중략)…

[주문]
1. ○○법 제4조 제1항은 헌법에 위반된다.
…(이하 생략)…

보기

ㄱ. □□ 지방 법원에서 ㉠은 갑에 대한 재판의 전제가 되었을 것이다.
ㄴ. 갑은 □□ 지방 법원의 결정에 불복하여 헌법 소원 심판을 청구하였다.
ㄷ. □□ 지방 법원과 헌법 재판소는 ㉠의 위헌 여부에 대한 입장을 달리하였다.
ㄹ. 갑의 신청이 없었더라도 □□ 지방 법원은 ㉠의 위헌 여부에 대한 심판을 제청할 수 있었다.

① ㄱ, ㄴ ② ㄱ, ㄹ ③ ㄷ, ㄹ ④ ㄱ, ㄴ, ㄷ ⑤ ㄴ, ㄷ, ㄹ

지방 자치

1 지방 자치

(1) 지방 자치의 의미와 의의

① 의미: 일정한 지역에 거주하는 주민이 자치 단체를 구성하여 그 지역의 사무를 자율적으로 처리하는 제도

② 의의

- 민주주의의 이상인 자치의 원리에 충실: 지방 자치의 경험을 통해 양성한 민주 시민과 정치 지도자는 국가 전체의 민주주의 발전에 기여 → 풀뿌리 민주주의, 민주주의의 학교
- 지방 분권의 실현: 권력의 중앙 집중으로 인한 폐단을 막고 중앙 정부와 지방 자치 단체의 역할 분담 → 수직적 권력 분립
- 국민의 자유와 권리 보장: 중앙 정부의 한계 보완 및 견제를 통해 국민의 자유와 권리 보장에 기여

(2) 지방 자치의 유형

주민 자치	지역 주민이 스스로의 책임 아래 그 지방의 공공 문제를 처리 → 자치의 원리
단체 자치	중앙 정부로부터 독립된 지위와 권한을 부여받은 지방 정부가 자치 실행 → 지방 분권의 원리

2 우리나라 지방 자치

(1) 지방 자치 단체의 종류

① 광역 자치 단체: 특별시, 광역시, 특별자치시, 도, 특별자치도

② 기초 자치 단체: 시, 군, 자치구

(2) 지방 자치 단체의 기관

① 지방 의회(의결 기관)

- 구성: 주민의 선거로 선출된 지역구 의원과 비례 대표 의원으로 구성
- 지위: 주민의 대표 기관, 최고 의사 결정 기관, 집행 기관에 대한 견제 및 감시 기관
- 권한: 조례의 제정·개정 및 폐지 권한, 지방 자치 단체 예산의 심의·확정권, 결산 승인권, 기타 주민 부담에 관한 사항의 심의 및 의결권, 주민 청원의 수리 및 처리권 등

② 지방 자치 단체의 장(집행 기관)

- 구성: 주민의 선거에 의해 선출
- 유형
  - 광역 자치 단체의 장: 특별시장, 광역시장, 특별자치시장, 도지사, 특별자치도지사
  - 기초 자치 단체의 장: 시장, 군수, 구청장
- 지위: 지방 자치 단체의 집행 기관, 지방 자치 단체 대표
- 권한: 지방 자치 단체의 일반적인 행정 사무 처리권, 소속 직원에 대한 임면권 및 지휘 감독권, 규칙 제·개정 및 폐지권 등

③ 교육의 자율성·전문성·독립성을 보장하기 위해 광역 자치 단체에 교육 자치 관련 집행 기관인 교육감을 두고 있음.

(3) 우리나라의 주민 참여 제도

① 주민 투표 제도: 주민에게 과도한 부담을 주거나 중대한 영향을 미치는 주요 결정 사항 등을 주민 투표로 결정하는 제도

② 주민 조례 청구 제도: 주민이 지방 의회에 조례를 제정하거나 개정 또는 폐지할 것을 청구할 수 있는 제도

③ 주민 소환 제도: 부당한 행위를 저지르거나 직무에 태만한 지방 자치 단체의 장이나 지방 의회 의원(비례 대표 지방 의회 의원 제외)을 임기 중에 주민의 투표에 의해 해임하는 제도

④ 주민 참여 예산 제도: 주민이 지방 자치 단체의 예산 편성 과정에 직접 참여하여 협의를 거쳐 실현 가능한 예산안을 편성하고 사업의 필요성 판단이나 예산 배분의 우선순위 결정 등에 대해 의견을 제시하는 제도

⑤ 주민 감사 청구 제도: 지방 자치 단체와 그 장의 권한에 속하는 사무의 처리가 법령에 위반되거나 공익을 현저히 해친다고 인정될 때 주민이 감사를 청구할 수 있는 제도

⑥ 주민 소송 제도: 지방 자치 단체의 위법한 재무 행위를 방지·시정하거나 그로 인한 손해를 회복할 수 있도록 일정한 절차를 거쳐 주민이 법원에 재판을 청구하는 제도

⑦ 주민 청원 제도: 지방 자치 단체의 조례나 규칙의 제·개정 및 폐지, 지방 자치 단체가 마련하기를 바라는 정책, 제도 등을 지방 의회에 문서로써 청원할 수 있는 제도

3 우리나라 지방 자치의 문제점과 과제

(1) 우리나라 지방 자치의 문제점

① 지방 자치 단체의 독립성과 자율성 부족

② 지방 자치 단체의 낮은 재정 자립도 및 지방 자치 단체 간 경제력 차이

③ 지방 자치에 대한 지역 주민의 적극적 참여 부족

(2) 우리나라 지방 자치의 과제

① 지방 분권 강화: 지방 자치 단체에 대한 중앙 정부의 통제 완화, 조세 제도 개선을 통한 지방 자치 단체의 재정 자립도 향상 및 지역 간 균형 발전 도모, 지방 자치 단체의 장 및 지방 의회의 권한 확대

② 주민들의 참여 확대: 주민 참여 방식을 다양화하여 주민들이 지방 자치 활동에 적극적으로 참여할 수 있는 여건 조성

③ 중앙 정부와 지방 자치 단체 간의 협력 강화

01

▸ 24063-0051

그림은 우리나라의 지방 자치 단체를 분류한 것이다. (가)~(라)에 대한 설명으로 옳은 것은?

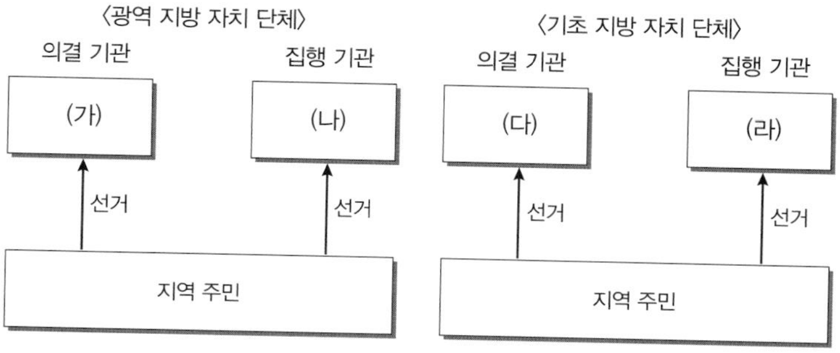

① (가)는 법령의 범위 내에서 조례를 제정한다.
② (라)는 지방 행정 사무에 대한 감사권을 가진다.
③ (가)와 (나)는 서로 수직적 권력 분립 관계에 있다.
④ (나)는 (다)가 의결한 조례안에 대한 재의 요구권을 가진다.
⑤ (나)와 (라)는 지방 자치 단체의 예산을 심의하고 확정한다.

02

▸ 24063-0052

밑줄 친 ㉠~㉥에 대한 설명으로 옳은 것은?

「㉠<u>○○광역시 ◇◇구 통장 및 반장 임명 등에 관한 규칙</u>」 일부를 개정함에 있어 그 입법 취지와 주요 내용을 구민에게 널리 알려 의견을 구하고자 「㉡<u>○○광역시 ◇◇구 자치 법규의 입법에 관한 조례</u>」에 따라 다음과 같이 ㉢<u>입법 예고</u>합니다.

2023년 6월 8일
㉣<u>○○광역시 ◇◇구청장</u>

1. 개정 이유
㉤<u>○○광역시</u> ㉥<u>◇◇구</u> 통장 후보자 연령 제한 폐지 및 통장 후보자 심사 기준표 신설 등 시행 규칙의 관련 조항을 정비하여 후보자 선정 시 객관성과 공정성을 확보하고자 함.
…(이하 생략)…

① ㉢은 전문가에 의한 행정 업무 처리를 촉진하기 위한 제도이다.
② ㉠과 ㉡은 모두 주민 투표를 거쳐야 확정된다.
③ ㉠은 ㉣이, ㉡은 ㉤의 의결 기관이 제정한다.
④ ㉤의 의결 기관은 ㉣의 사무 전반에 대한 감사권을 가진다.
⑤ ㉥의 주민은 ㉡의 개정을 ㉥의 의결 기관에 직접 청구할 수 있다.

▸ 24063-0053

03

(가)~(다)의 시행으로 얻을 수 있는 공통적인 효과로 가장 적절한 것은?

(가) 주민은 지방 자치 단체와 그 장의 권한에 속하는 사무의 처리가 법령에 위반되거나 공익을 현저히 해친다고 인정되면 감사를 청구할 수 있다.
(나) 지방 자치 단체의 재정 등에 대한 감사를 청구한 주민이 감사 결과를 받아들이기 어려운 경우에는 법원에 소송을 제기할 수도 있다.
(다) 주민은 지방 자치 단체의 예산 편성 과정에 참여하여 사업 제안 등 의견을 제시할 수 있다.

① 정책 결정의 전문성을 높일 것이다.
② 정책 결정 과정의 신속성을 확보할 것이다.
③ 지방 행정의 민주성과 책임성을 높일 것이다.
④ 국가 정책의 일관성을 유지하고 효율성을 높일 것이다.
⑤ 정책 수행 과정에서 지방 자치 단체의 장의 재량권이 확장될 것이다.

▸ 24063-0054

04

다음 두 사례에서 공통적으로 파악할 수 있는 지방 자치의 과제로 가장 적절한 것은?

- ○○지역의 화장장 설치를 놓고 지역 주민들이 사업 백지화를 요구하며 시청 앞에서 무기한 천막 농성과 단식 투쟁에 들어갔다. 주민들은 화장장이 들어설 경우 지역의 이미지가 나빠질 것을 우려하고 있다.
- ☆☆고속도로 진출입로 설치를 둘러싸고 △△시와 □□시가 양보없는 대결을 이어가고 있다. 양쪽 지역 주민들은 지역 발전을 위해 서로 자신의 지역으로 진출입로를 설치해야 한다고 강력히 주장하고 있다.

① 지방 정부의 재정 자립도를 높여야 한다.
② 지방 정부의 중앙 정부 의존도를 낮춰야 한다.
③ 지방 자치 단체장의 권력 남용을 막아야 한다.
④ 지역 주민의 정치 참여를 적극 도모해야 한다.
⑤ 지나친 지역 이기주의의 태도를 극복해야 한다.

THEME 07

선거와 선거 제도

1 선거의 의미와 기능

(1) 의미: 국민이 자신들을 대표하여 국가를 운영할 공직자를 선출하는 행위

(2) 기능

대표자 선출과 국민 주권 실현	국민의 의사에 따라 국정을 담당할 대표자를 선출함으로써 국민 주권을 실현함.
정치권력 통제	대표자를 재신임하거나 책임을 물어 교체함.
정치권력에 정당성 부여	국민의 지지를 얻어 합법적으로 선출된 대표자의 정치권력에 정당성을 부여함.
국민 의사 반영과 참여 활성화	국민의 여론을 정치 과정에 반영하고, 국민의 참여 의식을 제고하며 정치 교육의 장을 제공함.

(3) 민주 선거의 4대 원칙

원칙	의미	반대 개념
보통 선거	재산, 학력, 성별, 종교, 인종 등을 이유로 선거권을 제한하지 않고 일정 연령에 도달한 모든 국민에게 선거권을 부여하는 것	제한 선거
평등 선거	유권자에게 부여하는 표의 수를 같게 하고, 유권자가 행사하는 한 표의 가치를 동등하게 하는 것(표의 등가성 실현)	차등 선거
직접 선거	유권자가 대리인(중간 선거인)을 거치지 않고 본인이 직접 대표자를 선출하는 것	간접 선거
비밀 선거	투표자의 투표 내용을 타인이 알 수 없게 하는 것	공개 선거

2 선거 제도

(1) 선거구 제도

① 선거구의 의미: 선거를 통해 대표자를 선출하는 지역적 단위

② 선거구 제도

구분	소선거구제	중 · 대선거구제
의미	한 선거구에서 1인의 대표자 선출	한 선거구에서 2인 이상의 대표자 선출
특징	주요 정당에 유리 (양당제 촉진)	소수당의 의석 확보에 유리 (다당제 촉진)
장점	• 선거 관리 용이 • 유권자의 후보자 파악 용이	• 사표 발생이 상대적으로 적음. • 국민의 다양한 의사 반영 유리
단점	• 사표 발생이 상대적으로 많음. • 소수당 후보자들의 의회 진출에 불리함. • 정당별 득표율과 의석률 간의 불일치가 크게 나타날 수 있음.	• 유권자가 후보자를 파악하기 어려움. • 군소 정당 난립 시 정국 불안정 우려가 있음. • 동일 선거구 내 당선자 간 유권자의 투표 가치 차등 문제가 발생할 수 있음.

(2) 대표 결정 방식

① 다수 대표제: 선거구 내 후보자 중에서 다수의 표를 얻은 후보자가 당선되는 방식

구분	단순 다수 대표제 (상대 다수 대표제)	절대다수 대표제
의미	당선에 필요한 득표 기준 없이 다른 후보자에 비해 상대적으로 많은 표를 얻은 후보자가 미리 정해져 있는 당선자 수만큼 대표자로 당선되는 방식	• 후보자가 일정 비율 이상의 표를 획득해야 당선되는 방식 • 대표적으로 결선 투표제와 선호 투표제가 있음.
특징	• 당선자 결정이 용이함. • 당선자의 대표성이 낮을 수 있음.	• 당선자의 대표성을 높일 수 있음. • 당선자 결정에 시간과 비용이 많이 듦.

② 비례 대표제: 각 정당이 획득한 득표율에 비례하여 의석수를 할당하고 당선자를 결정하는 방식

장점	• 사표 발생을 줄일 수 있음. • 정당의 득표율과 의석률 간 격차를 줄일 수 있음. • 소수당의 의석 확보 가능성이 높음. • 입법 과정에서 국민의 다양한 의사가 반영되기 용이함.
단점	• 군소 정당이 난립할 경우 정국이 불안정해질 수 있음. • 비례 대표 후보자의 명부를 정당이 결정할 경우 후보자에 대한 유권자의 선호가 정확히 반영되기 어려움.

(3) 우리나라의 현행 선거 제도

대통령 선거(5년마다 실시)		단순 다수 대표제
국회 의원 선거(4년마다 실시)		소선거구제, 단순 다수 대표제(지역구 의원) / 정당 명부식 비례 대표제(비례 대표 의원)
지방 선거(4년마다 실시)	지방 자치 단체의 장	단순 다수 대표제
	광역 의회 의원	소선거구제, 단순 다수 대표제(지역구 의원) / 정당 명부식 비례 대표제(비례 대표 의원)
	기초 의회 의원	중 · 대선거구제, 단순 다수 대표제(지역구 의원) / 정당 명부식 비례 대표제(비례 대표 의원)
	교육감 (정당 공천 없음.)	광역 자치 단체 단위로 선출, 단순 다수 대표제

(4) 공정 선거를 위한 제도 및 기관

① 선거구 법정주의: 선거구를 법률로 획정하는 제도 → 특정 후보자나 정당에 유리하게 임의로 선거구를 획정하는 게리맨더링 방지

② 선거 공영제: 선거 과정을 국가 기관의 관리하에 두고 선거 비용의 일부를 국가 또는 지방 자치 단체가 부담하는 제도 → 선거 운동 기회의 균등 보장, 선거 과열 방지, 경제적 능력이 부족한 사람에게도 입후보 기회 보장

③ 선거 관리 위원회: 선거 관리 및 정당 관리, 정치 자금에 관한 사무 관리, 국민에 대한 선거 홍보 및 계도 활동 등

▸ 24063-0055

01

다음 글에서 강조하는 선거의 기능으로 가장 적절한 것은?

선거 경쟁을 통해 집권한 정부는 국정 운영의 주체로서 정책을 집행하고, 유권자는 국정 운영의 성과를 평가하여 투표 선택에 반영한다. 구체적으로 말하자면 정부의 국정 운영을 긍정적으로 평가하는 유권자는 선거에서 집권당을 선택하고, 정부의 국정 운영을 부정적으로 평가하는 유권자는 집권당에 대한 지지를 철회하면서 정부에게 정책에 대하여 문책의 기회를 가진다. 이러한 이유로 선거는 유권자가 현 정부의 국정 운영에 대한 공과(功過)를 바탕으로 하는 상벌로 작용한다. 궁극적으로 선거에서 유권자의 지지를 호소하는 정당들은 보다 민주적이고 효율적으로 국정을 운영해야 할 유인을 가지게 된다.

① 정부에게 책임을 물어 정치권력을 통제한다.
② 선출된 대표자의 정치권력에 정당성을 부여한다.
③ 개인과 집단 차원의 활발한 정치 참여를 촉진한다.
④ 선거 과정에서 국민이 정치 제도를 배울 수 있게 한다.
⑤ 사회적 쟁점에 대한 다양한 의견 표출 기회를 제공한다.

▸ 24063-0056

02

밑줄 친 'A 원칙'에 위반된 사례로 옳은 것은?

우리나라는 과거 주민 등록을 요건으로 재외 국민의 선거권을 제한하였다. 이에 대해 헌법 재판소는 선거권의 제한은 불가피하게 요청되는 개별적·구체적 사유가 존재함이 명백할 경우에만 정당화될 수 있고, 막연하고 추상적인 위험 또는 국가의 노력에 의해 극복될 수 있는 기술상의 어려움이나 장애 등을 사유로 그 제한이 정당화될 수 없다고 하였다. 그리고 주민 등록이 되어 있는지 여부에 따라 선거인 명부에 오를 자격을 정하여 그에 따라 선거권 행사 여부가 결정되도록 함으로써 엄연히 대한민국의 국민임에도 불구하고 주민 등록법상 주민 등록을 할 수 없는 재외 국민의 선거권 행사를 전면적으로 부정하는 것은 재외 국민의 선거권과 평등권을 침해하고 일정 연령에 도달하는 모든 국민의 선거권을 인정한다는 민주 선거 원칙인 A 원칙에 위반된다고 하였다.

① 몸이 불편하여 법정 대리인이 대신하여 투표를 하였다.
② 교육 수준에 따라 자격 요건을 부여하여 선거권을 제한하였다.
③ 선거의 투명성을 보장하기 위해 기표소 안에 CCTV를 설치하였다.
④ 투표 여부를 확인하기 위하여 투표용지에 유권자의 이름을 쓰게 하였다.
⑤ 투표소에서 유권자의 소득 수준에 따라 투표용지의 수를 달리하여 유권자에게 배부하였다.

[03~04] 다음 자료를 읽고 물음에 답하시오.

갑국의 의회는 지역구 의원으로만 구성되어 있고 지역구 의원은 총 6명이다. 의회 의원 선거는 한 선거구에서 1인의 대표자를 선출하며, 선거구마다 당선에 필요한 득표 기준 없이 다른 후보자에 비해 상대적으로 많은 표를 얻은 후보자가 당선된다. 갑국의 지역은 '가'~'다' 3개 지역으로만 구성되고, 선거구는 총 6개이다. 〈자료 1〉은 갑국의 선거구이며, 〈자료 2〉는 최근 갑국의 의회 의원 선거 결과이다.

〈자료 1〉 갑국의 선거구

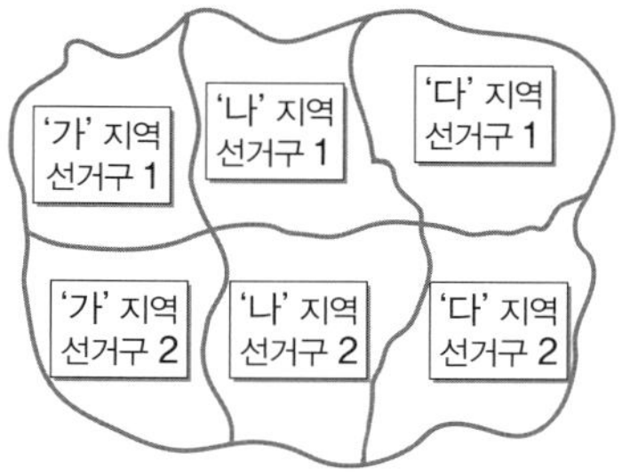

〈자료 2〉 최근 갑국의 의회 의원 선거 결과

(단위: 표)

구분	A당	B당	C당	D당	E당	합계
'가' 지역 선거구 1	80	170	90	20	140	500
'가' 지역 선거구 2	110	70	140	60	120	500
'나' 지역 선거구 1	130	50	160	100	60	500
'나' 지역 선거구 2	160	20	170	60	90	500
'다' 지역 선거구 1	80	90	60	140	130	500
'다' 지역 선거구 2	70	80	130	100	120	500

* 정당은 A~E당만 존재하고, 무소속 후보자는 없으며, 투표율은 100%이고, 무효표는 없음.

갑국은 다음 의회 의원 선거에서 기존처럼 지역구 의원으로만 구성하되, 다음과 같은 개편안을 검토하고 있다.

〈개편안〉 같은 지역의 선거구 1과 선거구 2를 통합하여 총 3개의 선거구로 재획정한다. 그리고 재획정된 선거구에서 각각 다른 후보자에 비해 상대적으로 많은 표를 얻은 후보자 2인이 당선된다.

* 각 정당은 한 선거구에 1명의 후보자를 공천함.
** 개편안의 경우 〈자료 1〉, 〈자료 2〉를 근거로 판단함.

03

▸ 24063-0057

최근 갑국의 의회 의원 선거에 대한 분석으로 옳은 것은?

① 사표는 2,000표가 넘지 않았다.
② 과반 의석을 차지한 정당은 없다.
③ 현행 선거구제는 중·대선거구제이다.
④ 대표 결정 방식은 절대다수 대표제이다.
⑤ A~E당 중에서 의석을 확보하지 못한 정당은 A당, E당이다.

04

▸ 24063-0058

개편안 적용 결과에 대한 옳은 추론만을 〈보기〉에서 있는 대로 고른 것은?

보기

ㄱ. 현행 선거에 비해 사표가 적게 발생할 것이다.
ㄴ. 동일 선거구 내 당선자 간 유권자 투표 가치 차등 문제가 발생할 것이다.
ㄷ. A~E당 중에서 의석을 확보하지 못한 정당은 1개일 것이다.
ㄹ. A당, C당, E당과 달리 B당, D당은 확보한 의석수가 현행 선거 결과와 같을 것이다.

① ㄱ, ㄴ　② ㄱ, ㄷ　③ ㄷ, ㄹ　④ ㄱ, ㄴ, ㄹ　⑤ ㄴ, ㄷ, ㄹ

05

▶ 24063-0059

밑줄 친 ㉠에 대한 설명으로 가장 적절한 것은?

반드시 투표소에 방문해야만 투표를 할 수 있을까? ㉠거소 투표는 일정 요건 해당자가 신고를 통해 병원·자택 등 자신이 머무르는 곳에서 우편으로 하는 투표이다. 신체에 중대한 장애가 있어서 거동할 수 없는 사람, 병원, 요양소, 교도소 또는 구치소에 기거하는 사람, 사전 투표소와 투표소에 가서 투표할 수 없을 정도로 멀리 떨어진 영내 또는 함정에 근무하는 군인이나 경찰 공무원, 중앙 선거 관리 위원회 규칙이 정하는 외딴섬에 사는 사람 등은 투표소에 방문하지 않아도 투표를 할 수 있다.

① 대리인을 통한 간접 선거를 실현할 수 있다.
② 선거 과정에서 선거 운영 비용을 절약할 수 있다.
③ 공간 제약을 완화하여 유권자의 선거권 행사를 보장할 수 있다.
④ 인구 편차에 따른 선거구 간 투표 가치의 불평등을 해소할 수 있다.
⑤ 사표 발생을 줄이고 정당의 득표율과 의석률 간 차이를 줄일 수 있다.

06

▶ 24063-0060

대표 결정 방식 (가)~(다)에 대한 설명으로 옳은 것은?

사회자

올해 ○○국, □□국, △△국에서는 모두 대통령 선거를 하였습니다. 여러분이 살고 있는 국가에서 대통령을 선출하는 대표 결정 방식에 대해서 말씀해 주세요.

○○국 국민

1차 투표 결과 1위가 과반수를 득표하지 못한 경우, 1차 투표에서 1, 2위를 한 후보자만을 대상으로 2차 투표를 하여 2차 투표 실시 결과 한 표라도 많이 득표한 후보자를 대표자로 선출하는 (가)를 채택하고 있습니다.

□□국 국민

과반수 득표 여부에 상관없이 다른 후보자보다 한 표라도 더 많은 표를 얻은 후보자가 당선되는 방식으로 대표자를 선출하는 (나)를 채택하고 있습니다.

△△국 국민

유권자는 지지하는 선호에 따라 출마한 모든 후보자의 순위를 투표용지에 기재합니다. 개표에서 1순위 표를 집계한 결과 과반수 득표한 후보자가 없으면 최하위 후보자를 제거하고, 최하위 후보자의 표에 2순위로 적힌 후보자에게 그 표를 나누어 주는 방식으로 과반수 득표자가 나올 때까지 계산하여 대표자를 선출하는 (다)를 채택하고 있습니다.

① (가)에 비해 (나)는 당선자의 대표성을 높이는 데 유리하다.
② (나)에 비해 (다)는 당선자 결정 과정에서 시간이 절약된다.
③ (다)에 비해 (가)는 투표 횟수가 적을 가능성이 높다.
④ (가), (다)와 달리 (나)는 당선에 필요한 일정 비율 이상의 득표 기준이 없다.
⑤ (가), (나)는 단순 다수 대표제, (다)는 절대다수 대표제에 해당된다.

[07~08] 다음 자료를 읽고 물음에 답하시오.

갑국의 의회는 비례 대표 의원 10명으로만 구성되어 있다. 현행 의회 의원 선거는 의석 할당 정당의 득표율에 의원 정수를 곱하여 산출된 정수(整數)만큼 각 정당에 먼저 배분하고 잔여 의석은 소수점 이하의 수가 큰 순서대로 각 정당에 1석씩 배분한다. 의석 할당 정당의 득표율은 각 의석 할당 정당의 득표수를 모든 의석 할당 정당의 득표수 합계로 나누어 산출한다. 의석 할당 정당의 최소 득표율 범위 제한은 없다. 당선자는 각 정당의 정당 명부 게재 순위에 따라 결정된다. 다음 표는 각 정당의 정당 명부와 최근 실시된 갑국의 의회 의원 선거 결과이다.

정당 명부 게재 순위	A당 후보자	B당 후보자	C당 후보자	D당 후보자	E당 후보자
1	A-1	B-1	C-1	D-1	E-1
2	A-2	B-2	C-2	D-2	E-2
3	A-3	B-3	C-3	D-3	E-3
4	A-4	B-4	C-4	D-4	E-4
5	A-5	B-5	C-5	D-5	E-5
6	A-6	B-6	C-6	D-6	E-6
7	A-7	B-7	C-7	D-7	E-7
8	A-8	B-8	C-8	D-8	E-8

구분	A당	B당	C당	D당	E당
정당 득표율(%)	20	16	12	44	8

* 정당은 A~E당만 존재하고, 무소속 후보자는 없으며, 투표율은 100%이고, 무효표는 없음.

갑국은 다음 의회 의원 선거에서 기존처럼 비례 대표 의원으로만 구성하되, 선거 제도의 개정에 따라 의원 선거를 다음과 같이 개편하고자 한다. 개편안의 경우 각 정당의 정당 명부 및 최근 의회 의원 선거의 정당별 득표율 결과만을 근거로 판단한다.

〈개편안〉 • 의회 의원 정수를 기존 10석에서 5석을 더 늘려 총 15석으로 한다.
• 의회 의석 할당 방식은 동일하다. 단, 의석 할당 정당은 전체 투표 총수의 15% 이상을 득표해야 한다.

07

▸ 24063-0061

최근 갑국의 의회 의원 선거에 대한 분석으로 옳은 것은?

① 권역을 나누어 비례 대표 의회 의원을 선출하였다.
② A당은 A－2 후보자까지, B당은 B－1 후보자만 당선되었다.
③ C당은 C－1 후보자만, D당은 D－5 후보자까지 당선되었다.
④ A당은 득표율과 의석률이 일치한다.
⑤ B당, E당은 C당, D당과 달리 득표율이 의석률보다 높다.

08

▸ 24063-0062

개편안 적용 결과에 대한 옳은 추론만을 〈보기〉에서 고른 것은?

보기

ㄱ. A당은 정당 득표율이 의석률보다 높을 것이다.
ㄴ. B당은 B－2 후보자까지 당선될 것이다.
ㄷ. D당은 과반 의석을 확보할 것이다.
ㄹ. C당, E당은 의석을 확보하지 못할 것이다.

① ㄱ, ㄴ ② ㄱ, ㄷ ③ ㄴ, ㄷ ④ ㄴ, ㄹ ⑤ ㄷ, ㄹ

정답과 해설 14쪽

▸ 24063-0063

09

다음 자료에 대한 분석으로 옳은 것은?

갑국의 의회 의원은 총 12명이며, 지역구 의원으로만 구성되어 있다. 의회 의원 선거는 한 선거구에서 단순 다수 대표제로 2인의 대표자를 선출한다. 〈자료 1〉은 갑국의 선거구(1~6)이며, 〈자료 2〉는 최근 갑국의 의회 의원 선거 결과이다. 갑국은 다음 의회 의원 선거에서 선거구 6개를 선거구 4개로 통합하는 개편안을 검토하고 있다. 선거구는 경계선이 접한 경우에만 통합이 가능하고 한 선거구 유권자의 수가 다른 선거구 유권자 수의 2배를 초과하지 않도록 하며, △△강 건너편에 있는 선거구와 통합이 불가능하다. 통합한 이후 각 선거구에서는 단순 다수 대표제로 3인의 대표자를 선출한다.

〈자료 1〉 갑국의 선거구

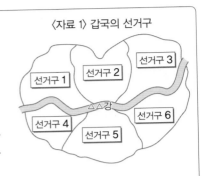

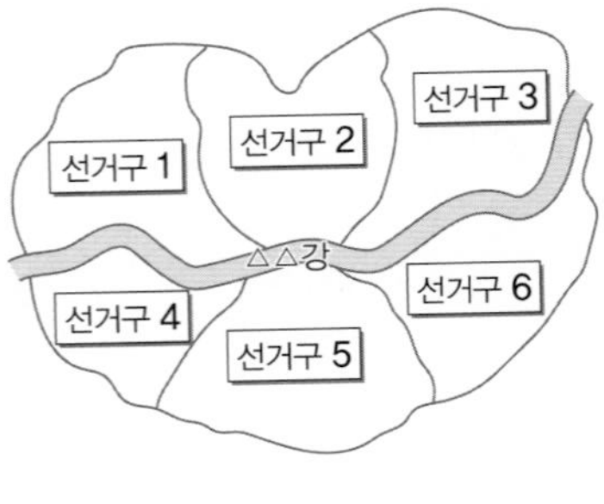

〈자료 2〉 최근 갑국의 의회 의원 선거 결과

(단위: 표)

구분	A당	B당	C당	D당	E당	합계
선거구 1	80	30	20	10	60	200
선거구 2	10	20	30	0	40	100
선거구 3	50	30	20	60	40	200
선거구 4	30	40	20	50	60	200
선거구 5	40	30	20	0	10	100
선거구 6	50	70	30	10	40	200

* 정당은 A~E당만 존재하고, 무소속 후보자는 없으며, 투표율은 100%이고, 무효표는 없음.
** 각 정당은 선거구별로 1명의 후보자를 공천함.
*** 개편안의 경우 〈자료 1〉, 〈자료 2〉만을 근거로 판단함.

① 최근 선거에서 E당은 의석률과 정당 득표율이 같다.
② 최근 선거에서 A, D당은 과소 대표, B, C당은 과대 대표되었다.
③ 개편안 적용 시 선거구를 통합하는 방안은 총 2가지이다.
④ 개편안에서는 현행 제도와 달리 중·대선거구제가 적용된다.
⑤ 현행 제도와 개편안 모두 선거구 간 인구 편차에 따른 투표 가치의 불평등이 발생하지 않는다.

▸ 24063-0064

10

다음 자료의 (가), (나)에 대한 옳은 설명만을 〈보기〉에서 고른 것은?

◇◇◇ 보도 자료

국가 및 지방 자치 단체의 선거에 관한 사무를 담당하는 (가) 은/는 제△회 전국 동시 지방 선거 및 보궐 선거에 참여한 후보자(비례 대표 선거의 경우 후보자를 추천한 정당을 말함)에게 선거 운동을 위하여 지출한 선거 비용 총 ○○○억 원을 보전하였다고 밝혔다. 선거 비용의 일부를 국가 또는 지방 자치 단체가 부담하는 제도인 우리나라 헌법 제116조 제2항에 규정된 (나) 에 따라 유효 투표 총수의 15% 이상을 득표하면 지출한 선거 비용 전액을 보전받으며, 유효 투표 총수의 10% 이상 15% 미만을 득표하면 지출한 선거 비용의 50%를 보전받는다.

보기

ㄱ. (가)는 입법부에 포함된 국가 기관이다.
ㄴ. (가)는 선거 외에도 국민 투표, 정당에 관한 사무를 처리한다.
ㄷ. (나)는 임의로 선거구를 획정하는 것을 방지하기 위한 제도이다.
ㄹ. (나)는 입후보의 기회 보장과 선거 운동의 기회 균등에 기여하고 있다.

① ㄱ, ㄴ ② ㄱ, ㄷ ③ ㄴ, ㄷ ④ ㄴ, ㄹ ⑤ ㄷ, ㄹ

[11~12] 다음 자료를 읽고 물음에 답하시오.

〈자료 1〉 갑국의 선거구

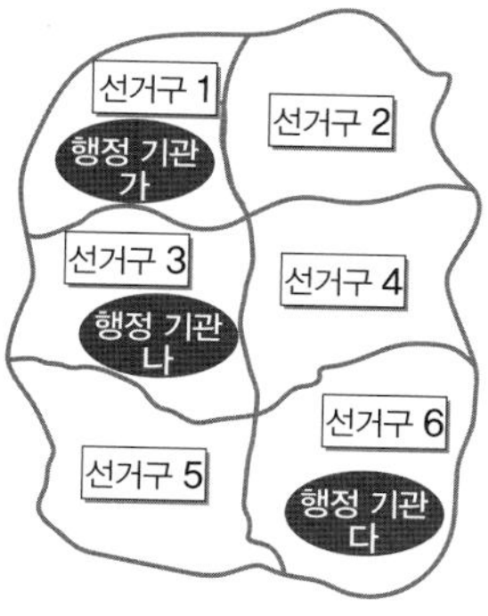

갑국은 전형적인 의원 내각제 국가이며, 의회는 지역구 의원 6명, 비례 대표 의원 9명으로 구성되어 있다. 지역구 의원은 ㉠ 지역구별로 상대적으로 많은 표를 얻은 후보자 1인을 선출한다. 비례 대표 의석은 정당 투표 득표율에 비례 대표 총의석수를 곱하여 산출된 정수(整數)만큼 각 정당의 의석으로 배분하고, 잔여 의석은 소수점 이하의 수가 큰 순서대로 각 정당에 1석씩 배분한다. 〈자료 1〉은 갑국의 선거구이며, 선거구 1, 3, 6에 행정 기관 가, 나, 다가 각각 운영되고 있다. 갑국은 차기 선거에 총의석수를 유지하면서 지역구 의원 선거만 개편하여, 현재의 ㉡ 지역구를 3개로 통합하고 각 지역구에서 득표순으로 2인의 지역구 의원을 선출하려고 한다. 단, 통합 과정에서 행정 기관이 있는 선거구 간 통합은 불가능하고, 경계선이 접한 경우에만 통합이 가능하다. ㉢ 선거구 간의 인구 편차는 2 : 1이 되거나 넘을 수 없으며, 각 정당은 한 선거구에 1명의 후보자를 공천한다. 〈자료 2〉는 최근 갑국의 의회 의원 선거 결과이다.

〈자료 2〉 최근 갑국의 의회 의원 선거 결과

(단위: 표, %)

구분	A당	B당	C당	D당	E당	합계
선거구 1	30	20	40	0	10	100
선거구 2	60	50	40	20	30	200
선거구 3	40	10	70	20	60	200
선거구 4	30	10	40	20	0	100
선거구 5	40	30	20	50	60	200
선거구 6	20	0	40	30	10	100
정당 투표 득표율	5	15	35	20	25	100

* 정당은 A~E당만 존재하고, 무소속 후보자는 없으며, 투표율은 100%이고, 무효표는 없음.
** 개편안의 경우 B당이 C당에 흡수되었을 때, B당을 지지한 표는 모두 C당을 지지한 표로 계산함.
*** 개편안의 경우 〈자료 1〉, 〈자료 2〉를 근거로 판단함.

11

▸ 24063-0065

위의 자료에 대한 분석으로 옳지 않은 것은?

① ㉠, ㉡ 모두 대표 결정 방식은 단순 다수 대표제이다.
② ㉢은 민주 선거의 원칙인 평등 선거 원칙을 실현하기 위함이다.
③ 최근 선거 결과 C당은 단독 내각을 구성할 수 있다.
④ 최근 선거 결과 비례 대표 의석수는 A당, B당은 1석, D당, E당은 2석을 확보하였다.
⑤ 개편안에서 선거구를 통합하는 방안은 1가지 밖에 없다.

12

▸ 24063-0066

개편안이 적용될 차기 선거를 앞두고 B당이 C당에 흡수되어 통합되었을 때, 차기 선거 결과에 대한 옳은 추론만을 〈보기〉에서 있는 대로 고른 것은?

보기

ㄱ. 현재에 비해 개편안에서 C당, E당은 A당, D당과 달리 지역구 의석수가 늘어날 것이다.
ㄴ. 현재와 달리 개편안에서 C당은 과반수 의석을 확보할 것이다.
ㄷ. D당, E당의 비례 대표 의석수는 현재와 같을 것이다.
ㄹ. A당의 총의석수는 현재와 같을 것이다.

① ㄱ, ㄷ　② ㄱ, ㄹ　③ ㄴ, ㄹ　④ ㄱ, ㄴ, ㄷ　⑤ ㄴ, ㄷ, ㄹ

THEME 08

정치 과정과 정치 참여

1 정치 과정

(1) 의미: 국민의 요구와 지지가 정책 결정 기구에 투입되어 정책이 결정되고 집행되며 정치 주체에 의하여 평가와 재투입 등 환류가 이루어지는 일련의 과정

(2) 정치 과정의 체계

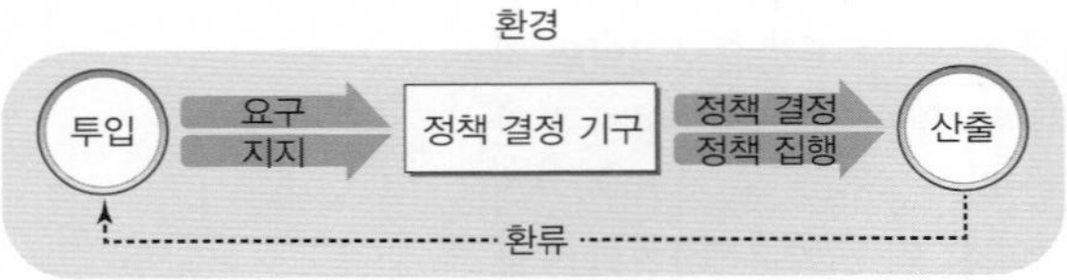

(3) 민주적 정치 과정

① 시민의 적극적이고 자발적인 정치 참여

② 정당, 이익 집단, 시민 단체, 언론 등 다양한 정치 주체의 참여

③ 시민의 이해와 요구를 정책에 반영

2 정치 참여의 의의와 유형

(1) 정치 참여의 의미: 시민들이 국가 기관의 정책 결정 과정에 영향력을 행사하거나 영향을 미치는 직·간접적인 모든 활동

(2) 정치 참여의 의의

① 국가 기관의 정책 결정에 대해 정당성을 부여함.

② 정치권력의 감시 및 통제를 통한 정치권력의 남용을 방지함.

③ 정치적 의견의 반영으로 정치적 효능감을 높임.

④ 대의 민주제의 한계를 보완하고 국민 주권을 실현함.

(3) 정치 참여의 유형

① 선거

- 대표 선출을 위하여 후보자에게 또는 정당에 투표
- 후보자 공약에 대한 지지 또는 반대 의견을 표출하거나 후보자의 선거 운동에 참여

② 정당에 가입하여 다양한 활동에 참여

③ 특수한 이익을 실현하기 위해 이익 집단의 구성원이 되어 정치 과정에 참여

④ 공익 실현을 목적으로 조직한 시민 단체의 구성원이 되어 정치 과정에 참여

⑤ 독자 투고: 정책 등에 대한 의견을 언론 매체를 통해 제시

⑥ 청원: 국가 기관에 자신의 요구 사항을 일정한 형식의 문서로 제출

(4) 현대 사회의 정치 참여: 오늘날 정치 참여는 선거 등 제도적 참여 이외에도 여러 사회 조직이나 누리 소통망(SNS)을 활용하는 등 다양한 방법으로 행해짐.

(5) 정보화 시대의 정치 참여: 정보 통신 매체를 이용하여 전자 투표, 전자 공청회, 누리 소통망(SNS) 등으로 정치 과정에 직접 참여하며, 이는 시간과 공간의 제약을 완화할 수 있음.

3 정당을 통한 정치 참여

(1) 정당의 의미와 특징

① 의미: 정치적 견해를 같이하는 사람들이 정권의 획득과 유지를 통해서 자신들의 정강을 실현하기 위해 조직한 단체

② 특징

- 정권 획득을 목적으로 공직 선거에 후보자를 공천함.
- 특수한 이익보다 공익을 도모함.
- 선거를 통해 국민의 평가를 받음으로써 정치적 책임을 짐.
- 다양한 분야에서 정책을 개발하고 제시하여 정부의 정책 결정에 영향력을 행사함.

(2) 정당의 기능

① 정치적 충원 ② 여론의 형성과 집약

③ 정치 사회화 ④ 정부와 의회의 매개

⑤ 정부 정책의 비판과 감시

(3) 정당 제도

① 일당제: 정권 획득 가능성이 있는 정당이 하나만 있는 것

② 복수 정당제: 양당제, 다당제

구분	양당제	다당제
의미	정권 교체가 가능한 대표적인 두 정당이 존재	경쟁할 수 있는 정당이 3개 이상 존재
장점	• 정국 안정에 기여 • 강력한 정책 추진 가능 • 정치적 책임 소재 명확	• 다양한 국민의 의견 반영 • 소수의 이익 보호 • 정당 간 대립 시 중재 용이
단점	• 다양한 국민의 의견 반영 곤란 • 다수당의 횡포 가능성 • 양당 간 대립 시 중재 어려움.	• 강력한 정책 수행 곤란 • 정치적 책임 소재 불분명 • 군소 정당 난립 시 정국 불안정 우려

4 이익 집단·시민 단체·언론을 통한 정치 참여

(1) 이익 집단을 통한 정치 참여

① 이익 집단의 의미: 이해관계를 같이하는 사람들이 자신들의 특수 이익 실현을 위해 결성한 단체

② 이익 집단을 통한 정치 참여의 특징

- 특정 분야의 전문성을 바탕으로 정당 정치의 한계 보완
- 사회 전체의 보편적 이익과 충돌할 우려가 있음.

(2) 시민 단체를 통한 정치 참여

① 시민 단체의 의미: 공익 실현을 목적으로 시민들이 자발적으로 참여해 구성한 단체

② 시민 단체를 통한 정치 참여의 특징

- 비영리성을 바탕으로 공익을 추구하여 사회의 건전한 발전 주도
- 사회 문제 등에 대한 비판과 해결책을 제시하여 대의제 보완

(3) 언론을 통한 정치 참여

① 언론의 의미: 신문, 텔레비전, 인터넷 등과 같은 대중 매체를 통해 사실을 알리거나 어떤 문제에 대하여 여론을 형성하는 활동

② 언론의 기능: 국민의 알 권리 보장, 권력 남용에 대한 견제, 의제 설정 및 여론 형성

③ 언론을 통한 정치 참여 방법

- 언론 매체를 통해 정치적 견해 제시(독자 투고, 제보 등)
- 언론 매체의 정보를 비판적으로 검토하고 평가

수능 실전 문제

정답과 해설 17쪽

01

▸ 24063-0067

밑줄 친 ㉠~㉥에 대한 설명으로 옳은 것은?

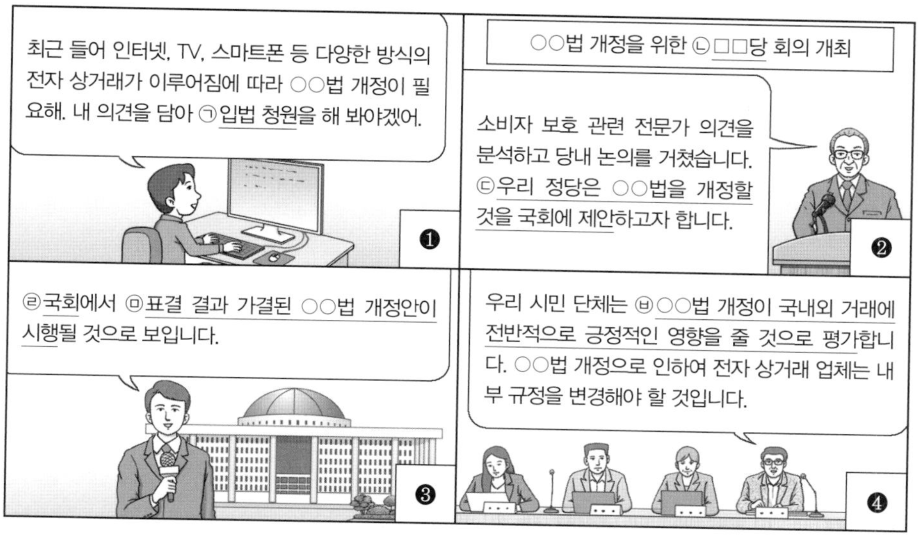

① ㉠은 정책 결정을 통해 정책 집행을 하는 것이다.
② ㉠과 달리 ㉢은 대의제의 한계를 보완하는 기능을 한다.
③ ㉡과 달리 ㉣은 정치 과정에서 정책 결정 기구에 해당한다.
④ ㉤은 정치 과정에서 투입에 해당한다.
⑤ ㉥은 정치 과정에서 산출에 해당한다.

02

▸ 24063-0068

다음 자료에 대한 설명으로 옳은 것은? (단, A~C는 각각 투입, 산출, 환류 중 하나임.)

정치 과정에서 A는 국민 개개인, 집단, 계층 등의 정부에 대한 정책 요구, 정부에 대한 지지 혹은 정부에 대한 불만 표시 등을 의미한다. 정부의 정책을 가리키는 것으로 (가) 의 결정과 행동은 B에 해당한다. 환경은 경제 체계, 사회 체계, 문화 체계, 생태 체계 등 정치 외적 요소를 지칭하고, 국내적 환경과 국제적 환경으로 구성된다. C는 정부의 B가 환경에 영향을 미치고 동시에 A에도 영향을 미치는 과정을 가리킨다. 다음은 정치 과정의 체계를 그림으로 나타낸 것이다.

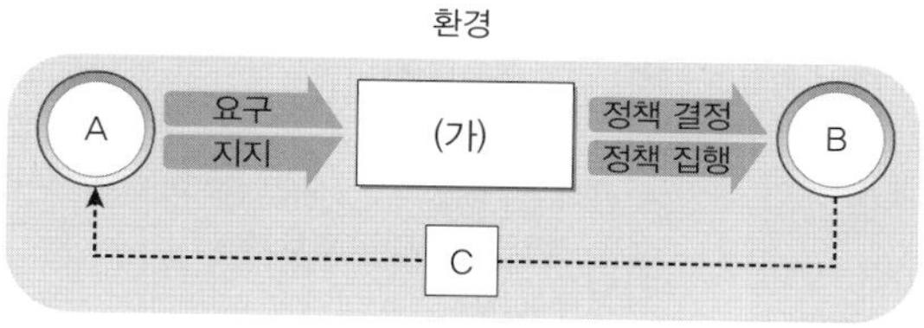

① 정부에서 새로운 정책을 수립하여 집행하는 것은 A에 해당한다.
② 국민의 대표자를 선출하는 투표에 참여하는 행위는 B에 해당한다.
③ C의 주체는 집단뿐만이 아니라 개인도 될 수 있다.
④ A는 '산출', B는 '투입', C는 '환류'이다.
⑤ 입법부를 제외한 행정부와 사법부는 (가)에 해당한다.

03

▸ 24063-0069

다음 글에서 강조하는 정치 참여의 의의로 가장 적절한 것은?

> 만약 국가가 정책을 수립하고 집행하는 데 있어서 시민이 관심을 가지지 않는다면 어떤 일이 발생할까? 아마도 정책 집행은 순조로울 수 있지만 시민의 호응을 얻기는 힘들 것이다. 민주주의 국가에서는 다양한 분야의 정책을 수립하는 과정에서 국민의 의견이 반영된다. 국민의 의견을 반영하면서 많은 시간이 걸려 정책이 보완되기도 하고 심지어 일부 정책은 폐지되기도 한다. 그럼에도 불구하고 국민의 의견을 반영하는 이유는 시민의 요구와 지지를 통해 정책이 수립되고 집행되면 국가는 정책을 집행하는 데 있어서 힘을 가질 수 있기 때문이다.

① 국가 기관의 정책에 대해 정당성을 부여한다.
② 정치적 의견의 반영으로 정치적 효능감을 높인다.
③ 정치권력을 통제하여 정치권력의 남용을 방지한다.
④ 효율적이고 체계적인 정책 결정 시스템을 구축한다.
⑤ 개인 간, 집단 간 대립을 조정하고 갈등을 해결한다.

04

▸ 24063-0070

그림은 정치 참여 방법에 대한 수업 장면이다. 이에 대한 설명으로 옳은 것은?

① 갑은 집단적인 정치 참여 방법만을 제시하였다.
② 무는 공무 담임권을 행사하는 정치 참여 방법을 제시하였다.
③ 갑과 달리 을은 정치권력을 감시하는 정치 참여 방법을 제시하였다.
④ 병과 달리 정은 시 · 공간적 제약을 완화하는 정치 참여 방법을 제시하였다.
⑤ 정과 달리 갑, 을, 병, 무는 대의제에서 활용되는 정치 참여 방법을 제시하였다.

05

▸ 24063-0071

다음 글에서 설명하는 정당의 기능으로 가장 적절한 것은?

> 정당은 정부 조직자이며, 여러 정치 지도자를 양성하고 선택하는 중요한 기능을 한다. 민주 정치 체제는 말할 필요도 없이 민중에 의해서 선택된 지도자의 능력에 의존하고 있다. 무능하고 부패한 지도자를 갖는 정치 체제가 오랫동안 지속되어서는 안 된다. 정당은 그 내부에서 훌륭한 자질을 가진 자를 선발하고 배출함으로써 국민에게 정치 지도자를 제공해 주는 임무를 담당하고 있다. 이런 의미에서 정당의 선택은 비단 정책의 선택뿐만 아니라 국가 지도자의 선택이기도 하다.

① 정부와 의회를 매개하는 기능을 한다.
② 국민의 정치 참여를 높이는 기능을 한다.
③ 여론을 통하여 의견을 집약하는 기능을 한다.
④ 정부 정책을 비판하고 감시하는 기능을 한다.
⑤ 대표자 배출을 통한 정치적 충원 기능을 한다.

06

▸ 24063-0072

다음 그림의 (가), (나)에 들어갈 수 있는 옳은 내용만을 〈보기〉에서 있는 대로 고른 것은? (단, A, B는 각각 양당제, 다당제 중 하나임.)

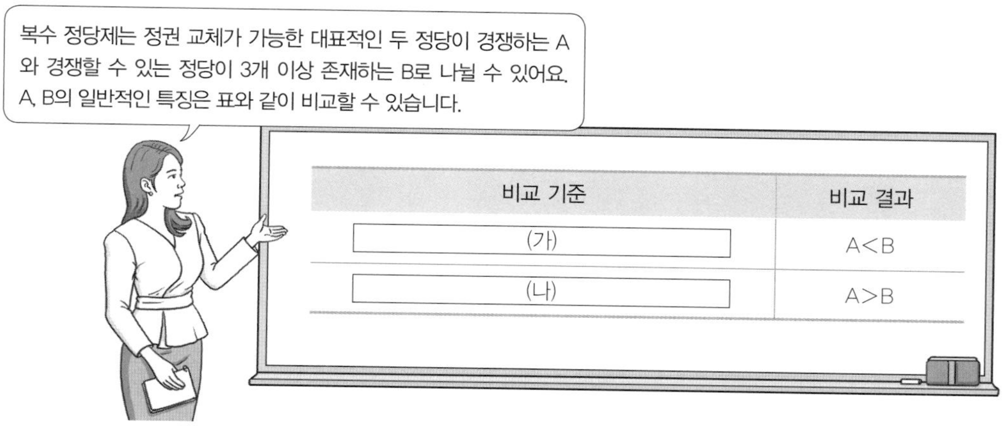
복수 정당제는 정권 교체가 가능한 대표적인 두 정당이 경쟁하는 A와 경쟁할 수 있는 정당이 3개 이상 존재하는 B로 나뉠 수 있어요. A, B의 일반적인 특징은 표와 같이 비교할 수 있습니다.

비교 기준	비교 결과
(가)	A<B
(나)	A>B

보기

ㄱ. (가) – 유권자의 정당 선택 범위
ㄴ. (가) – 정당 간 대립 시 중재 용이성
ㄷ. (나) – 정치적 책임 소재 명확성
ㄹ. (나) – 강력한 정책 수행 곤란 정도

① ㄱ, ㄷ　② ㄱ, ㄹ　③ ㄴ, ㄹ　④ ㄱ, ㄴ, ㄷ　⑤ ㄴ, ㄷ, ㄹ

07

▸ 24063-0073

정치 참여 집단 A, B에 대한 옳은 설명만을 〈보기〉에서 있는 대로 고른 것은? (단, A, B는 각각 이익 집단, 시민 단체 중 하나임.)

정책 결정 과정에서 정치 참여 집단 간에 갈등과 대립이 발생하는 경우가 있다. 정치 참여 집단 A는 정치, 경제, 사회, 교육, 환경, 인권, 정의, 평화, 복지 등 다양한 문제에 관심을 가진다. 그리고 정부나 정당, 기업으로부터 독립되어 자발적으로 활동한다. 한편, 특정 직업 분야의 협회, 노동조합 등이 해당하는 정치 참여 집단 B는 자기 집단의 이익을 추구한다. 그 과정에서 다른 집단의 이익이나 사회 전체의 이익과 충돌하기도 한다. 그리고 자신들의 주장이 반영될 수 있도록 법률안 개정, 규제 완화 등 다양한 목소리를 표출한다.

보기

ㄱ. A는 공익보다 특수 이익을 우선하며, 영리를 목적으로 한다.
ㄴ. B는 집단의 행동을 통해 정부에 압력을 행사하기도 한다.
ㄷ. A와 달리 B는 정책 결정 기구에 해당한다.
ㄹ. A, B 모두 정치 사회화 기능을 수행한다.

① ㄱ, ㄷ ② ㄱ, ㄹ ③ ㄴ, ㄹ ④ ㄱ, ㄴ, ㄷ ⑤ ㄴ, ㄷ, ㄹ

08

▸ 24063-0074

다음 글에서 설명하는 언론의 기능으로 가장 적절한 것은?

언론은 입법, 사법, 행정에 이어 제4부의 권력이라고도 일컬어진다. 이는 언론이 그만큼 중요한 기능을 하고 있다는 은유적인 표현으로 받아들일 수 있다. 예를 들어 뉴스를 다루는 대중 매체는 국민을 대신해 법을 만드는 입법부, 그 법에 근거해 각종 정책을 집행하는 행정부, 법 준수 여부를 판단해 사회 질서를 유지하는 사법부에 대한 취재를 통하여 국가 기관이 제대로 역할을 하고 있는지 감시한다. 언론은 이러한 역할을 통하여 민주주의를 유지하고 발전시키는 기능을 수행하고 있다.

① 국민의 알 권리를 보장하는 기능을 한다.
② 의제 설정 및 여론을 형성하는 기능을 한다.
③ 사회적 쟁점에 대한 논평을 제공하는 기능을 한다.
④ 국가 기관의 권력 남용에 대하여 견제하는 기능을 한다.
⑤ 사회 구성원들이 소통할 수 있는 공간을 마련해 주는 기능을 한다.

09

▸ 24063-0075

정치 참여 집단 A～C에 대한 설명으로 옳은 것은? (단, A～C는 각각 정당, 이익 집단, 시민 단체 중 하나임.)

□□ 신문 20○○년 ○○월 ○○일

△△ 지역에 친환경 생태 보존 사업을 둘러싼 갈등 고조

△△ 지역에서 친환경 생태 보존을 위한 장기적인 사업 프로젝트 발표회가 열렸다. 이번 사업은 대규모의 사업으로 막대한 지역 예산이 투입된 만큼 지역 주민들의 관심이 높다. 과거 A는 △△ 지역 시장 선거에 후보자로 친환경 생태 전문가를 공천하였으며, 친환경 생태 보존 사업 이행을 공약으로 전면 내세웠다. 하지만 △△ 지역 상점 종사자로 구성된 B는 이러한 사업을 진행하는 과정에서 상점들이 폐업하거나 이전하면서 생계가 위협받고 있다며 반대하고 있다. 한편, 환경 보호를 목적으로 활동하고 있는 C는 '예전에 개발로 인해 △△ 지역에 생태계가 일부 파괴되었는데, 이번 친환경 생태 보존 사업이 생태계를 보호하기 위한 좋은 사업이 될 것'이라면서 친환경 생태 보존 사업에 대해서 적극적인 지지를 표명하였다.

① A는 공익보다 집단 구성원의 이익을 우선시한다.
② B는 정권 획득을 통해 정강을 실현하고자 한다.
③ C는 행정부와 의회를 매개하는 역할을 한다.
④ A와 달리 B는 정치 사회화 기능을 수행한다.
⑤ C와 달리 A는 자신의 행위에 대해 정치적 책임을 진다.

10

▸ 24063-0076

다음 글에 나타난 정보화 시대의 정치 참여에 대한 설명으로 가장 적절한 것은?

현재 누리 소통망은 전 세계적으로 사회적 소통과 경제적 거래를 돕고 정치적 변동을 초래하는 등 우리 삶에 큰 영향을 미치고 있다. 누리 소통망에서는 사람들이 실시간으로 멀리 떨어진 거리에서도 서로 정보와 대화를 나누고 새로운 지식을 창출해 나갈 뿐만 아니라, 사회의 폭넓은 의제가 다양한 시각으로 다뤄질 수 있게 되어 개인의 정치 참여도 촉진되고 있다. 누리 소통망을 통하여 유권자는 선거의 후보자나 정치인과 예전보다 쉽게 소통할 수 있고, 후보자도 공약이나 경력 등에 대한 정보를 유권자에게 제공하기가 쉬워졌다.

① 정치 참여 과정에서 시간과 공간의 제약이 완화되었다.
② 정치 참여 방법에서 선거 참여의 중요성이 높아지고 있다.
③ 개별적인 정치 참여보다 집단적인 정치 참여가 활발해지고 있다.
④ 지속적인 정치 참여에서 일시적인 정치 참여로 점차 변화되고 있다.
⑤ 다양한 정보의 양이 계속해서 늘어남에 따라 수용적인 태도가 강조되고 있다.

THEME 09

민법의 기초

1 민법의 의미와 기능

(1) 민법의 의미

① 의미: 개인과 개인 간의 법률관계에서 발생하는 권리와 의무의 종류와 내용을 다루는 대표적인 사법

② 사법으로서의 민법: 법이 규율하는 생활 관계의 성격에 따라 분류하면 민법은 사법에 해당함.

구분	공법	사법
의미	국가 기관과 개인 간, 국가 기관 간의 공적인 생활 관계를 규율하는 법	개인과 개인 간의 사적인 생활 관계를 규율하는 법
적용 사례	국민의 기본권 제시, 범죄인에게 형벌 부과 등	부동산 매매 계약, 혼인과 이혼 등
종류	헌법, 형법 등	민법, 상법 등

③ 민법의 규율 대상: 재산 관계, 가족 관계 등

구분	재산 관계	가족 관계
의미	• 재산과 관련된 권리와 의무 관계 • 재산권의 종류, 계약의 종류와 내용, 계약 위반 시의 배상 문제 등	• 부부나 자녀 등의 가족과 관련된 권리와 의무 관계 • 혼인, 이혼, 유언, 상속 등
규율 대상 사례	개인과 개인 간의 매매 계약 체결	사망으로 인한 상속 개시

④ 민법의 구성

• 민법은 5편으로 되어 있으며, 일반적인 원칙은 제1편 총칙에서 다루고, 사인(私人) 상호 간의 재화와 용역을 획득하고 지배하는 재산 관계는 제2편 물권과 제3편 채권에서 규율함.

• 혼인 및 이혼, 부모와 자식의 관계 및 상속 등의 가족 관계는 제4편 친족과 제5편 상속에서 규율함.

(2) 민법의 기능

① 법의 일반 원칙 제시: 신의 성실의 원칙, 권리 남용 금지의 원칙 등 법의 일반 원칙 규정 → 사법적 생활 관계의 행위 기준 제시

• 신의 성실의 원칙: 사회 공동생활의 일원으로서 상대방의 신뢰를 헛되이 하지 않도록 성실하게 행동하여야 한다는 원칙

• 권리 남용 금지의 원칙: 권리 행사가 외관상으로는 적법한 것으로 보이지만, 실질적으로는 권리의 사회성·공공성에 반하여 정당한 권리 행사라고 할 수 없는 경우에 법적 효과를 부여할 수 없다는 원칙

② 재산 관계의 규율: 재산권의 개념과 대상, 계약, 불법 행위 등 규정 → 개인의 경제 활동과 재산적 권리를 둘러싼 법률관계를 규율함.

③ 가족 관계의 규율: 출생, 혼인, 입양, 유언, 상속 등 규정 → 우리 사회의 가족 및 친족과 연관된 법률관계를 규율함.

2 근대 민법의 세 가지 기본 원칙

(1) 근대 민법의 기본 이념: 자유롭고 평등한 개인을 기본 요소로 하는 개인주의와 자유주의 정신을 기반으로 함.

(2) 근대 민법의 기본 원칙

사유 재산권 존중의 원칙(소유권 절대의 원칙)	• 개인 소유의 재산에 대해 사적 지배를 인정하고 국가나 타인은 함부로 이를 간섭하거나 제한하지 못한다는 원칙 • 사유 재산권 중 핵심 내용이라고 할 수 있는 소유권을 전면에 내세워 '소유권 절대의 원칙'이라고도 함.
사적 자치의 원칙(계약 자유의 원칙)	• 개인은 자율적인 판단에 기초하여 법률관계를 형성해 나갈 수 있다는 원칙 • 개인 간의 법률관계를 형성하는 가장 대표적인 것이 계약이기 때문에 '계약 자유의 원칙'이라고도 함.
과실 책임의 원칙(자기 책임의 원칙)	• 자신의 고의나 과실에 따른 행위로 타인에게 손해를 끼친 경우에만 책임을 진다는 원칙 • 자신의 행동에 충분한 주의를 기울였다면 책임을 질 필요가 없다는 의미에서 '자기 책임의 원칙'이라고도 함.

3 근대 민법의 기본 원칙에 대한 수정·보완

(1) 근대 민법의 기본 원칙에 대한 수정 배경

① 자본주의 발달 과정에서 나타난 문제점: 19세기 말경부터 자본주의 발달에 따라 빈부 격차 심화, 환경 오염, 독과점 등의 부작용 발생

② 근대 민법의 기본 원칙에 따른 법 적용의 문제점: 사회·경제적 강자가 약자를 지배하거나 자신의 책임을 회피하는 수단으로 악용되기도 함. → 사회적 약자의 보호 필요성 대두

(2) 근대 민법의 기본 원칙에 대한 수정

소유권 공공복리의 원칙	• 소유권에 공공의 개념을 적용하여 소유권은 공공복리에 적합하도록 행사해야 한다는 원칙 • 개인의 소유권도 공공의 이익을 위해서라면 경우에 따라 제한될 수 있는 상대적 권리임을 의미함.
계약 공정의 원칙	• 계약 내용이 사회 질서에 위반되거나 현저하게 공정하지 못한 경우에는 법적 효력이 발생하지 않는다는 원칙 • 계약 과정에서 경제적 약자에게 일방적으로 불리한 내용의 계약이 체결될 가능성을 줄이고자 함.
무과실 책임의 원칙	• 자신에게 직접적인 고의나 과실이 없는 경우에도 일정한 요건에 따라 손해 배상 책임을 질 수 있다는 원칙 • 환경 오염으로 인해 피해가 발생한 경우나 제조물의 결함으로 인해 생명, 신체, 재산에 손해가 발생한 경우 등에 대해서 원인자나 제조업자에게 무과실 책임의 원칙이 적용되고 있음.

01

▸ 24063-0077

다음 자료에 대한 옳은 설명만을 〈보기〉에서 고른 것은? (단, A법과 B법은 각각 민법과 형법 중 하나임.)

> 갑은 음주 운전을 하다가 길을 건너던 을을 차로 치어 전치 6주의 상해를 입혔다. 이에 을은 자신이 입은 손해에 대해 A법을 근거로 하여 갑에게 배상을 청구하였고, B법에 규정된 형벌을 받게 하기 위해 경찰서에 가서 갑을 고소하였다.

보기

ㄱ. A법은 B법과 달리 개인과 개인 간의 법률관계를 규율하는 법이다.
ㄴ. B법은 A법과 달리 법원에서 판결을 하기 위한 근거가 될 수 있다.
ㄷ. A법은 사법, B법은 공법에 해당하는 법이다.
ㄹ. A법은 재산 관계, B법은 가족 관계를 규율 대상으로 한다.

① ㄱ, ㄴ ② ㄱ, ㄷ ③ ㄴ, ㄷ ④ ㄴ, ㄹ ⑤ ㄷ, ㄹ

02

▸ 24063-0078

민법의 기본 원칙 (가)에 부합하는 진술로 옳은 것은?

> 법원은 법적 규제 기준을 위반하지 않았더라도 오염 물질 배출로 피해를 줬다면 손해 배상을 해야 한다고 판결하였다. ◇◇도 □□군에 살고 있는 주민들은 ○○기업이 배출한 유해 가스로 농작물이 말라 죽었다며 손해 배상 청구 소송을 제기하였다. 이에 재판부는 "○○기업이 관련법을 어기지 않았지만, ○○기업이 배출한 가스로 인해 인근 주민들이 피해를 입은 것은 명백하므로 (가) 에 따라 손해 배상 책임을 져야 한다."라고 판결하였다.

① 개인은 각자의 자율적인 판단에 기초하여 법률관계를 형성할 수 있다.
② 개인은 자신이 소유하는 재산을 공공의 이익에 부합하도록 사용하여야 한다.
③ 개인은 자신이 소유하는 재산을 배타적으로 사용, 수익, 처분할 권리를 가진다.
④ 계약 내용이 사회 질서에 반하거나 현저하게 공정성을 잃으면 법적 효력이 인정되지 않는다.
⑤ 타인의 손해에 대하여 직접적인 고의나 과실이 없더라도 일정한 요건에 따라 법적 책임을 질 수 있다.

03

▸ 24063-0079

민법의 기본 원칙 A, B에 대한 옳은 설명만을 〈보기〉에서 고른 것은?

A에 따르면 개인은 자신이 소유한 사유 재산에 대해 자유롭게 사용하고 처분할 수 있고, 국가나 타인에 의한 소유권 침해나 간섭을 배제할 수 있다. 근대 이전에는 왕이나 귀족 등 지배층에게만 사유 재산권이 보장되었는데, 근대 시민 혁명을 거치면서 모든 개인에게 사유 재산권이 보장되었다. A의 강조로 인해 개인들이 각자의 경제활동을 자유롭게 수행하면서 근대 자본주의가 발전할 수 있는 계기가 되기도 하였다. 하지만 개인의 절대적인 소유권이 타인의 권리를 침해하는 사례가 발생하면서 수정이 불가피하게 되었고 현대 민법에서는 개인의 소유권을 공공의 이익을 위해서 제한할 수 있다는 B로 수정·보완되었다.

보기

ㄱ. A는 개인주의, 자유주의를 사상적 기반으로 한다.
ㄴ. B는 개인의 소유권을 상대적 권리로 간주한다.
ㄷ. A는 B와 달리 현대 사회에서는 적용되지 않는다.
ㄹ. B가 아닌 A에 따르면 계약 내용이 사회 질서에 반하거나 현저히 공정성을 잃은 경우에는 그 법적 효력이 발생하지 않는다.

① ㄱ, ㄴ ② ㄱ, ㄷ ③ ㄴ, ㄷ ④ ㄴ, ㄹ ⑤ ㄷ, ㄹ

04

▸ 24063-0080

다음은 대법원 판결문의 일부이다. 밑줄 친 ㉠에 대한 옳은 설명만을 〈보기〉에서 있는 대로 고른 것은?

이전 소유주가 토지 일부를 통행로로 무상 사용하도록 허락하였고, 현재 소유주인 갑은 불특정 다수인의 통행까지 허락하는 등 소유권이 제약된 상태를 알고도 토지를 취득하였다. 갑이 을의 통행을 금지한다면 을은 빌딩 출입구 위치, 형태, 내부 구조의 특성상 출입에 상당한 제약을 받을 수밖에 없게 돼 큰 불편과 혼란이 예상된다. 또한 을에 대해서만 선별적·자의적으로 통행을 금지하는 것은 ㉠<u>소유권의 행사에 따른 실질적 이익도 없이 단지 상대방의 통행의 자유에 대한 침해라는 고통과 손해만을 가하는 것이 되며, 이는 법질서상 원칙적으로 허용될 수 없다.</u>

보기

ㄱ. 판결의 근거로 '권리는 남용하지 못한다.'라는 법 규정을 들 수 있다.
ㄴ. 판결로 인해 토지 소유주인 갑은 을에게 해당 토지의 소유권을 넘겨주어야 한다.
ㄷ. 개인의 소유권은 상대적 권리가 아니라 절대적 권리라는 인식을 근거로 한 판결이다.

① ㄱ ② ㄴ ③ ㄱ, ㄷ ④ ㄴ, ㄷ ⑤ ㄱ, ㄴ, ㄷ

05

▸ 24063-0081

○○위원회의 시정 요구의 근거가 되는 민법의 기본 원칙에 부합하는 진술로 가장 적절한 것은?

공지사항 게시판 Q&A

○○위원회는 온라인 명품 플랫폼 회사들이 해외 구매 · 해외 배송이라는 이유로 '전자 상거래법'상의 청약 철회권을 인정하지 않거나, 청약 철회가 제한되는 사유를 '전자 상거래법'보다 광범위하고 불명확하게 규정하고 있어 시정을 요구하였다. 이에 해당 업체들은 '전자 상거래법'상 청약 철회권을 보장하기 위해 불명확한 청약 철회 제한 사유들은 삭제하였다. 또한 해외 배송의 특성상 주문 이후 배송 단계에서의 취소는 불가능하나 제품 수령 후에 교환 및 반품이 가능하도록 시정하였다.

① 국가는 개인 소유의 재산에 함부로 간섭하지 못한다.
② 국가는 개인의 자유로운 의사에 의한 법률관계 형성에 개입할 수 없다.
③ 개인은 자신의 고의나 과실로 타인에게 손해를 야기한 경우에 한하여 손해 배상 책임을 진다.
④ 계약의 내용이 사회 질서에 반하거나 현저하게 공정하지 못한 경우에는 법적 효력이 발생하지 않는다.
⑤ 고의나 과실이 없어도 타인에게 피해를 준 경우에는 일정한 요건에 따라 손해 배상 책임을 져야 한다.

06

▸ 24063-0082

다음 자료에 대한 설명으로 옳은 것은?

〈근대 민법의 기본 원칙〉		〈수정 및 보완 원칙〉
계약 자유의 원칙	➡	A
B	➡	소유권 공공복리의 원칙
C	➡	무과실 책임의 원칙

① A는 경제적 약자에 대한 경제적 강자의 부당한 대우를 정당화한다는 비판을 받는다.
② '신의 성실의 원칙을 위반하여 소비자에게 부당하게 불리한 약관 조항을 무효로 하는 것'은 A가 적용된 사례이다.
③ '정부가 신도시 개발을 위해 □□지역에 살고 있는 사람들에게 토지 보상금을 지급하고 해당 토지를 수용한 것'은 B가 적용된 사례이다.
④ 현대 사회에서는 경제적 강자의 책임 회피 수단으로 C가 악용되는 것을 방지하기 위해 C는 무과실 책임의 원칙으로 대체되었다.
⑤ '공작물의 설치 또는 보존의 하자로 인해 타인에게 발생한 손해에 대해 공작물의 소유자가 지는 책임'은 무과실 책임의 원칙이 아닌 C가 적용된다.

THEME 10

재산 관계와 법

1 계약의 이해

(1) **계약의 의미**: 일정한 법률 효과를 발생시킬 목적으로 당사자 간에 이루어지는 합의 또는 약속

(2) **계약의 성립 및 효력 발생**

① 계약의 성립 시점: 일반적으로 계약을 체결하고 싶다는 의사 표시인 청약과 이를 받아들이겠다는 의사 표시인 승낙이 합치된 때

② 계약이 성립하여 효력이 발생하기 위한 요건

- 계약 당사자가 의사 능력과 행위 능력을 갖추고 있어야 함.
- 둘 이상의 계약 당사자 간 자유로운 의사 표시(청약과 승낙)의 합치
- 계약의 내용이 실현 가능하고 적법해야 함.
- 계약의 내용이 강행 법규나 선량한 풍속 기타 사회 질서에 위반되지 않아야 함.

(3) **계약의 효력과 채무 불이행**

① 계약을 체결한 당사자에게 일정한 권리와 의무가 발생함.

② 채무 불이행: 채무자가 자기의 책임 있는 사유로 채무의 내용에 따른 의무를 이행하지 않은 경우에 성립함. 이 경우 채권자는 법률에 따라 상대방에게 강제적으로 계약을 이행하게 하거나 일정한 요건에 따라 계약을 해제할 수 있으며, 손해가 발생한 경우 손해 배상을 청구할 수 있음.

2 미성년자의 계약

(1) **미성년자의 의미와 법률 행위**

의미	19세 미만인 자
법률 행위	• 제한 능력자에 해당하여 원칙상 단독으로 유효한 법률 행위를 할 수 없음. • 미성년자가 법률 행위를 할 경우 원칙적으로 법정 대리인의 동의를 얻어야 함. • 법정 대리인의 동의를 얻지 않은 미성년자의 법률 행위는 일단 유효하지만 미성년자 본인이나 법정 대리인이 취소할 수 있음.
단독으로 할 수 있는 법률 행위	• 권리만을 얻거나 의무만을 면하는 행위 • 법정 대리인이 범위를 정하여 처분을 허락한 재산(용돈 등)의 처분 행위 등

(2) **미성년자와 거래한 상대방 보호**

확답을 촉구할 권리	• 미성년자와 거래한 상대방은 일정 기간을 정하여 미성년자의 법정 대리인에게 계약을 추인할 것인지 여부를 확답하도록 촉구할 수 있음. • 미성년자의 법정 대리인이 일정 기간 내에 확답을 발송하지 않으면 확정적으로 유효한 법률 행위가 됨.
철회권	• 미성년자와 거래한 상대방은 미성년자의 법정 대리인이 그 계약을 추인할 때까지 계약 체결의 의사 표시를 철회할 수 있음. • 미성년자와 거래한 상대방이 법률 행위 당시 미성년자임을 몰랐을 경우에만 행사 가능함.
취소권의 배제	미성년자가 속임수로써 상대방으로 하여금 자신을 행위 능력자로 믿게 한 경우나 법정 대리인의 동의를 받은 것처럼 믿게 한 경우에는 미성년자 본인과 법정 대리인의 취소권이 배제됨.

3 불법 행위와 손해 배상

(1) **불법 행위**

① 의미: 고의나 과실로 위법하게 타인에게 손해를 가한 행위

② 성립 요건

가해 행위	가해자가 피해자에게 손해를 발생시키는 행위를 해야 함.
고의 또는 과실	가해 행위와 관련하여 가해자에게 고의 또는 과실이 있어야 함.
위법성	법이 보호해야 할 이익을 위법하게 침해함.
손해의 발생	• 피해자에게 손해가 발생해야 함. • 재산적 손해뿐만 아니라 타인의 신체, 자유 또는 명예를 침해하거나 기타 정신상 고통을 가한 경우 정신적 손해도 포함됨.
인과 관계	가해 행위와 피해자의 손해 발생 사이에 상당 인과 관계가 있어야 함.
책임 능력	자신의 행위로 인해 법률상 책임이 발생한다는 것을 변식할 수 있는 능력으로 행위 당시를 기준으로 구체적·개별적으로 판단함.

(2) **특수 불법 행위**

① 의미: 일반 불법 행위의 성립 요건과는 달리 특수한 성립 요건이 정해져 있는 불법 행위

② 유형

책임 무능력자의 감독자 책임	책임 능력이 없는 미성년자나 심신 상실자가 타인에게 손해를 가한 경우에는 법정 감독 의무자가 배상할 책임이 있음.
사용자의 배상 책임	피용자가 사무 집행에 관하여 타인에게 손해를 가한 경우에 사용자는 피용자의 선임 및 그 사무 감독상의 과실에 대해 배상할 책임이 있음.
공작물 등의 점유자·소유자 책임	• 공작물 등의 설치 또는 보존상의 하자로 인해 타인에게 손해를 가한 경우에 점유자가 일차적으로 배상할 책임이 있음. • 점유자가 손해 방지에 필요한 주의를 다하였음을 증명하여 책임이 면제되면 공작물 등의 소유자가 무과실 책임을 짐.
동물의 점유자 책임	점유하고 있는 동물이 타인에게 손해를 가한 경우 동물의 점유자가 배상할 책임이 있음.
공동 불법 행위자의 책임	• 여러 사람이 공동의 불법 행위로 타인에게 손해를 가한 경우에 연대하여 배상할 책임이 있음. • 여러 사람의 행위 중 누구의 행위로 손해가 발생한 것인지 알 수 없는 경우에도 연대하여 배상할 책임이 있음.

(3) **손해 배상**

① 의미: 발생한 손해를 전보(塡補)해 주는 것

② 손해 배상 방식

- 금전 배상이 원칙이며 재산적 손해뿐만 아니라 정신적 손해(위자료)도 배상해야 함.
- 타인의 명예를 훼손한 경우 법원은 피해자의 청구에 의하여 손해 배상에 대신하거나 손해 배상과 함께 명예 회복에 적당한 처분을 명할 수 있음.

01

▸ 24063-0083

다음 인터넷 게시판의 (가)에 들어갈 답변 중 법적으로 옳은 것은?

공지사항 | 게시판 | Q&A

판매업자: 저는 전자 제품을 판매하는 대리점의 사장입니다. 며칠 전에 갑, 을 두 사람이 매장에서 고가의 노트북을 사 갔습니다. 저는 을과 달리 갑은 미성년자인 것 같아서 갑에게 법정 대리인인 부모의 동의를 받았냐고 물었습니다. 갑은 자신은 성인이라며 신분증을 보여 줬습니다. 저는 갑을 믿고 노트북을 팔았으나, 하루 뒤에 갑의 부모, 을의 부모 모두 자신들은 동의한 적이 없다고 합니다. 나중에 알고 보니 신분증을 위조한 갑은 17세였으며, 을은 18세로 거래 당시 법률혼을 한 상태였습니다. 요즘 장사도 안 돼서 힘든데, 저는 어떻게 해야 할까요?

└→ (가)

* 사기로 인한 취소는 고려하지 않음.

① 을은 갑과 달리 계약을 취소할 수 있습니다.
② 을의 부모는 갑의 부모와 달리 계약을 취소할 수 없습니다.
③ 갑, 을과 체결한 계약 모두 확정적으로 유효입니다.
④ 판매업자님은 을의 부모가 아닌 갑의 부모에게 확답을 촉구할 권리를 행사할 수 있습니다.
⑤ 판매업자님은 거래 당시 미성년자임을 몰랐던 을과 체결한 계약에 대한 철회권을 행사할 수 있습니다.

02

▸ 24063-0084

다음 자료의 (가), (나)에 들어갈 수 있는 법적 판단으로 옳지 <u>않은</u> 것은?

퀵 배달 서비스 업체를 운영하는 갑은 A로부터 계약을 성사시키기 위한 중요한 서류이므로 신속하게 B에게 전달해 달라는 요청을 받고 배달 업무를 담당하는 종업원 을에게 업무를 지시하였다. 을은 신속하게 B에게 전달해야 한다는 말을 듣고 오토바이를 운전하여 가다가 C를 치어 다치게 하였다. 이 사고를 수습하다가 을은 B에게 서류를 전달하지 못하였고, 결국 A와 B의 계약은 성사되지 못했다. A와 C는 손해 배상을 요구하려고 한다.

구분	법적 판단
C를 치어 다치게 한 을의 행위에 고의나 과실이 없는 경우	(가)
C를 치어 다치게 한 을의 행위에 과실이 있는 경우	(나)

① (가) – A는 을에게 채무 불이행 책임을 물을 수 없다.
② (가) – C는 갑에게 사용자의 배상 책임을 물을 수 없다.
③ (나) – C는 을에게 특수 불법 행위 책임을 물을 수 있다.
④ (나) – C는 갑에게 일반 불법 행위 책임을 물을 수 없다.
⑤ (나) – A는 갑에게 채무 불이행 책임을 물을 수 있다.

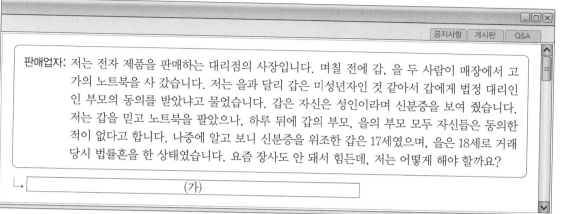

▸ 24063-0085

03

밑줄 친 ㉠, ㉡에 대한 옳은 설명만을 〈보기〉에서 있는 대로 고른 것은?

갑은 직장에서 퇴근하던 길에 술에 취한 A, B에게 아무런 이유 없이 폭행을 당했다. 이로 인해 갑은 전치 6주의 상해를 입어 병원에 입원하게 되었고, 그 당시에 가지고 있던 노트북과 스마트폰, 고가의 시계는 파손되어 사용할 수 없게 되었다. 갑은 A, B에게 치료비와 정신적 피해에 대한 배상, 노트북, 스마트폰, 시계를 파손한 것에 대한 손해 배상을 요구하였다. A는 ㉠자신은 주먹으로 갑을 폭행했을 뿐이며, 노트북, 스마트폰, 시계를 파손시킨 것은 B라고 주장하였고, B는 ㉡자신은 A가 폭행을 할 때 갑을 붙잡고 있었을 뿐이라고 주장하고 있다.

보기

ㄱ. ㉠이 받아들여지도록 A가 증명하였다면, B는 노트북, 스마트폰, 시계를 파손한 것에 대한 손해 배상을 해야 한다.
ㄴ. ㉡이 받아들여지도록 B가 증명하였다면 B는 손해 배상 책임을 지지 않는다.
ㄷ. ㉠, ㉡이 모두 증명되지 않았다면 갑은 A와 B에게 공동 불법 행위자의 책임을 물을 수 있다.

① ㄱ ② ㄴ ③ ㄱ, ㄷ ④ ㄴ, ㄷ ⑤ ㄱ, ㄴ, ㄷ

▸ 24063-0086

04

다음 자료에 대한 옳은 설명만을 〈보기〉에서 고른 것은?

갑~정은 모두 타인을 폭행하여 전치 6주의 상해를 입혔다. 표는 갑~정의 행위에 대해 손해 배상을 요구하기 위한 자료이며, 폭행 당시를 기준으로 한다.

구분	갑	을	병	정
19세 이상인가?	아니요	아니요	예	예
책임 능력이 있는가?	아니요	예	아니요	예

* 갑~정 모두 법정 감독 의무자가 있다면 부모임.

보기

ㄱ. 을과 정은 모두 손해 배상 책임을 진다.
ㄴ. 갑의 부모와 병의 부모는 모두 특수 불법 행위 책임을 진다.
ㄷ. 을의 부모와 달리 정의 부모는 손해 배상 책임을 진다.
ㄹ. 병은 성인이므로 갑과 달리 손해에 대한 배상 책임을 진다.

① ㄱ, ㄴ ② ㄱ, ㄷ ③ ㄴ, ㄷ ④ ㄴ, ㄹ ⑤ ㄷ, ㄹ

05

▸ 24063-0087

밑줄 친 ㉠의 이유로 가장 적절한 것은?

갑은 어린 자녀인 을에게 목줄 없는 병의 개가 갑자기 달려들자 발로 차 개를 다치게 하였다. 이에 병은 갑에게 개의 치료비를 요구하고, 갑을 동물 학대로 고소하였다. 이에 대한 민사 재판에서 법원은 당시 상황을 보여 주는 CCTV를 근거로 하여 갑에게 손해 배상 책임이 없다고 ㉠판결하였다. 법원은 "당시 갑은 위난 상태에 빠진 을의 법익을 보호하기 위해 다른 법익을 침해하지 않고는 달리 피할 방법이 없었다는 것이 증명되었다."라며 판결의 이유를 밝혔다.

① 갑의 행위는 위법성이 없다.
② 갑은 가해 행위를 하지 않았다.
③ 을에게 책임을 변식할 능력이 없다.
④ 갑의 행위로 인해 손해가 발생하지 않았다.
⑤ 갑의 행위와 손해 발생 간에 상당 인과 관계가 없다.

06

▸ 24063-0088

다음 교사의 질문에 대한 발표 내용이 옳은 학생은?

다음 사례에 대한 법적 판단을 해 볼까요?

A는 술을 마신 뒤 B 소유의 건물에 있는 C의 노래방을 가기 위해 계단을 내려가던 중 발을 헛디뎌 넘어졌다. 이로 인해 큰 상해를 입은 A는 사고 당시 노래방 계단의 벽면에 손잡이가 설치되어 있지 않았다고 주장하면서 노래방 주인 C를 상대로 손해 배상 청구 소송을 제기하였다. 법원은 "민법 제758조 제1항 소정의 공작물 점유자라 함은 공작물을 사실상 지배하면서 그 설치 또는 보존상의 하자로 인하여 발생할 수 있는 각종 사고를 방지하기 위하여 공작물을 보수·관리할 권한 및 책임이 있는 자를 말한다. C는 이 사건 건물의 지하층만 임차하였을 뿐인 점, 이 사건 건물 외부에서 지하층으로 연결되는 계단은 공용 부분에 해당하는 점 등에 비추어 볼 때 이 사건 계단은 C의 임차 부분에 직접 포함되지 아니하므로, C에게 이 사건 계단을 법령의 규정에 적합하도록 유지·관리할 의무가 있다고 볼 수 없다. 따라서 C는 공작물인 계단의 점유자가 아니므로 C에게 사고의 책임을 물을 수 없다."라고 판단하였다.

① 갑: A는 B, C 모두에게 손해 배상을 받을 수 없습니다.
② 을: 법원은 C에게 특수 불법 행위 책임이 없다고 보았습니다.
③ 병: A는 B, C에게 공동 불법 행위자의 책임을 물을 수 있습니다.
④ 정: 법원은 B에게 일반 불법 행위 책임이 있다고 판단하였습니다.
⑤ 무: 법원은 C가 사고를 방지하기 위한 주의 의무를 다했음을 증명하였다고 보았습니다.

▸ 24063-0089

07

A, B에 해당하는 옳은 사례만을 〈보기〉에서 있는 대로 고른 것은? (단, A, B는 각각 무효인 행위와 취소할 수 있는 행위 중 하나임.)

A	법률 행위의 효력이 처음부터 당연히 생기지 않는 것으로 특정인의 주장 없이 당연히 효력이 없다.
B	일단 유효하게 성립한 법률 행위의 효력을 행위 시에 소급하여 소멸시키는 것으로 특정인의 주장이 있어야 효력이 없어진다.

보기
ㄱ. 갑이 사기를 당해 고가의 부동산을 매매한 행위
ㄴ. 미성년자 을이 용돈의 범위에서 옷을 구매한 행위
ㄷ. 병이 의사 능력이 없는 상태에서 자신의 고가 시계를 판매한 행위

	A	B
①	ㄱ	ㄴ
②	ㄱ	ㄷ
③	ㄴ, ㄷ	ㄱ
④	ㄷ	ㄱ
⑤	ㄷ	ㄱ, ㄴ

▸ 24063-0090

08

다음 사례에 대한 옳은 설명만을 〈보기〉에서 있는 대로 고른 것은?

법원은 갑이 제기한 손해 배상 청구 소송에서 원고 일부 승소 판결을 하였다. 재판부는 “경기 보조원 을은 갑 일행의 경기를 보조하며 안전을 배려해야 할 주의 의무를 다하지 않은 것으로 봄이 타당하고, 을의 과실과 갑이 입은 상해 사이에 인과 관계도 인정된다.”라며 “을은 병이 골프공을 칠 때 주변 사람들에게 ‘볼 칩니다’라고 크게 외치는 등으로 주의를 환기시킬 의무가 있다.”라고 하였다. 또 “경기 보조원을 실질적으로 지휘·감독하는 □□골프장도 갑이 입은 손해를 배상할 책임이 있다.”라고 덧붙였다. 다만 갑이 볼을 친 동반자 병의 실력이 초보 수준임을 잘 알고 있었고, 갑이 동반자가 볼을 치게 내버려 둔 채 볼이 날아오는 방향으로 걸어간 점을 감안해 골프장 책임을 실제 산정된 피해액의 일부로 제한하였다.

보기
ㄱ. 을과 □□골프장은 갑에게 공동 불법 행위자의 책임을 지는 것이다.
ㄴ. 법원은 갑이 입은 손해에 대해 을의 일반 불법 행위 책임을 인정하였다.
ㄷ. 법원은 갑이 입은 손해에 대해 □□골프장이 사용자의 배상 책임을 져야 한다고 판단하였다.

① ㄱ ② ㄴ ③ ㄱ, ㄷ ④ ㄴ, ㄷ ⑤ ㄱ, ㄴ, ㄷ

09

▸ 24063-0091

다음 자료에 대한 옳은 설명만을 〈보기〉에서 있는 대로 고른 것은?

수행 평가

다음 사례에 대한 법적 판단 내용을 쓰시오. (단, 불법 행위와 관련하여서만 판단할 것)

사례	학생	법적 판단
A의 음식점에서 주차 대행 업무를 하는 B는 고객 C의 차를 주차하다가 실수로 차량을 훼손하였다.	갑	C는 B에게 손해 배상 책임을 물을 수 있다.
	을	(가)
D는 E 소유의 건물에서 음식점을 하는데, 음식점의 창틀이 떨어져 F가 다쳤다.	병	F가 입은 손해에 대해 D가 1차적 책임을 진다.
	정	(나)
교사 평가	옳지 않은 법적 판단을 한 학생: ㉠	

〈보기〉

ㄱ. ㉠에 갑, 병은 모두 포함되지 않는다.
ㄴ. ㉠에 '을'이 들어가면 (가)에 'B의 행위가 불법 행위로 성립할 경우에만 A가 사용자의 배상 책임을 진다.'가 들어갈 수 없다.
ㄷ. ㉠에 '정'이 들어가면 (나)에 'D가 주의 의무를 다했음을 증명하면 F는 E에게 손해 배상 책임을 물을 수 없다.'가 들어갈 수 있다.
ㄹ. (가)에 'A가 B의 선임 및 그 사무 감독에 상당한 주의를 다했음을 증명하면 C는 A에게 손해 배상 책임을 물을 수 없다.'가 들어가고, (나)에 'D가 면책되면 E는 손해 방지를 위한 주의를 다하였음을 증명해야 면책된다.'가 들어가면, ㉠에 '없음'이 들어갈 수 있다.

① ㄱ, ㄴ ② ㄱ, ㄹ ③ ㄷ, ㄹ ④ ㄱ, ㄴ, ㄷ ⑤ ㄴ, ㄷ, ㄹ

10

▸ 24063-0092

(가)에 들어갈 수 있는 옳은 법적 판단만을 〈보기〉에서 고른 것은?

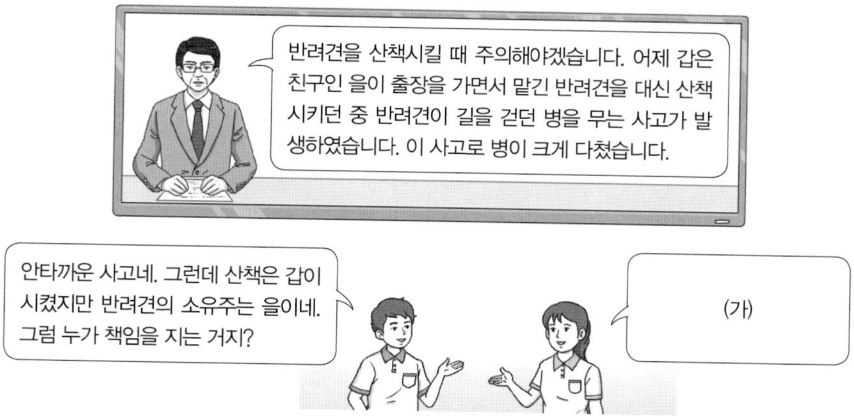

반려견을 산책시키킬 때 주의해야겠습니다. 어제 갑은 친구인 을이 출장을 가면서 맡긴 반려견을 대신 산책시키던 중 반려견이 길을 건던 병을 무는 사고가 발생하였습니다. 이 사고로 병이 크게 다쳤습니다.
안타까운 사고네. 그런데 산책은 갑이 시켰지만 반려견의 소유주는 을이네. 그럼 누가 책임을 지는 거지?
(가)

〈보기〉

ㄱ. 반려견의 소유주인 을이 손해 배상 책임을 져야 해.
ㄴ. 병은 갑에게 일반 불법 행위 책임을 물을 수 있어.
ㄷ. 갑이 반려견의 종류와 성질에 따라 그 보관에 상당한 주의를 기울였음을 증명하면 면책될 수 있어.
ㄹ. 병을 무는 사고가 발생했을 당시에 갑이 반려견을 점유하고 있었으므로 갑이 손해 배상 책임을 져야 해.

① ㄱ, ㄴ ② ㄱ, ㄷ ③ ㄴ, ㄷ ④ ㄴ, ㄹ ⑤ ㄷ, ㄹ

11

▸ 24063-0093

다음 자료에 대한 옳은 설명만을 ⟨보기⟩에서 있는 대로 고른 것은? (단, A, B는 모두 17세임.)

교사: 미성년자인 A, B는 법정 대리인인 부모의 동의를 얻지 않고 자전거 판매업자 C에게 고가의 자전거를 구매하였습니다. 하지만 B는 부모의 동의서를 위조하여 C에게 보여 줬으며, C는 부모의 동의가 있는 것으로 믿고 계약을 체결하였습니다. 한편 C는 계약 체결 당시 A가 미성년자라는 것을 알고 있었습니다. 이에 대한 법적 판단을 해 보세요.
갑: B의 부모는 계약을 취소할 수 있습니다.
을: A는 계약을 취소할 수 있습니다.
병: C가 계약 체결의 의사 표시를 철회할 수 있는 사람은 B가 아닌 A입니다.
정: (가)
교사: ㉠옳은 법적 판단 내용을 발표한 사람도 있지만, ㉡옳지 않은 법적 판단 내용을 발표한 사람도 있네요.

보기
ㄱ. (가)에 'B는 계약을 취소할 수 없습니다.'가 들어가면 ㉠은 '을, 정'이다.
ㄴ. (가)에 'B와 체결한 계약은 무효입니다.'가 들어가면 ㉡은 '갑, 병'이다.
ㄷ. ㉠이 '1명'이라면 (가)에 'C는 A의 부모에게 계약 취소 여부에 대한 확답을 촉구할 수 있습니다.'가 들어갈 수 있다.
ㄹ. ㉡이 '2명'이라면 (가)에 'A의 부모는 계약을 취소할 수 없습니다.'가 들어갈 수 없다.

① ㄱ, ㄴ ② ㄱ, ㄹ ③ ㄴ, ㄷ ④ ㄱ, ㄷ, ㄹ ⑤ ㄴ, ㄷ, ㄹ

12

▸ 24063-0094

(가)~(라)에 대한 설명으로 옳은 것은?

① (가)에서 갑은 계약을 체결하고 싶다는 의사 표시인 청약을 하였다.
② (나)에서 을은 청약에 대한 승낙을 하였다.
③ (다)에서 갑과 을의 헤드폰 매매 계약이 성립하였다.
④ (라)에서 갑, 을에게 각각 계약 체결에 따른 권리와 의무가 발생한다.
⑤ (라) 이후 갑이 돈을 지불했음에도 을이 헤드폰을 갑에게 주지 않으면 계약은 무효가 된다.

가족 관계와 법

1 혼인

(1) 의미: 남녀가 부부가 되는 것으로서 일종의 계약에 해당함.

(2) 성립 및 유효 요건

실질적 요건	• 당사자가 자유로운 의사에 기초하여 혼인에 합의할 것 • 민법에서 규정한 혼인할 수 있는 연령에 해당할 것 • 민법에서 규정한 혼인할 수 없는 친족 관계가 아닐 것 • 다른 사람과 이미 혼인 상태인 중혼(重婚)이 아닐 것
형식적 요건	혼인 신고를 할 것 → 법률혼주의

(3) 법률 효과

① 친족 관계의 발생(배우자 및 인척 관계의 발생)

② 부부 상호 간의 동거, 부양, 협조 등의 의무 발생

③ 부부 별산제 적용, 일상 가사에 대한 대리권 발생

④ 18세인 미성년자가 부모의 동의를 얻어 법적으로 유효한 혼인을 한 경우에는 민법상 성년으로 의제되어 행위 능력이 인정됨.

2 이혼

(1) 의미: 혼인 관계를 인위적으로 해소시키는 것

(2) 유형

① 협의상 이혼

의미	당사자 간의 합의로 이루어지는 이혼
절차	법원에 이혼 의사 확인 신청 → 이혼 숙려 기간 → 법원의 이혼 의사 확인 → 이혼 신고
효력 발생	이혼 신고를 함으로써 이혼의 효력 발생

② 재판상 이혼

의미	법이 정한 사유에 해당하는 경우 법원의 판결로써 이루어지는 이혼으로 어느 한쪽의 일방적인 청구에 의해 가능함.
절차	재판상 이혼 청구 → 이혼 조정 → 이혼 소송 → 이혼 판결 → 이혼 신고
이혼 사유	• 배우자에게 부정한 행위가 있었을 때 • 배우자가 악의로 다른 일방을 유기한 때 • 배우자 또는 그 직계 존속으로부터 심히 부당한 대우를 받았을 때 • 자기의 직계 존속이 배우자로부터 심히 부당한 대우를 받았을 때 • 배우자의 생사가 3년 이상 분명하지 아니한 때 • 기타 혼인을 계속하기 어려운 중대한 사유가 있을 때
효력 발생	법원의 이혼 판결이 확정된 때에 이혼의 효력 발생

(3) 법률 효과

① 혼인에 의해 발생한 친족 관계 소멸

② 미성년인 자녀를 직접 양육하지 않는 부 또는 모와 그 자녀에게 면접 교섭권이 발생함.

③ 혼인 생활 중 취득한 부부 공동 재산에 대한 분할 청구권 발생

④ 이혼의 책임이 있는 상대방에게 손해 배상을 청구할 수 있음.

3 친자 관계(부모와 자식 간의 관계)

(1) 친생자와 양자

친생자	• 혼인 중 또는 혼인 외의 관계에서 출생한 혈연관계의 자녀 • 법률혼 관계에서 출생한 자녀는 혼인 중의 출생자임. • 법률혼 관계가 아닌 남녀 사이에서 태어난 자녀는 혼인 외의 출생자가 되며, 인지 절차를 거쳐 친자 관계가 형성될 수 있음.
양자	• 일반 입양된 자는 입양된 때부터 양부모의 친생자와 같은 지위를 가짐. • 친양자 제도 – 가정 법원에 미성년자에 대한 친양자 입양을 청구하여 친양자 입양이 확정된 때에 양부모의 혼인 중의 출생자로 봄. – 일반 입양과 달리 양부모의 성과 본을 따르고, 원칙적으로 입양 전의 친족 관계는 종료됨.

(2) 친권

의미	부모가 미성년인 자녀에 대해 갖는 신분 · 재산상의 권리와 의무
내용	자녀에 대한 보호와 교양의 권리와 의무, 거소 지정권, 자녀의 재산에 대한 관리권 등
행사	• 부모가 공동으로 행사하는 것이 원칙임. • 부모가 이혼하는 경우에는 부모가 협의하여 친권자를 정하되, 협의가 되지 않을 경우에는 가정 법원이 친권자를 지정함. • 부 또는 모가 친권을 남용하거나 친권을 행사하기 어려운 사유 등이 있을 경우에는 각 상황에 따라 가정 법원의 선고에 의해 친권이 상실 · 정지 · 제한될 수 있음.

4 유언과 상속

유언	• 유언의 효력은 유언자가 사망한 때 발생함. • 유언의 방법: 자필 증서, 녹음, 공정 증서, 비밀 증서, 구수 증서
상속	• 의미: 자연인(피상속인)이 사망함으로써 그가 남긴 재산에 대한 권리와 의무가 타인(상속인)에게 포괄적으로 승계되는 것으로 피상속인의 채무도 승계됨. • 유언이 있을 경우에는 유언에 따라 유증이 이루어지나 상속인은 유류분 반환 청구를 할 수 있음. • 유류분 제도: 상속인을 보호하기 위해 상속인들이 법정 상속분의 일부를 확보할 수 있도록 한 제도 • 법정 상속 순위: 1순위–직계 비속, 2순위–직계 존속, 3순위–형제자매, 4순위–4촌 이내 방계 혈족 • 선순위의 상속인이 있을 경우에는 후순위 상속인은 상속을 받을 수 없음. • 같은 순위 상속인 간의 상속분은 균분으로 함. • 배우자는 피상속인의 직계 비속이나 직계 존속이 있을 경우에는 공동으로 상속을 받으나, 피상속인의 직계 비속과 직계 존속이 없을 경우에는 단독으로 상속을 받음. • 배우자는 공동 상속인의 상속분에 50%를 가산하여 상속을 받음.

▸ 24063-0095

01

밑줄 친 ㉠, ㉡에 대한 설명으로 옳은 것은?

• 갑과 을은 혼인 신고를 하고 A를 낳고 살다가, 갑이 도박에 빠져 가정에 소홀하자 을의 이혼 요구를 갑이 받아들여 갑과 을은 ㉠이혼을 하였다.
• 병과 정은 혼인 신고를 하고 B를 낳고 살다가, 병이 정의 부모를 부당하게 대우하자 정의 이혼 청구 소송을 통해 ㉡이혼을 하였다.

① A가 성인이라면 ㉠의 과정에서 갑과 을은 3개월의 이혼 숙려 기간을 거쳤을 것이다.
② B가 미성년자라면 ㉡의 과정에서 B에 대한 친권 행사자가 정해져야 한다.
③ ㉠의 경우 법원에 이혼 신고를 한 때에 이혼의 효력이 발생한다.
④ ㉡의 경우 행정 기관에 이혼 신고를 해야 이혼의 효력이 발생한다.
⑤ ㉠, ㉡은 모두 민법에 정해진 이혼 사유에 해당되어야 이혼이 가능하다.

▸ 24063-0096

02

다음 자료는 이혼 신고서를 간단하게 나타낸 것이다. 밑줄 친 ㉠~㉤에 대한 옳은 설명만을 〈보기〉에서 고른 것은?

㉠이혼 신고서

구분		남편	아내
이혼 당사자		㉡갑	㉢을
재판 확정 일자	㉣2023년 7월 12일	법원명	㉤◇◇ 가정 법원

〈보기〉
ㄱ. ㉠은 ㉤에 제출한다.
ㄴ. 이혼의 귀책 사유가 ㉡에게 있다면 ㉢은 ㉡에게 손해 배상을 청구할 수 있다.
ㄷ. ㉢이 이혼 청구 소송을 제기하였어도 ㉡은 재산 분할 청구권을 행사할 수 있다.
ㄹ. ㉣ 직후가 아닌 ㉠이 행정 기관에서 받아들여져야 이혼의 효력이 발생한다.

① ㄱ, ㄴ ② ㄱ, ㄷ ③ ㄴ, ㄷ ④ ㄴ, ㄹ ⑤ ㄷ, ㄹ

03

▸ 24063-0097

밑줄 친 ㉠~㉤에 대한 옳은 설명만을 〈보기〉에서 있는 대로 고른 것은?

혼인은 남녀가 부부로서의 생활 공동체를 형성하기로 하는 가족법상의 합의로 일종의 ㉠계약에 해당한다. 혼인이 성립하려면 형식적 요건과 실질적 요건을 갖추어야 한다. 형식적 요건을 갖추기 위해서는 ㉡혼인 신고를 해야 한다. 실질적 요건을 갖추기 위해서는 ㉢법적으로 혼인할 수 있는 나이여야 하고, ㉣민법에서 제한하는 친족 관계에 해당하지 않아야 하고, 중혼이 아니어야 하며, ㉤혼인 의사의 합치가 있어야 한다.

보기

ㄱ. 혼인은 ㉠에 해당하므로 혼인을 하게 되면 배우자 간 권리와 의무가 발생한다.
ㄴ. ㉡을 갖추지 않고 ㉤만 있는 경우에는 인척 관계가 발생하지 않는다.
ㄷ. 17세는 ㉢에 해당한다.
ㄹ. ㉣의 예로 일정 촌수 이내의 혈족과 인척을 들 수 있다.

① ㄱ, ㄷ ② ㄱ, ㄹ ③ ㄴ, ㄷ ④ ㄱ, ㄴ, ㄹ ⑤ ㄴ, ㄷ, ㄹ

04

▸ 24063-0098

다음 사례에 대한 옳은 법적 판단만을 〈보기〉에서 고른 것은?

갑(남)과 을(여)은 부부로서의 공동생활을 하고 있다.

(가)	(나)
갑과 을은 혼인 신고를 하였고, A를 낳았다.	갑과 을은 혼인 신고를 하지 않았고, A를 낳았다.

보기

ㄱ. (가)와 달리 (나)에서 갑과 을 간에 부양의 의무가 발생하지 않는다.
ㄴ. (가)의 갑, 을과 달리 (나)의 갑, 을은 서로 친족 관계가 아니다.
ㄷ. (가)의 A와 달리 (나)의 A는 갑, 을과 친자 관계가 형성될 수 없다.
ㄹ. (나)와 달리 (가)에서 갑이 사망하면 을은 상속권자이다.

① ㄱ, ㄴ ② ㄱ, ㄷ ③ ㄴ, ㄷ ④ ㄴ, ㄹ ⑤ ㄷ, ㄹ

▸ 24063-0099

05

(가)에 들어갈 수 있는 옳은 법적 조언만을 〈보기〉에서 있는 대로 고른 것은? (단, 제시된 모든 사람은 아버지 재산에 대한 법정 상속권자임.)

공지사항 | 게시판 | Q&A

Q: 우리 가족은 아버지, 어머니, 저, 누나, 남동생 이렇게 다섯 명이었습니다만, 며칠 전에 아버지께서 암으로 사망하셨습니다. 열심히 일하셨던 아버지는 9억 원의 재산을 남기셨으나, 누나가 갑자기 아버지의 유언장이라며 내놓았습니다. 유언장의 내용은 '모든 재산을 누나에게 물려준다.'는 것이었습니다. 누나는 아버지의 모든 재산은 자신의 것이라고 주장하고 있습니다. 가족끼리 싸우기는 싫은데 누나가 모두 가져가는 것이 너무 억울한 것 같습니다. 법적 조언을 부탁드립니다.

↳ A: ______(가)______

* 민법 제1112조(유류분의 권리자와 유류분) 상속인의 유류분은 다음 각호에 의한다.
1. 피상속인의 직계 비속은 그 법정 상속분의 2분의 1
2. 피상속인의 배우자는 그 법정 상속분의 2분의 1

보기

ㄱ. 유언장이 유효하지 않으면, 질문자님은 2억 원을 상속받습니다.
ㄴ. 유언장이 유효하지 않으면, 어머니의 상속액은 나머지 상속권자의 상속액 합보다 3억 원이 적습니다.
ㄷ. 유언장이 유효하더라도, 어머니가 누나보다 더 많은 금액을 받을 수 있습니다.
ㄹ. 유언장이 유효하더라도, 어머니, 질문자님, 남동생은 모두 누나에게 유류분 반환을 청구할 수 있습니다.

① ㄱ, ㄷ ② ㄱ, ㄹ ③ ㄴ, ㄷ ④ ㄱ, ㄴ, ㄹ ⑤ ㄴ, ㄷ, ㄹ

▸ 24063-0100

06

다음 사례에 대한 법적 판단으로 옳지 않은 것은?

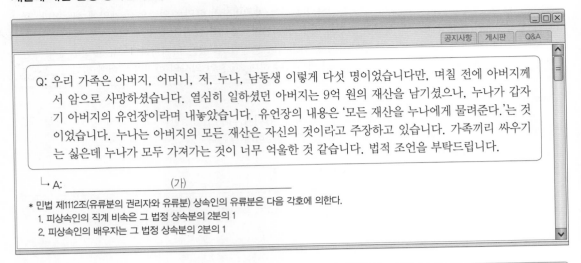

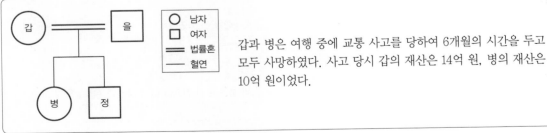

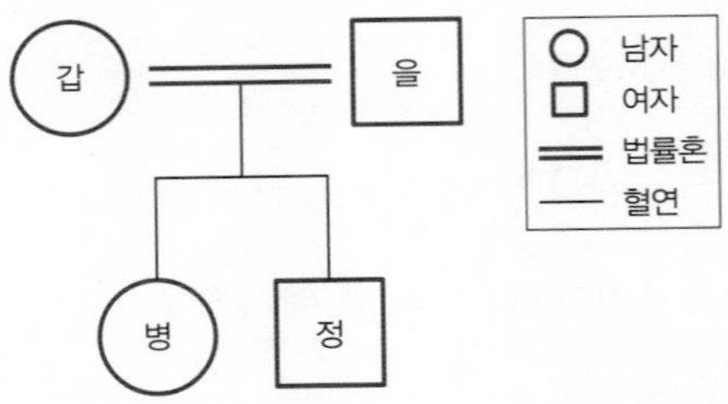

갑과 병은 여행 중에 교통 사고를 당하여 6개월의 시간을 두고 모두 사망하였다. 사고 당시 갑의 재산은 14억 원, 병의 재산은 10억 원이었다.

① 갑이 먼저 사망했다면, 갑 사망 후 을은 갑의 재산 중 6억 원을 상속받는다.
② 갑이 먼저 사망했다면, 병 사망 후 을은 병의 재산을 단독으로 상속받는다.
③ 병이 먼저 사망했다면, 병 사망 후 정은 병의 재산을 상속받지 못한다.
④ 병이 먼저 사망했다면, 병 사망 후 을은 병의 재산 중 1/2을 상속받는다.
⑤ 병이 먼저 사망했다면, 갑 사망 후 정은 갑의 재산을 상속받지 못한다.

07

▸ 24063-0101

다음 자료에 대한 옳은 설명만을 〈보기〉에서 고른 것은?

교사: 친권에 대해 발표해 보세요.
갑: 미성년 자녀에 대해 부모가 갖는 신분 · 재산상의 권리와 의무를 의미합니다.
을: 부모가 공동으로 행사하는 것이 원칙입니다.
병: 부모가 미성년인 자녀에 대해 갖는 권리이므로 상실되지 않습니다.
정: (가)
교사: ㉠2명만 옳게 답했어요.

보기

ㄱ. ㉠은 '을, 정'이다.
ㄴ. (가)에 '이혼하는 경우에는 법원이 친권자를 지정해 주어야 합니다.'가 들어갈 수 있다.
ㄷ. (가)에 '부모 중 한쪽이 친권을 행사할 수 없을 때에는 다른 한쪽이 행사합니다.'가 들어갈 수 없다.
ㄹ. (가)에 '자녀가 자신의 명의로 취득한 재산에 대한 관리권도 친권의 내용 중 하나입니다.'가 들어갈 수 있다.

① ㄱ, ㄴ ② ㄱ, ㄷ ③ ㄴ, ㄷ ④ ㄴ, ㄹ ⑤ ㄷ, ㄹ

08

▸ 24063-0102

다음 자료에 대한 설명으로 옳은 것은? (단, A～C는 각각 친양자, 친양자가 아닌 양자, 혼인 중 출생자 중 하나임.)

- '부모와 자녀가 자연 혈족 관계에 있는가?'라는 질문으로 A, B를 구분할 수 없다.
- '입양 시 양부모의 성과 본을 따라야 하는가?'라는 질문에 대한 응답은 A와 달리 B가 '예'이다.
- '(가)'라는 질문에 대한 응답은 B와 달리 C가 '예'이다.

① (가)에 '친생부모 사망 시 상속권이 있는가?'가 들어갈 수 없다.
② (가)에 '인지 절차를 거쳐야 친자 관계가 형성되는가?'가 들어갈 수 있다.
③ A는 B와 달리 미성년자인 경우에만 입양이 가능하다.
④ B는 A와 달리 입양 시 친생부모와의 친자 관계가 종료되지 않는다.
⑤ 미성년자일 경우 C는 A와 달리 친생부모가 친권을 행사한다.

▸ 24063-0103

09

밑줄 친 (가)에 들어갈 수 있는 옳은 법적 조언만을 〈보기〉에서 있는 대로 고른 것은?

제가 남편과 별거 중인데, 남편이 별거하기 전에 진 빚을 갚으라고 A가 독촉하고 있습니다. 이제 곧 이혼할 예정이고, 제가 빚을 낸 것도 아닌데 제가 갚아야 하나요?
(가)
변호사

보기

ㄱ. 이혼할 예정이고, 별거 중에 있으므로 갚지 않아도 됩니다.
ㄴ. 부부 별산제가 적용되므로 어떠한 경우에도 빚을 갚을 의무가 발생하지 않습니다.
ㄷ. 일상 가사의 범위에 해당하는 내용으로 빚을 진 것이라면 갚아야 할 의무가 있습니다.

① ㄱ　② ㄷ　③ ㄱ, ㄴ　④ ㄴ, ㄷ　⑤ ㄱ, ㄴ, ㄷ

▸ 24063-0104

10

다음 자료에 대한 설명으로 옳은 것은?

친양자 입양 승낙서

1. 친양자 입양 청구 관계인

구분		성명
친양자 입양 청구인	양부로 될 자	갑
	양모로 될 자	을
친양자가 될 자		병
친양자가 될 자의 친생부모	친생부	정
	친생모	무

2. 친양자 입양에 대한 승낙

위 친양자로 될 자의 법정 대리인인 친권자 정, 무는 친양자로 될 자가 13세 미만이므로 민법 제908조의2 제1항 제5호에 따라 친양자가 될 자에 갈음하여 친양자 입양 청구인들이 친양자가 될 자를 친양자로 입양하는 것을 승낙합니다.

2023년 7월 14일

① 병이 13세 이상이라면 친양자로 입양될 수 없다.
② 2023년 7월 14일에 병은 갑과 을의 친양자가 된다.
③ 친양자로 입양되면 병에 대한 친권은 정과 무가 갖는다.
④ 친양자로 입양되면 병은 갑과 을의 혼인 중의 출생자로 간주된다.
⑤ 친양자로 입양되면 병의 성과 본은 정 또는 무의 성과 본을 따라야 한다.

11

▸ 24063-0105

다음 자료에 대한 설명으로 옳은 것은?

갑과 을은 혼인 신고 후 자녀 A, B를 낳고 살다가 협의상 이혼을 하였다. 다음은 이혼 후 갑과 을의 상황을 나타낸 것이다.

갑

병과 혼인 신고 후 C를 낳았고, 병이 재혼 전에 낳은 자녀 D를 친양자로 입양하였다. 병은 A를 친양자가 아닌 양자로 입양할 예정이다.

을

정과 혼인 신고 후 정이 재혼 전에 낳은 자녀 E를 친양자가 아닌 양자로 입양하였다. 정은 B를 친양자로 입양하였으나, 1년 후 을은 정과 재판상 이혼을 하였다.

① 이혼 과정에서 갑, 을과 을, 정은 모두 이혼 숙려 기간을 거쳤을 것이다.
② 갑이 사망하면 상속권자는 병, A, C뿐이다.
③ 을이 사망하면 상속권자는 A, B뿐이다.
④ 병이 사망하면 상속권자에 D가 포함된다.
⑤ 정이 사망하면 상속권자에 E가 포함되지 않는다.

12

▸ 24063-0106

밑줄 친 ㉠~㉥에 대한 설명으로 옳은 것은?

갑과 을은 혼인 신고 후 자녀 A를 낳았고, 이후 ㉠협의상 이혼을 하였다.

병과 정은 혼인 신고 후 자녀 B를 낳았고, 이후 ㉡재판상 이혼을 하였다.

↓

갑과 병은 혼인의 의사는 있으나 ㉢혼인 신고를 하지 않은 상태에서 살다가 C를 낳았고, 1년 후에 혼인 신고를 하였다. 현재 ㉣갑, 병과 C 간에는 친자 관계가 형성되어 있다. 또한 ㉤갑과 B 간에는 친자 관계가 형성되어 있고, ㉥병과 A 간에는 친자 관계가 형성되어 있지 않다.

① ㉠은 ㉡과 달리 민법에 규정된 이혼 사유에 해당해야 이혼이 가능하다.
② ㉢ 직후 C는 갑과 병의 혼인 중 출생자가 된다.
③ ㉣은 갑과 병이 입양을 하였기 때문이다.
④ ㉤은 갑이 B에 대한 인지 절차를 거쳤기 때문이다.
⑤ A가 미성년자라면 ㉥으로 인해 병은 A에 대한 친권을 갖지 못한다.

THEME 12

형법의 이해

1 형법의 의미와 기능

(1) 형법의 의미

① 일반적 의미: 범죄와 그에 대한 법적 효과로서 형사 제재(형벌과 보안 처분)를 규정한 법 규범의 총체

② 형식적 의미: '형법'이라는 명칭으로 제정된 법률

③ 실질적 의미: 법의 명칭과 형식을 불문하고 범죄와 그에 대한 형사 제재를 규율하고 있는 모든 법 규범

예 폭력 행위 등 처벌에 관한 법률 등

(2) 형법의 기능

보호적 기능	형법은 개인이나 공동체의 존립을 해치거나 위협하는 행위를 범죄로 규정하여 사회적 근본 가치를 보호함.
보장적 기능	형법은 국가가 행사할 형벌권의 내용과 한계를 분명히 하여 자의적인 형벌권 행사로부터 국민의 자유와 권리를 보장함.

2 죄형 법정주의

(1) 죄형 법정주의의 의미와 등장 배경

① 의미: 범죄의 종류와 그 처벌의 내용은 범죄 행위 이전에 미리 성문의 법률에 규정되어 있어야 한다는 형법의 기본 원리

② 등장 배경: 국가의 자의적인 형벌권 행사로부터 시민의 자유와 권리를 보호하려는 근대 인권 사상의 요청

③ 죄형 법정주의의 의미 변천

근대적 의미	'법률이 없으면 범죄도 없고 형벌도 없다.' → 어떤 행위가 범죄가 되고 그 범죄에 대해 어떤 처벌을 할 것인지 성문의 법률에 미리 규정되어 있어야 한다는 원칙
현대적 의미	'적정한 법률이 없으면 범죄도 없고 형벌도 없다.' → 형식적인 법률의 존재뿐만 아니라 법률 내용의 적정성까지 판단하여 법관과 입법자의 자의적인 판단으로부터 국민의 자유와 권리를 보장함.

(2) 죄형 법정주의의 내용(파생 원칙)

관습 형법 금지의 원칙	범죄와 형벌은 의회에서 제정한 성문의 법률에 따라 규정되어야 한다는 원칙
소급효 금지의 원칙	범죄와 형벌은 행위 시의 법률에 따라 결정되어야 하며, 시행 이전의 행위까지 소급 적용될 수 없다는 원칙
명확성의 원칙	범죄와 형벌은 국민이 이해할 수 있도록 명확하게 규정하여 공포해야 한다는 원칙
유추 해석 금지의 원칙	어떤 사항에 대하여 직접 규정한 법규가 없을 때 그와 비슷한 사항에 대하여 규정한 법률을 적용함으로써 피고인에게 불리하게 형벌을 부과하거나 가중하지 못한다는 원칙
적정성의 원칙	범죄와 형벌 사이에는 적정한 균형이 유지되어야 하며, 그 내용도 기본적 인권을 보장할 수 있도록 적정한 것이어야 한다는 원칙

3 범죄의 의미와 성립 요건

(1) 범죄의 의미와 성립

① 범죄의 의미: 형법에 의해 금지되어 형벌의 부과 대상이 되는 행위

② 범죄의 성립: 구성 요건 해당성, 위법성, 책임의 요건이 모두 충족되어야 함.

(2) 범죄의 성립 요건

① 구성 요건 해당성: 어떤 행위가 범죄로 성립되려면 그 행위가 법률에서 범죄로 정해 놓은 일정한 행위에 해당하여야 함.

② 위법성

- 의미: 범죄의 구성 요건에 해당하는 행위가 법질서 전체의 관점에서 부정적이라는 판단
- 위법성 조각 사유: 구성 요건에 해당하는 행위의 위법성을 배제하는 특별한 사유 → 범죄가 성립되지 않음.

정당 행위	법령에 의한 행위 또는 업무로 인한 행위 기타 사회 상규에 위배되지 아니하는 행위
정당방위	현재의 부당한 침해로부터 자기 또는 타인의 법익(法益)을 방위하기 위한 행위로 상당한 이유가 있는 경우
긴급 피난	자기 또는 타인의 법익에 대한 현재의 위난을 피하기 위한 행위로 상당한 이유가 있는 경우
자구 행위	법률에서 정한 절차에 따라서는 청구권을 보전(保全)할 수 없는 경우에 그 청구권의 실행이 불가능해지거나 현저히 곤란해지는 상황을 피하기 위한 행위로 상당한 이유가 있는 경우
피해자의 승낙	처분할 수 있는 자의 승낙에 의하여 그 법익을 훼손한 행위로서 그 처벌에 관하여 법률에 특별한 규정이 없는 경우

③ 책임

- 의미: 위법한 행위에 대해 행위자에게 가해지는 법적 비난 가능성
- 책임 조각 및 감경 사유

책임 조각	형사 미성년자(14세 미만) 또는 심신 상실자의 행위, 강요된 행위 등 → 범죄 성립되지 않음.
책임 감경	심신 미약자(형을 감경할 수 있음.), 듣거나 말하는 데 모두 장애가 있는 사람(형을 감경함.)의 행위 → 범죄 성립됨.

4 형벌과 보안 처분

(1) 형벌

① 형벌의 의미: 범죄자의 생명, 자유, 명예, 재산 등을 박탈하는 것

② 형벌의 종류

생명형	사형	자유형	징역, 금고, 구류
명예형	자격 상실, 자격 정지	재산형	벌금, 과료, 몰수

(2) 보안 처분

① 의미: 범죄자의 사회 복귀와 사회 질서 보호라는 목적을 달성하기 위한 형벌의 대안적 제재 수단

② 종류: 치료 감호, 보호 관찰, 수강 명령, 사회봉사 명령 등

01

▶ 24063-0107

형법의 기능 (가), (나)에 대한 옳은 설명만을 〈보기〉에서 고른 것은?

형법은 범죄에 대한 형벌을 규정한 법규범의 총체이다. 그리고 국가는 형법의 수단으로 형벌권을 확보하여 사회 체계의 유지와 안정을 실현하려고 한다. 형법에 내재된 기능 중 (가)는 사회 구성원들의 법익을 보호하고, 사회 윤리적 행위 가치를 보호하는 기능이다. 그러나 위험 예방을 위하여 형법의 기능인 (가)가 지나치게 적용되면 무고한 시민들이나 피의자의 인권도 침해할 수 있고, 엄벌주의(嚴罰主義) 경향으로 흐를 수 있다. 이로 인해 자의적인 형벌권 남용으로부터 개인의 자유와 권리를 보장하는 기능인 (나)가 훼손되는 상황이 발생할 수 있는 것이다. 그러므로 시대적 상황과 사회 구성원들의 합의에 따라 형법의 기능인 (가), (나) 중 무엇을 더 강조할 것인가가 달라질 수 있다.

보기

ㄱ. (가)를 통해 사회적 법익뿐만 아니라 개인적 법익도 보호된다.
ㄴ. (나)는 범죄인의 권리 보장과는 관련이 없다.
ㄷ. (나)는 죄형 법정주의를 통해 실현할 수 있다.
ㄹ. (가), (나)는 모두 형식적 의미의 형법만이 가지는 기능이다.

① ㄱ, ㄴ ② ㄱ, ㄷ ③ ㄴ, ㄷ ④ ㄴ, ㄹ ⑤ ㄷ, ㄹ

02

▶ 24063-0108

다음 자료에 대한 옳은 설명만을 〈보기〉에서 있는 대로 고른 것은?

근대의 자유주의 사상 아래에서 탄생한 ㉠ 근대의 죄형 법정주의는 '법률이 없으면 범죄도 없고, 형벌도 없다.'라는 의미로 정의된다. 베카리아(Beccaria)의 주장에서 보듯, 법률만이 각각의 범죄에 대한 형벌을 규정할 수 있다. 이는 사회 계약으로 대표자가 된 입법자에 의해 범죄와 형벌을 법으로 정하도록 한 것이다. 이를 통해 자의적인 국가 형벌권의 행사로부터 예측 가능성과 법적 안정성을 확보하여 인권을 보장하고자 하였다. 그러나 이러한 죄형 법정주의가 20세기 전반에 위기를 겪었고, 제2차 세계 대전 후에 죄형 법정주의의 파생 원칙 중 (가)를 강조하여 ㉡ 오늘날 죄형 법정주의는 '적정한 법률이 없으면 범죄도 없고 형벌도 없다.'라고 해석되고 있다.

보기

ㄱ. (가)는 적정성의 원칙이다.
ㄴ. ㉠은 ㉡과 달리 법률의 내용이 실질적 정의에 부합해야 함을 강조한다.
ㄷ. ㉡은 ㉠과 달리 입법자의 자의적 판단으로부터 국민의 자유와 권리를 보장하는 것을 강조한다.
ㄹ. ㉠과 ㉡은 모두 법관의 자의적 판단으로부터 국민의 자유와 권리를 보장하는 것을 강조한다.

① ㄱ, ㄴ ② ㄴ, ㄹ ③ ㄷ, ㄹ ④ ㄱ, ㄴ, ㄷ ⑤ ㄱ, ㄷ, ㄹ

▸ 24063-0109

03

밑줄 친 결정에 나타난 죄형 법정주의의 파생 원칙에 대한 설명으로 가장 적절한 것은?

성폭력 범죄의 처벌 등에 관한 특례법 ○○ 조항은 형법의 주거 침입의 죄를 범한 사람이 같은 법 강제 추행 또는 준강제 추행의 죄를 범한 경우에 무기 징역 또는 7년 이상의 징역에 처한다고 규정하고 있다. 위헌 법률 심판에서 헌법 재판소는 해당 조항이 평온과 안전을 보호받아야 하는 개인의 사적 공간에 침입한 자가 저지른 성폭력 범죄에 엄정하게 대응하려는 취지를 가지고 있다고 보았다. 그런데 형법상 주거 침입죄에 해당하는 경우는 좁은 의미의 주거에 대한 침입에 한정되지 않고, 개방되어 있는 건조물에 관리자의 묵시적 의사에 반하여 들어간 경우도 포함되는 등 그 행위 유형의 범위가 넓고 추행 행위에는 강간 등에 해당하는 행위는 포함되지 않지만, 기습 추행이 포함되는 등 그 행위 유형이 다양하게 나타난다고 보았다. 그렇기 때문에 법정형의 폭을 각 행위의 불법성에 맞는 처벌을 할 수 있는 범위로 정할 필요가 있는데, 해당 조항은 하한을 징역 7년으로 정하여 법관이 정상 참작을 하여 형을 감경하더라도 집행 유예를 선고할 수 없도록 하였다. 따라서 ○○ 조항은 각 행위의 개별성에 맞추어 그 책임에 알맞은 형을 선고할 수 없도록 하여 책임과 형벌 간의 비례 원칙에 위배된다고 결정하였다.

① 범죄의 성립 요건과 형벌의 내용은 명확해야 한다.
② 범죄의 성립과 처벌은 행위 당시의 법률에 의해야 한다.
③ 범죄와 그에 부과되는 형벌은 경중의 균형이 이루어져야 한다.
④ 법률에 규정이 없는 경우 그와 유사한 법률을 불리하게 적용해서는 안 된다.
⑤ 관습법을 근거로 일정한 행위를 범죄로 인정하여 형벌을 부과해서는 안 된다.

▸ 24063-0110

04

(가)~(다)에 대한 옳은 설명만을 〈보기〉에서 있는 대로 고른 것은?

(가) 사회적으로 위험한 행위가 이 법에 직접 규정되어 있지 않은 때에는 그것에 대한 책임의 근거 및 범위는 그와 가장 유사한 종류의 죄를 규정하는 법조항에 따라서 처벌한다.
– 갑국 형법 제○○조 –

(나) 건전한 국민 감정에 비추어 처벌할 만한 행위를 범한 자는 처벌한다.
– 을국 형법 제○○조 –

(다) 형법 제○○조에서 무기 징역에 처하기로 한 방화죄는 사형으로 처벌한다.
– 병국 형법 개정안 주요 내용 –

보기

ㄱ. (가)는 법관의 자의적 해석에 의해 형벌권이 남용될 우려가 있는 조항이다.
ㄴ. (나)는 어떤 행위가 범죄이며, 각각의 범죄에 대한 형벌이 불명확하게 규정된 조항이다.
ㄷ. (다)로 개정하기 전 발생한 방화 행위를 사형으로 처벌하면 소급효 금지 원칙에 위반된다.
ㄹ. (나)는 (가)와 달리 성문 법률주의에 위반되는 조항이다.

① ㄱ, ㄴ ② ㄴ, ㄹ ③ ㄷ, ㄹ ④ ㄱ, ㄴ, ㄷ ⑤ ㄱ, ㄷ, ㄹ

05

▸ 24063-0111

다음 자료에 대한 옳은 설명만을 〈보기〉에서 고른 것은?

수행 평가

다음 사례 A, B에 대한 법적 판단을 각 사례별로 1개씩 적으시오. (사례에 대한 법적 판단 내용별로 채점하며 옳으면 1점, 틀리면 0점, 총점은 2점임.)

사례	내용	법원 판결
A	갑(30세)은 자신의 집에 침입한 도둑에게 위협을 당하는 상황에서 자신의 법익을 방위하기 위해 야구 방망이로 도둑을 때려 상해를 입혀 기소되었다.	무죄
B	을(45세)은 자신의 딸의 생명에 대한 위해를 방어할 방법이 없는 협박을 받아 법정에서 위증을 하여 기소되었다.	무죄

학생의 법적 판단

구분	답안	점수
사례 A에 대한 법적 판단	(가)	0점
사례 B에 대한 법적 판단	(나)	1점

보기

ㄱ. (가)에 '갑의 행위는 범죄의 구성 요건에 해당하지 않는다.'가 들어갈 수 없다.
ㄴ. (가)에 '갑의 행위는 긴급 피난에 해당되어 위법성이 조각된다.'가 들어갈 수 있다.
ㄷ. (나)에 '을의 행위는 자구 행위에 해당되어 위법성이 조각된다.'가 들어갈 수 있다.
ㄹ. (나)에 '을에게는 법적 비난 가능성이 없다.'가 들어갈 수 있다.

① ㄱ, ㄴ ② ㄱ, ㄷ ③ ㄴ, ㄷ ④ ㄴ, ㄹ ⑤ ㄷ, ㄹ

06

▸ 24063-0112

다음 자료에 대한 옳은 법적 판단만을 〈보기〉에서 고른 것은?

- 갑은 인터넷 신문에 A에 대해 부정적인 표현을 적시하였다는 혐의로 기소되었다. 이에 대해 ㉠○○ 법원은 자신의 판단과 의견이 타당함을 강조하는 과정에서 부분적으로 다소 모욕적인 표현이 사용된 것에 불과하다면 사회 상규에 위배되지 않는 행위라고 판단하여 (가)를 선고하였다.
- 을은 △△ 금융 기관의 직원으로 정보 통신망을 활용하여 고객의 접근 매체를 생성하였다는 혐의로 기소되었다. 이에 대해 ㉡◇◇ 법원은 정보 통신망에 접근할 권한이 있는 금융 기관 내부 종사자가 고객의 동의 없이 고객 명의의 접근 매체를 생성하더라도 이를 정보 통신망에 침입하여 부정한 방법으로 접근 매체를 획득한 것으로 보는 것은 형벌 법규를 유추 해석하는 것으로 허용될 수 없다며 (나)를 선고하였다.
- 병은 함께 살던 B를 살해하였다는 혐의로 기소되었다. 이에 대해 ㉢□□ 법원은 병이 조현병으로 인하여 사물을 변별하거나 의사를 결정할 능력이 없는 상태에서 B를 살해하였으므로 병에게 (다)를 선고하고, 치료 감호 처분을 부과하였다.

보기

ㄱ. (가), (나)에는 '무죄', (다)에는 '유죄'가 들어갈 수 있다.
ㄴ. ㉠은 갑의 행위가 전체 법질서의 관점에서 부정적이지 않다고 보았다.
ㄷ. ㉡은 을의 행위는 위법하나 을에게 법적 비난 가능성이 없다고 보았다.
ㄹ. ㉢은 병이 치료를 받을 필요가 있고 재범의 위험성이 있다고 보았다.

① ㄱ, ㄴ ② ㄱ, ㄷ ③ ㄴ, ㄷ ④ ㄴ, ㄹ ⑤ ㄷ, ㄹ

▸ 24063-0113

07

다음 자료에 대한 설명으로 옳은 것은?

〈갑이 받은 판결〉

피고인을 징역 3년에 처한다.
피고인에 대하여 40시간의 재활 교육 프로그램의 이수를 명한다.
압수된 ○○○을 피고인으로부터 몰수한다.

〈을이 받은 판결〉

피고인을 금고 8월에 처한다.
다만, 이 판결 확정일부터 2년간 형의 집행을 유예한다.
피고인에 대하여 40시간의 준법 운전 강의 수강을 명한다.

① 갑에게는 치료 감호가 부과되었다.
② 갑에게 선고된 형벌은 정해진 노역에 복무하게 하지 않는 자유형에 해당한다.
③ 을은 갑과 달리 재산형을 선고받았다.
④ 을은 갑과 달리 유예를 받은 날로부터 일정 기간을 경과한 때에는 면소된 것으로 간주하는 판결을 받았다.
⑤ 갑과 을은 모두 보안 처분을 선고받았다.

▸ 24063-0114

08

다음 자료에 대한 옳은 설명만을 〈보기〉에서 있는 대로 고른 것은?

○○도 즉결 심판* 처리 결과 현황 (단위: 건)

시기	구류	벌금	과료	선고 유예
t	4	582	0	169
t+1	1	1169	3	133

* 즉결 심판: 죄질이 경미한 범죄 사건에 대하여 '형사 소송법'에 규정된 통상의 공판 절차에 의하지 않고 '즉결 심판에 관한 절차법'에 따라 간단하고 신속한 절차에 의하여 판사가 형을 선고하는 절차

보기

ㄱ. 재산형에 해당하는 형벌을 부과한 건수는 t+1시기가 t시기에 비해 많다.
ㄴ. 자유형에 해당하는 형벌을 부과한 건수는 t+1시기가 t시기에 비해 많다.
ㄷ. 실효 또는 취소됨이 없이 유예 기간이 경과하면 형 선고의 효력이 상실되는 판결을 받은 건수는 t+1시기가 t시기에 비해 적다.

① ㄱ ② ㄴ ③ ㄱ, ㄷ ④ ㄴ, ㄷ ⑤ ㄱ, ㄴ, ㄷ

09

▸ 24063-0115

(가), (나)에 대한 옳은 설명만을 〈보기〉에서 고른 것은?

형법에서는 형벌의 종류를 9가지로 규정하고 있다. 그러나 실제 활용되고 있는 형벌의 집행 빈도, 시대 상황의 변화 등으로 인하여 그 종류를 축소해야 한다는 논의가 존재한다. (가)는 징역이나 금고에 비해 신체 활동의 자유를 박탈하는 구치 기간이 짧은 형벌이다. (나)는 범죄인에게 일정한 금액을 부담하도록 강제하는데, 벌금과 비교할 때 원칙적으로 액수가 적은 형벌이다. (가)와 (나)는 주로 경범죄 처벌법 등에서 경미한 범죄에 대한 법정형으로 규정되고 있다. 이에 대해 (가)를 징역으로, (나)를 벌금으로 단일화하는 법안이 과거 발의되기도 하였다.

보기

ㄱ. (가)는 30일 이상 1년 미만 교정 시설에 수용하여 집행되는 형벌이다.
ㄴ. (나)는 범죄 행위에 관련된 재산을 박탈하여 국고에 귀속시키는 형벌이다.
ㄷ. (나)는 2천 원 이상 5만 원 미만의 금액을 납입하도록 강제하는 형벌이다.
ㄹ. (가)는 자유형, (나)는 재산형에 해당한다.

① ㄱ, ㄴ ② ㄱ, ㄷ ③ ㄴ, ㄷ ④ ㄴ, ㄹ ⑤ ㄷ, ㄹ

10

▸ 24063-0116

밑줄 친 ㉠~㉤에 대한 설명으로 옳은 것은?

형법상 책임 원칙은 정신 장애 등 책임 능력 결여 상태에서의 범죄를 형벌로 처벌할 수 없다고 본다. 형법은 이성적 판단이 가능한 자유 의지를 가진 자를 상정하고 이들의 행위만을 비난 가능성의 판단 대상으로 삼고 있어 정상적인 책임 능력을 갖지 못한 정신 장애 범죄인에게는 이성적 자유 의지에 의한 행위를 기대할 수 없다고 보기 때문이다. 하지만 우리는 범죄인에 대한 처벌과 함께 정신 장애 범죄인을 사회에 복귀시키고 ㉠행위자에 의해 발생될 수 있는 장래의 범죄 위험으로부터 사회를 보호해야 할 책임이 있다. 현행법상 정신 장애로 인한 범죄인은 치료 감호법상의 ㉡처분을 받는다. 치료 감호법에서는 대상자를 다음 3가지로 분류하고 있다. ㉢심신 장애로 인하여 사물을 변별할 능력이 없거나 의사를 결정할 능력이 없는 자나 그 능력이 미약한 자로서 ㉣금고 이상의 형에 해당하는 죄를 지은 자, 마약·향정신성 의약품·대마 그 밖에 남용되거나 해독을 끼칠 우려가 있는 물질이나 알코올을 식음·섭취·흡입·흡연 또는 주입받는 습벽*이 있거나 그에 중독된 자로서 금고 이상의 형에 해당하는 죄를 지은 자, 소아성기호증, 성적가학증 등 성적 성벽이 있는 정신성적 장애인으로서 금고 이상의 형에 해당하는 성폭력 범죄를 지은 자이다. 이들이 치료 감호 시설에서 치료를 받을 필요가 있고 재범의 위험성이 있는 경우 ㉤치료 감호 대상자가 된다.

* 습벽(習癖): 오랫동안 자꾸 반복하여 몸에 익어 버린 행동

① ㉠은 형법의 보장적 기능에 해당한다.
② ㉡은 행위자의 사회 복귀와 사회 질서의 보호라는 목적을 달성하기 위한 형벌에 해당한다.
③ ㉢에 해당하는 자가 범죄로 규정한 행위를 행한 경우 위법성이 조각된다.
④ ㉣은 정해진 노역에 복무하게 하지 않는 자유형에 해당한다.
⑤ 무죄인 경우에는 ㉤을 부과하지 못한다.

▸ 24063-0117

11

다음 사례에 대한 옳은 법적 판단만을 〈보기〉에서 고른 것은?

- 갑은 문이 잠긴 타인의 숙소 방문을 열어달라며 방문을 몇 차례 발로 차 폭행죄로 기소되었다. 이에 대해 ○○ 법원은 갑의 행위는 폭행죄의 폭행 개념인 '사람의 신체에 대한 유형력의 행사'에 해당하지 않는다며 무죄를 선고하였다.
- 을은 헬스장에서 A가 갑자기 다가와 욕을 하며 협박을 하여 112로 신고하였는데, 경찰이 오기 전 A가 현장을 벗어나려고 하자 이를 막기 위해 가슴 부위에 손을 대어 폭행죄로 기소되었다. 이에 대해 □□ 법원은 당시 상황, 을이 행사한 유형력의 정도 및 목적 등을 고려할 때, 을의 행동은 사회 통념상 허용될 만한 정도의 상당성이 있어 (가)에 해당하므로 무죄를 선고하였다.
- 병은 음주 상태에서 귀가하기 위해 대리 운전 기사 B를 호출하였는데, 운전하는 도중에 이견이 생겨 B가 갑자기 차를 정차한 후 가버리자, 어쩔 수 없이 3m 정도 자동차를 운전하여 도로 교통법 위반으로 기소되었다. △△ 법원은 병의 행위가 자기 또는 타인의 법익에 대한 현재의 위난을 피하기 위한 행위로서 상당한 이유가 있어 (나)에 해당하므로 무죄를 선고하였다.

보기

ㄱ. 갑의 행위는 사회 상규에 위배되지 않아 위법성이 조각된다.
ㄴ. 을의 행위는 전체 법질서 관점에서 부정적이지만, 책임이 조각된다.
ㄷ. 을의 행위는 갑의 행위와 달리 폭행죄의 구성 요건에 해당한다.
ㄹ. (가)는 정당 행위, (나)는 긴급 피난이다.

① ㄱ, ㄴ　② ㄱ, ㄷ　③ ㄴ, ㄷ　④ ㄴ, ㄹ　⑤ ㄷ, ㄹ

▸ 24063-0118

12

다음 자료에 대한 설명으로 옳은 것은?

공무원 갑은 고문치사로 기소되어 1심 재판과 2심 재판에서 징역을 선고받고 대법원에 상고를 하였다. 갑은 피해자에 대한 고문이 (가)에 해당하거나 (나)에 해당한다고 주장하였다. 이에 대해 대법원은 공무원이 그 직무를 수행함에 있어 적법한 명령에 따라 한 행위는 (가)에 해당하지만, 명령이 명백한 위법 또는 불법한 명령인 때에는 직무상의 명령이라고 할 수 없으므로 이에 따라야 할 의무가 없다고 보았다. 또한 갑은 자기가 근무하는 조직에서 직원은 상관의 명령에 절대 복종하여야 한다는 것이 불문율이라고 하였다. 그러나 대법원은 위법한 명령을 거부할 수 없는 특별한 상황이라고 보기 어렵기 때문에 고문 행위가 저항할 수 없는 폭력이나 방어할 방법이 없는 협박에 의한 행위인 (나)에 해당한다고 볼 수 없다고 하였다. 따라서 상고를 기각하였다.

① (가)는 자구 행위이다.
② (가)에 해당하면 범죄의 구성 요건에 해당하지 않는다.
③ (나)는 정당 행위이다.
④ (나)에 해당하면 책임이 조각된다.
⑤ 갑은 대법원의 판결에 불복할 경우 헌법 재판소에 헌법 소원 심판을 청구할 수 있다.

13 형사 절차와 인권 보장

1 수사 절차의 이해

(1) 수사

① 의미: 범인을 발견하고 범죄의 증거를 수집·보전하는 활동

② 수사의 원칙: 피의자에 대한 불구속 수사 원칙 → 예외적으로 필요한 경우 판사로부터 영장을 발부받아 체포·구속 가능(단, 긴급 체포 등은 영장 없이 체포 가능)

(2) 수사 절차

수사 개시	현행범 체포, 고소 및 고발, 자수, 수사 기관의 인지 등에 의해 수사 절차 시작
⬇	
수사	• 피의자를 체포·구속하지 않고 수사하는 것이 원칙 • 예외적으로 판사로부터 영장을 발부받아 피의자를 체포·구속하거나 압수·수색할 수 있음.
⬇	
수사 종결	경찰의 불송치 결정, 검사의 공소 제기 또는 불기소 처분 등에 의해 종결

2 형사 재판 절차

(1) 기소와 형사 재판

① 기소: 검사가 형사 사건에 대하여 법원의 심판을 구하는 행위

② 형사 재판의 당사자: 검사, 피고인

(2) 형사 재판의 절차

① 모두 절차: 재판장이 피고인에게 진술 거부권 고지, 피고인의 성명, 연령 등을 묻는 인정 신문, 검사 및 피고인의 모두 진술

② 심리 절차: 증거 조사, 피고인에 대한 신문, 구형, 피고인과 변호인의 최종 진술

③ 판결 선고: 심리 결과 유죄로 인정할 만한 증거가 없으면 무죄 판결을 내리고 유죄가 입증되면 유죄 판결을 내림.

(3) 형의 선고와 집행

① 형의 선고

유죄 선고	실형	법원의 선고를 받아 실제로 집행되는 형벌
	집행 유예	일정 기간 형의 집행을 미루어 두었다가 집행 유예 기간 동안 일정한 범죄를 저지르지 않고 유예 기간을 경과한 때에는 형 선고의 효력을 상실시키는 제도
	선고 유예	피고인의 유죄를 인정하면서도 정상을 참작하여 형의 선고를 미루는 것으로 선고 유예의 실효 없이 유예된 날로부터 일정 기간을 경과하면 면소된 것으로 간주함.
무죄 선고		기소한 사건에 대해 유죄를 인정할 만한 증거가 없거나 범죄가 성립되지 않는 경우

② 형의 집행: 선고된 형이 확정될 경우 검사의 지휘에 따라 집행함.

③ 판결에 대한 불복: 검사나 피고인이 1심 및 2심 판결에 불복하여 상급 법원에서 재판을 받기 위해 상소 가능

④ 가석방: 징역이나 금고의 집행 중에 있는 사람이 태도 등이 양호하여 뉘우침이 뚜렷하다고 판단되는 때에 형기 만료 전에 일정한 요건을 갖추면 조건부로 석방되는 제도

3 소년 사건

(1) 대상: 10세 이상 19세 미만인 자

(2) 처리

① 경찰: 가정(지방) 법원 소년부 송치 또는 검사에게 사건 송치

② 검사: 가정(지방) 법원 소년부 송치, 조건부 기소 유예 처분, 공소 제기

③ 가정(지방) 법원 소년부: 소년법상 보호 처분을 내리거나 검사에게 사건 송치

4 형사 절차에서의 인권 보호 제도

(1) 형사 절차 단계에서의 인권 보호와 원칙

무죄 추정의 원칙	형사 피의자와 피고인은 유죄 판결이 확정될 때까지는 무죄로 추정된다는 원칙
적법 절차의 원칙	공권력에 의한 기본권 제한 시 반드시 적법한 절차와 법률에 근거해야 한다는 원칙
영장주의	피의자에 대한 체포·구속·압수·수색 시 검사의 청구에 의해 법관이 발부한 영장이 필요함.
구속 전 피의자 심문 제도	검사가 피의자에 대한 구속 영장을 청구하면 법관이 피의자를 직접 대면하고 심문하여 구속 사유가 인정되는지를 판단하는 제도
구속 적부 심사 제도	구속된 피의자가 구속의 적법성과 필요성을 심사해 줄 것을 법원에 청구하는 제도
진술 거부권	피의자, 피고인이 형사상 자기에게 불리한 진술을 거부할 수 있는 권리
변호인의 조력을 받을 권리	피의자, 피고인이 수사 기관과 대등한 관계에서 자신을 방어할 수 있도록 변호인의 도움을 받을 수 있는 권리
보석 제도	구속된 피의자나 피고인에 대하여 일정한 보증금의 납부 등을 조건으로 하여 구속의 집행을 정지하고 석방하는 제도

(2) 형사 피해자 등의 인권 보장 제도

범죄 피해자 구조 제도	타인의 범죄 행위로 생명 또는 신체에 피해를 입었는데 가해자로부터 피해의 전부 또는 일부를 배상받지 못한 경우 국가가 피해자 또는 유족에게 일정한 한도의 구조금을 지급하는 제도
배상 명령 제도	상해죄 등 일정한 사건의 형사 재판 과정에서 피해자의 간단한 신청 절차만으로 민사적 손해 배상 명령까지 받아 낼 수 있도록 한 제도
형사 보상 제도	피의자로 미결 구금된 사람이 무죄 취지의 불기소 처분을 받거나 피고인으로 미결 구금된 사람에 대한 무죄 판결이 확정되는 등의 경우 물질적·정신적 피해의 보상을 청구할 수 있는 제도
명예 회복 제도	무죄 판결이 확정된 자가 청구하면 무죄 사건 등의 재판서를 법무부 누리집(홈페이지)에 게재할 수 있는 제도

▸ 24063-0119

01

(가)~(라)는 갑에 대한 형사 절차를 나타낸 것이다. 이에 대한 법적 판단으로 옳은 것은?

(가) 갑은 마약 투약 혐의로 구속되어 수사를 받았다.
(나) 검사는 갑을 ○○법 위반으로 기소하였다.
(다) 1심 재판에서 □□ 지방 법원 합의부는 갑에게 징역 3년에 집행 유예 5년을 선고하였다.
(라) 2심 재판에서 갑은 징역 2년을 선고받았다.

① (가)에서 판사는 갑에게 구속 영장 발부에 앞서 갑을 직접 심문하는 것이 원칙이다.
② (나)로 인해 갑은 피의자로 신분이 바뀐다.
③ (다)의 법원의 판결에 대해 갑은 항소할 수 없다.
④ (라)에서 갑에 대한 재판을 국민 참여 재판으로 진행할 수 있다.
⑤ (라)의 판결이 확정되면 판사의 지휘에 따라 갑에 대한 형이 집행된다.

▸ 24063-0120

02

다음 자료는 범죄 혐의로 기소된 갑에 대한 1심 재판 장면의 일부이다. 이에 대한 옳은 설명만을 〈보기〉에서 고른 것은?

재판장: 다음으로 피고인에 대한 신문을 시작하겠습니다.
(A): 피고인은 2023년 8월 17일 ㉠ 피해자 을을 협박하여 재물을 강취*한 사실이 있나요?
피고인: 아니요.
… (중략) …
재판장: 이것으로 피고인 신문을 마치겠습니다. 이어서 최종 의견 진술을 듣겠습니다.
(A): 재판장님. 피고인은 지금 증인의 명백한 증언에도 불구하고 거짓말을 하고 있습니다. 피고인에게 강도죄를 적용하여 ㉡ 징역 2년을 선고해 주시기 바랍니다.
(B): 재판장님. 피고인이 사건 현장에 있었다는 것은 증인의 일방적인 주장일 뿐입니다. 피고인에게 무죄를 선고해 주십시오.

* 강취: 남의 물건이나 권리를 강제로 빼앗음.

보기
ㄱ. 갑에 대한 재판은 공개가 원칙이므로 을도 재판을 방청할 수 있다.
ㄴ. A는 경찰, B는 변호인에 해당한다.
ㄷ. ㉠에 대해 입증할 책임은 검사에게 있다.
ㄹ. ㉡은 법원의 판결을 구속한다.

① ㄱ, ㄴ ② ㄱ, ㄷ ③ ㄴ, ㄷ ④ ㄴ, ㄹ ⑤ ㄷ, ㄹ

03

▶ 24063-0121

(가), (나)에 대한 법적 판단으로 옳은 것은?

(가) 고객인 갑의 개인 정보를 무단 조회한 □□회사 직원 을에게 검사가 기소를 유예하였다.
(나) 병은 2차로 커브길에서 앞 차를 추월하려다가 맞은편 차와 충돌하여 운전자 정을 다치게 하였다. 그러나 병이 차 사고로 사망하여 검사는 공소권 없음 처분을 내렸다.

① (가)에서 을이 구속 수사를 받았다면 형사 보상을 청구할 수 있다.
② (가)에서 을의 피의 사실을 검사가 인정하지 않았다.
③ (나)에서 병의 사망으로 정은 범죄 피해자 구조금을 받을 수 없다.
④ (나)에서는 (가)에서와 달리 검사가 피의자에 대해 불기소 처분을 하였다.
⑤ (가), (나)에서 검사의 처분으로 원칙적으로 을과 병에 대한 수사가 종결된다.

04

▶ 24063-0122

(가)에 대한 설명으로 옳은 것은?

(가) 신청서

사건 2020고단○○ □□
신청인 갑
피고인 을
배상을 청구하는 금액 금 200만 원
배상의 대상과 그 내용
피고인은 타인으로부터 돈을 차용하더라도 이를 변제할 의사나 능력이 없음에도 불구하고 돈을 빌려주면 고율의 이자를 지급하겠다는 취지의 거짓말을 신청인에게 하여 이에 속아 신청인은 돈을 송금하였고, 이로 인해 신청인에게 금 200만 원의 피해를 입혔습니다.

① (가)는 모든 범죄 사건의 형사 재판에서 신청할 수 있다.
② (가)를 신청하기 위해서는 민사 소송을 제기해야 한다.
③ (가)를 통해 피고인의 유죄 여부와 관계없이 민사적 손해 배상을 받을 수 있다.
④ (가) 신청이 받아들여지면 피고인이 손해를 배상하도록 법원이 배상을 명령한다.
⑤ (가) 신청이 받아들여지지 않으면 갑은 을에 대한 형사 재판 판결에 불복할 수 있다.

▸ 24063-0123

05

(가)에 대한 옳은 설명만을 〈보기〉에서 고른 것은?

갑이 휘두른 흉기에 찔려 1년 동안 입원 치료를 했고, 갑은 형이 확정되어 교도소에 있지만 아무런 배상을 하지 않고 있으니 (가)를 통해 구조금을 지급받아야겠어.
구조금 지급 신청서
신청인
범죄 피해
발생 일시
발생 장소
피해자
신체상의 장해 부위 및 상태

보기

ㄱ. 범죄 피해자가 피해의 전부 또는 일부를 배상받지 못한 경우에 신청할 수 있다.
ㄴ. 사람의 생명 또는 신체에 해를 끼치는 범죄 행위로 인한 피해를 구조하기 위한 제도이다.
ㄷ. 범죄 행위를 한 가해자가 피해자에게 일정한 한도의 구조금을 지급하도록 강제하는 제도이다.
ㄹ. 신체의 피해를 직접 입은 사람만 구조금을 신청할 수 있고, 피해자가 사망하더라도 배우자 등 가족은 신청할 수 없다.

① ㄱ, ㄴ ② ㄱ, ㄷ ③ ㄴ, ㄷ ④ ㄴ, ㄹ ⑤ ㄷ, ㄹ

▸ 24063-0124

06

밑줄 친 ㉠~㉣에 대한 옳은 설명만을 〈보기〉에서 고른 것은?

갑은 야간에 자신의 집 마당에서 세입자 을이 자신의 딸을 위협하는 모습을 보고 죽도로 을의 머리를 1회 가격하여 특수 상해 혐의로 수사를 받고 기소되었다. 1심 재판은 ㉠국민 참여 재판으로 진행되었다. ㉡1심 법원은 ㉢배심원의 평결 결과를 참고하여 갑의 행위가 타인의 법익에 대한 현재의 부당한 침해를 방위하기 위한 행위로 상당한 이유가 있다고 보아 무죄를 선고하였다. 이에 대해 검사는 항소하였으나 ㉣2심 법원은 이를 기각하였다.

보기

ㄱ. ㉠은 민사 사건이 아닌 형사 사건을 대상으로 한다.
ㄴ. ㉠은 피고인이 원하지 않더라도 검사의 요청에 의해 이루어질 수 있다.
ㄷ. ㉣은 고등 법원이다.
ㄹ. ㉡은 ㉢과 다른 판결을 선고할 수 없다.

① ㄱ, ㄴ ② ㄱ, ㄷ ③ ㄴ, ㄷ ④ ㄴ, ㄹ ⑤ ㄷ, ㄹ

07

▸ 24063-0125

다음 사례에 대한 법적 판단 및 추론으로 옳은 것은?

- 자신이 미리 사둔 주식 종목을 매수하라고 투자자들에게 추천해 부당 이득을 챙긴 증권사 직원 갑에 대해 검사가 구속 영장을 청구하였고, 갑은 구속되었다.
- 을은 선거 운동 시 금품을 제공한 혐의로 기소되어 1심 법원에서 구속된 상태에서 재판을 받고 있다.
- 병은 야간에 정의 식당에 들어가 식료품을 절도한 혐의로 기소되어 1심 법원에서 범죄의 사실이 증명되어 징역 4월의 형이 선고되어야 하나, 초범이며 생계형 범죄인 점 등을 고려하여 선고 유예 판결을 받았다.

① 갑이 구속 적부 심사를 청구하면 판사가 영장 실질 심사를 통해 결정한다.
② 을은 보증금 납입 등을 조건으로 법원이 구속의 집행을 정지하는 제도를 활용할 수 있다.
③ 병에 대한 판결이 확정되면 검사의 지휘에 따라 병은 구금된다.
④ 정은 범죄 피해자 구조 제도를 통해 국가로부터 일정한 한도의 구조금을 지급받을 수 있다.
⑤ 병은 갑, 을과 달리 변호인의 조력을 받을 권리를 보장받았을 것이다.

08

▸ 24063-0126

다음 자료에 대한 설명으로 옳은 것은?

- 갑은 ○○법 위반으로 ◇◇ 고등 법원에서 징역 5년을 선고받았고, 검사와 갑 모두 상고하지 않아 판결이 확정되었다. 갑에 대한 형의 집행 중 갑의 태도 등이 양호하여 뉘우침이 뚜렷하기에 형기 만료 전에 조건부로 석방되는 A 제도를 통해 갑이 석방되었다.
- 을은 △△법 위반으로 □□ 지방 법원 합의부에서 징역 3년에 집행 유예 4년을 선고받았다. 또한 3년간 보호 관찰을 받을 것과 160시간의 사회봉사 명령을 선고받았다. 이에 대해 을과 검사 모두 항소하지 않아 판결이 확정되었다.

① 갑에 대한 형이 확정된 후, 원칙적으로 법관의 지휘에 따라 형이 집행되었을 것이다.
② A를 통해 석방된 갑은 명예 회복 제도를 활용하여 석방 사실을 알릴 수 있다.
③ 을은 유예의 실효 없이 유예 기간을 경과하면 면소된 것으로 간주하는 판결을 받았다.
④ 갑과 을은 모두 재판에서 보안 처분을 선고받았다.
⑤ 갑에 대해 ◇◇ 고등 법원은 2심 법원이고, 을에 대해 □□ 지방 법원 합의부는 1심 법원이다.

▸ 24063-0127

09

(가)~(다)는 갑에 대한 형사 절차이다. 이에 대한 옳은 설명만을 〈보기〉에서 고른 것은? (단, (가)~(다)는 각각 수사, 공판, 형의 집행 중 하나임.)

갑은 범죄 단체를 조직하고 관리하였다는 혐의로 구속 수사를 받았다. 기소된 갑은 1심 재판에서 징역 7년을 선고받았고, 해당 판결은 확정되었다.

구분	(가)	(나)	(다)
갑에게 진술 거부권을 고지해야 하는가?	예	예	아니요
갑은 변호인의 조력을 받을 수 있는가?	예	㉠	아니요
갑이 구속 적부 심사를 청구할 수 있는가?	아니요	예	아니요

보기

ㄱ. ㉠은 '예'이다.
ㄴ. (나)에서 영장 실질 심사를 받는 갑에게 변호인이 없다면 법원이 국가의 비용으로 변호인을 선임해야 한다.
ㄷ. (다)에서 갑은 형기 만료 전에 보증금 납입 등을 조건으로 하여 석방될 수 있다.
ㄹ. (가), (나)에서 진술 거부권을 고지해야 하는 주체는 동일하다.

① ㄱ, ㄴ　② ㄱ, ㄷ　③ ㄴ, ㄷ　④ ㄴ, ㄹ　⑤ ㄷ, ㄹ

▸ 24063-0128

10

다음 사례에 대한 법적 판단으로 옳은 것은?

갑은 아파트에서 택배 배송을 하던 중 아파트 주민 을이 욕설을 하자 을의 어깨를 밀쳐 넘어뜨렸는데, 이로 인해 을은 머리를 다쳐 숨졌다. 갑은 상해 치사죄로 기소되었고, 1심 법원에서 구속 상태인 갑에 대한 국민 참여 재판이 진행되었다. 갑은 을의 부당한 대우에 대항하기 위해 폭력을 행사했다고 주장하였다. 이에 대해 배심원 7명은 모두 유죄로 평결하였고, 1심 법원은 갑에게 징역 2년에 집행 유예 3년을 선고하였고, 80시간의 사회봉사를 명령하였다.

① 1심 법원에서 갑은 집행 유예 선고의 실효 또는 취소됨이 없이 유예 기간을 경과하면 형 선고의 효력이 상실되는 판결을 받았다.
② 갑과 검사 모두 1심 법원의 판결에 대해 항고할 수 있다.
③ 1심 법원의 판결에 불복한 경우 갑에 대한 2심 관할 법원은 지방 법원 합의부이다.
④ 1심 법원의 판결에 불복한 경우 갑의 신청으로 2심 법원에서도 국민 참여 재판으로 진행할 수 있다.
⑤ 1심 법원의 판결이 확정되면 갑은 형사 보상을 청구할 수 있다.

11

▸ 24063-0129

다음 자료에 대한 옳은 설명만을 〈보기〉에서 있는 대로 고른 것은?

교사: ㉠형사 보상 제도에 대해 발표해 보세요.
갑: 구속 수사 후 기소 유예 처분을 받은 경우 형사 보상을 청구할 수 있어요.
을: (가)
병: 구속 재판 후 선고 유예 판결을 받은 경우 형사 보상을 청구할 수 있어요.
정: 구속 재판 후 무죄 판결이 확정된 경우 형사 보상을 청구할 수 있어요.
교사: ㉡2명만 옳게 답했네요.

보기

ㄱ. ㉠은 구금 기간 중에 입은 재산상의 손실뿐만 아니라 정신적인 고통에 대해서도 고려하여 보상한다.
ㄴ. ㉡에 해당하는 학생은 을, 정이다.
ㄷ. (가)에 '구속 수사 후 무죄 취지의 불기소 처분을 받은 경우 형사 보상을 청구할 수 있어요.'가 들어갈 수 없다.
ㄹ. (가)에 '구속된 상태에서 재판을 받고 벌금형을 선고받은 경우 형사 보상을 청구할 수 있어요.'가 들어갈 수 없다.

① ㄱ, ㄷ ② ㄱ, ㄹ ③ ㄴ, ㄷ ④ ㄱ, ㄴ, ㄹ ⑤ ㄴ, ㄷ, ㄹ

12

▸ 24063-0130

다음 자료에 대한 옳은 설명만을 〈보기〉에서 있는 대로 고른 것은?

서술형 평가

A, B, C가 무인 점포에서 상습적으로 상품을 훔친 혐의로 경찰에 붙잡혀 조사를 받고 있다. 단, A~C의 연령은 각각 9세, 12세, 15세 중 하나이다.

• A, C와 달리 B에게만 적용되는 소년 사건의 처리 절차를 한 가지만 서술하시오.
형벌을 부과할 수 있다. (채점 점수: 1점)
• C와 달리 A에게만 적용되는 소년 사건의 처리 절차를 한 가지만 서술하시오.
경찰서장이 가정 법원 소년부로 송치할 수 없다. (채점 점수: 0점)

* 문항별로 각각 채점하고 맞으면 1점, 틀리면 0점을 부여함.

보기

ㄱ. B는 소년법상 조건부 기소 유예 처분을 받을 수 있다.
ㄴ. A와 B는 검사가 가정 법원 소년부로 송치할 수 있다.
ㄷ. A와 C의 행위는 범죄가 성립되지 않는다.
ㄹ. A, B와 달리 C는 소년법상 보호 처분을 받을 수 없다.

① ㄱ, ㄷ ② ㄴ, ㄷ ③ ㄴ, ㄹ ④ ㄱ, ㄴ, ㄹ ⑤ ㄱ, ㄷ, ㄹ

THEME

14 근로자의 권리

1 노동법의 의의와 근로자의 권리

(1) 노동법

① 노동법의 의미: 사회법의 한 종류로서 근로자의 생존권 확보와 사회적 지위 향상을 도모하고, 사용자와 근로자 간 대립과 이해관계를 조정하는 법

② 노동법의 종류: 근로 기준법, 최저 임금법, 노동조합 및 노동관계조정법 등

(2) 근로자의 권리 보호

① 근로자의 권리는 헌법상 근로 기본권으로 보장됨.

② 근로 3권의 보장: 근로자는 근로관계에 있어서 상대적으로 약자이므로 근로자가 사용자와 대등한 지위에서 근로 조건을 결정할 수 있도록 헌법에서 보장함.

단결권	근로자가 근로 조건의 유지·향상을 위하여 노동조합을 결성하거나 노동조합에 가입하여 활동할 수 있는 권리
단체 교섭권	노동조합이 근로 조건의 유지 및 개선에 관하여 사용자 측과 집단으로 교섭할 수 있는 권리
단체 행동권	단체 교섭의 실효성 확보를 위해 근로자가 쟁의 행위 등을 통해 단체 행동을 할 수 있는 권리

2 근로 계약과 근로 기준법

(1) 근로 계약: 근로자가 사용자에게 근로를 제공하고 사용자는 이에 대하여 임금을 지급할 목적으로 체결된 계약

(2) 근로 계약의 체결

① 임금, 근로 시간, 휴일, 연차 유급 휴가 등을 근로 계약서에 명시하도록 함.

② 근로 계약 내용이 근로 기준법의 기준에 어긋나면 안 됨.

③ 근로 기준법상 임금 및 근로 시간

임금	• 통화의 형태로 매월 1회 이상 일정한 날짜에 근로자에게 직접 전액을 지급해야 함. • 연장 근로와 야간 근로에 대하여는 법령에 따른 금액을 통상 임금에 가산하여 지급해야 함. • 법정 최저 임금 이상이어야 함.
근로 시간	• 휴게 시간을 제외하고 원칙적으로 1일 8시간, 1주 40시간을 초과할 수 없음. • 사용자와 근로자가 합의한 경우 법령에 근거하여 연장 근로 가능 • 근로 시간이 4시간인 경우에는 30분 이상, 8시간인 경우에는 1시간 이상의 휴게 시간을 근로 시간 도중에 제공해야 함.

(3) 근로관계의 종료

① 근로관계는 퇴직 또는 해고 등으로 종료됨.

② 근로자의 자유로운 의사에 따라 근로관계가 종료되는 퇴직과 달리 사용자의 일방적인 의사 표시로 이루어지는 해고는 법을 통한 제한을 두고 있음.

3 청소년의 근로 보호

(1) 취업 연령: 15세 미만인 사람(중학교 재학 중인 18세 미만의 사람 포함)은 근로자로 고용할 수 없음(단, 예외적으로 일정한 기준에 따라 고용 노동부 장관이 발급한 취직 인허증을 지닌 경우 15세 미만인 사람도 근로 가능).

(2) 근로 계약

① 미성년자의 근로 계약은 법정 대리인(친권자 또는 후견인)의 동의를 얻어 본인이 직접 맺어야 하며, 친권자 또는 후견인이 근로 계약을 대리할 수 없음.

② 사용자는 18세 미만인 사람(연소자)을 고용하는 경우 그 연령을 증명하는 가족 관계 기록 사항에 관한 증명서와 친권자 또는 후견인의 동의서를 사업장에 갖추어 두어야 함.

③ 사용자는 18세 미만인 사람(연소자)을 도덕상 또는 보건상 유해하거나 위험한 사업에 고용해서는 안 됨.

(3) 근로 시간

① 15세 이상 18세 미만인 사람의 근로 시간은 원칙적으로 1일 7시간, 1주 35시간을 초과할 수 없음.

② 당사자 간 합의가 있으면 1일 1시간, 1주 5시간의 연장 근로 가능

(4) 임금

① 미성년자도 성인과 같이 최저 임금 제도의 적용을 받음.

② 미성년자도 독자적으로 임금을 청구할 수 있음.

4 근로자의 권리 보호 절차

(1) 부당 해고

① 의미: 사용자가 정당한 해고 요건 중 하나라도 누락해서 해고하는 경우

② 정당한 해고의 요건: 정당한 사유가 있어야 하며 합리적이고 공정한 해고의 기준을 정할 것, 사용자는 근로자에게 원칙적으로 최소한 30일 전에 예고할 것, 해고의 사유와 시기를 반드시 서면으로 통지할 것 등

(2) 부당 노동 행위

① 의미: 사용자가 근로 3권을 침해하는 행위

② 유형

• 근로자의 노동조합 가입, 조직, 활동 등을 이유로 근로자를 해고하거나 근로자에게 불이익을 주는 행위

• 근로자가 노동조합에 가입하지 아니할 것 또는 탈퇴할 것을 고용 조건으로 하거나 특정한 노동조합의 조합원이 될 것을 고용 조건으로 하는 행위

• 노동조합과의 단체 교섭을 정당한 이유 없이 거부하는 행위 등

(3) 부당 해고 또는 부당 노동 행위에 대한 구제 절차

① 지방 노동 위원회에 구제 신청 → 판정에 불복 시 중앙 노동 위원회에 재심 신청 → 재심 판정에 불복 시 행정 소송 제기 가능

② 부당 해고의 경우 노동 위원회 구제 절차를 거치지 않고 바로 법원에 해고 무효 확인의 소 제기 가능

③ 부당 노동 행위의 경우 근로자 본인 또는 노동조합도 구제 신청 가능

01

▸ 24063-0131

A법에 대한 설명으로 적절하지 않은 것은?

> A법은 노동 관계, 즉 근로자의 노동력 제공에 관련된 생활 관계를 규율하는 법으로, 노동 관계에 근대 민법의 기본 원칙이 적용되었을 때 발생하는 여러 가지 문제를 해결하기 위해 등장하였다. A법의 등장으로 열악한 근로 조건에 대해서는 근로 조건의 최저 기준을 정하고 그 준수를 강제할 수 있게 되었으며, 취업 지원 제도나 실업자에게 보험 급여를 지원하는 생활 지원 제도가 발전하게 되었다. 또 사용자의 해고의 자유를 규제하고 근로자의 단결 활동을 보장하는 입법 활동이 이루어졌다.

① 사법 영역에 공법적 규제를 하므로 공법과 사법의 중간 영역에 해당한다.
② 근로자의 생존권을 확보하고 사용자와 근로자 간 대립과 이해관계를 조정한다.
③ 당사자 간 합의에 의해 체결된 근로 조건에 국가가 개입하는 것을 허용하지 않는다.
④ 우리나라의 근로 기준법, 노동조합 및 노동관계 조정법, 최저 임금법이 이에 해당한다.
⑤ 근로관계에서 상대적 약자인 근로자가 사용자와 대등한 지위에서 근로 조건을 결정할 수 있도록 한다.

02

▸ 24063-0132

그림은 부당 해고를 당한 근로자 갑의 권리 구제 절차를 나타낸다. 이에 대한 옳은 설명만을 〈보기〉에서 고른 것은?

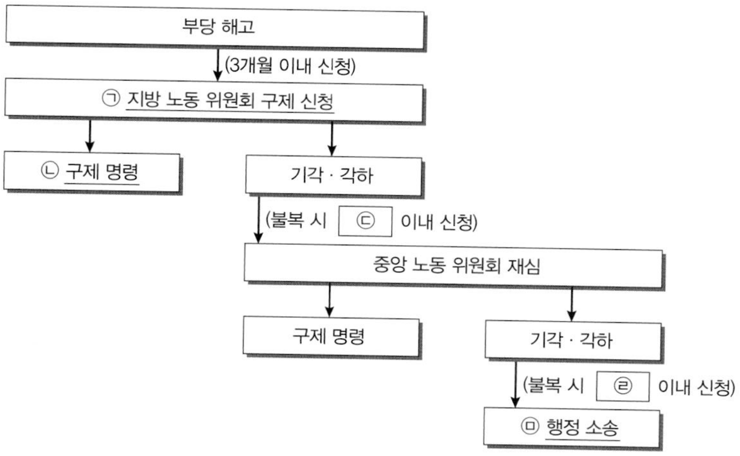

보기

ㄱ. ㉠과 별도로 갑은 해고 무효 확인의 소를 제기할 수 있다.
ㄴ. ㉡에 불복하는 경우 갑의 사용자는 중앙 노동 위원회에 재심을 신청할 수 있다.
ㄷ. ㉢에는 '15일', ㉣에는 '30일'이 들어간다.
ㄹ. 갑이 ㉤을 제기하여 법원의 판결을 받은 경우 갑은 이에 불복하여 상급 법원에 상소할 수 없다.

① ㄱ, ㄴ ② ㄱ, ㄷ ③ ㄴ, ㄷ ④ ㄴ, ㄹ ⑤ ㄷ, ㄹ

▶ 24063-0133

03

다음은 법률 상담 게시판에 올라온 내용이다. 옳은 법적 조언을 한 사람은?

공지사항 | 게시판 | Q&A

ID: ○○○

저는 □□ 마트를 운영하고 있는 사장입니다. 현재 제가 운영하는 □□ 마트의 직원 중 A(17세, 남)와 B(18세, 남)는 고등학생입니다. 이들은 주 5일(월~금), 10시~18시까지 근무(휴게 시간 16시~17시)하고, 시급 11,000원의 임금을 받고 있는데, 최근 마트 업무가 증가하여 직원들의 동의를 얻어 근로 시간을 연장하려 합니다. 또한 추가로 직원을 채용하는 공고를 냈는데 중학교를 졸업한 C(16세)의 법정 대리인이 찾아와서 자신의 자녀 C의 근로 계약을 대리하고 싶어합니다. 한편 A에 대한 친권을 가진 D는 A의 임금을 자신 명의의 계좌로 입금해 달라고 요청하고 있습니다. 이와 관련해 법적 조언을 부탁드립니다.

↳ 갑: A가 연장 근로에 동의하여 매 근무일 1시간씩 연장 근로를 하였다면 A에게 하루 88,000원의 임금을 지급해야 합니다.
↳ 을: A, B 모두 근로 시간 연장에 합의하였더라도 B와 달리 A의 연장 근로는 하루 1시간을 초과할 수 없습니다.
↳ 병: C는 민법상 제한 능력자이므로 C의 근로 계약은 법정 대리인이 대리해야 합니다.
↳ 정: C가 고용 노동부 장관이 발급한 취직 인허증을 지니고 있지 않다면 C를 채용할 수 없습니다.
↳ 무: 친권은 미성년 자녀에 대한 재산상의 권리를 포함하므로 A의 임금은 D의 계좌로 입금하는 것이 원칙입니다.

① 갑 ② 을 ③ 병 ④ 정 ⑤ 무

▶ 24063-0134

04

다음 자료에 대한 법적 판단으로 옳은 것은?

〈청소년이 알아야 할 아르바이트 상식〉

- 15세 미만인 청소년(중학교 재학 중인 18세 미만인 청소년 포함)은 근로가 불가능합니다. 단, 15세 미만 청소년은 예외적으로 [㉠]이 있어야 근로가 가능합니다.
- [㉡]이 명시된 근로 계약서를 작성해야 합니다.
- 18세 미만인 청소년의 근로 시간은 [㉢]을 초과할 수 없습니다. 단, 사용자와 합의한 경우 [㉣]을 한도로 근로 시간을 연장할 수 있습니다.
- [(가)]

① ㉠은 '친권자 또는 후견인의 동의서'이다.
② '임금', '근로 시간', '휴일'은 모두 ㉡에 포함된다.
③ ㉢은 '1일 8시간, 1주 40시간', ㉣은 '1주 12시간'이다.
④ (가)에 '미성년자는 법정 대리인의 동의를 얻은 경우에만 임금을 청구할 수 있습니다.'가 들어갈 수 있다.
⑤ (가)에 '휴일 근로나 연장 근로 시 통상 임금의 100%를 가산한 임금을 받아야 합니다.'가 들어갈 수 있다.

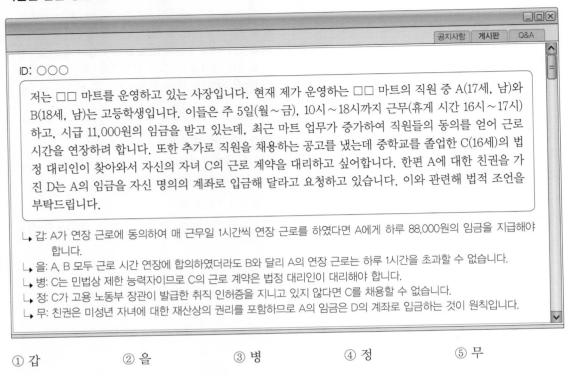

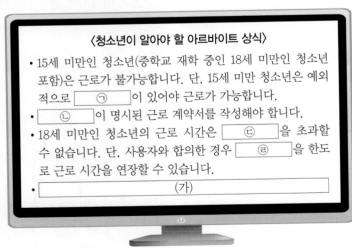

05

▸ 24063-0135

다음 자료에 대한 법적 판단으로 옳은 것은?

각종 행사 장비를 대여하는 ○○회사 사장 갑은 자신의 회사에 근무하던 을, 병, 정을 모두 해고하였고 을, 병, 정은 모두 □□ 지방 노동 위원회에 구제 신청을 하였다. 해고 당시 을, 병, 정은 모두 ○○회사 노동조합 조합원이었다. 표는 을, 병, 정의 상황을 질문에 대한 답변을 통해 구분한 것이다.

질문	을	병	정
해고의 사유와 시기를 서면으로 통지받았습니까?	예	아니요	예
중앙 노동 위원회의 재심을 거쳤습니까?	㉠	㉡	㉢
해고와 관련하여 적법한 절차에 따라 행정 소송을 제기하였습니까?	예	아니요	㉣
노동조합도 본인의 해고에 대해 부당 노동 행위를 이유로 노동 위원회에 구제 신청을 할 수 있는 경우에 해당합니까?	예	예	아니요

① 을이 소속된 노동조합은 노동 위원회에 구제 신청 대신 법원에 해고 무효 확인의 소를 제기할 수 있다.
② 갑에게 경영상의 이유가 있다면 병이 받은 해고 통지는 근로 기준법에 위배되지 않는다.
③ 갑이 정을 해고한 것은 을, 병을 해고한 것과 달리 부당 노동 행위에 해당한다.
④ ㉠과 ㉡의 대답이 다르다면 병은 □□ 지방 노동 위원회의 판정에 불복하여 재심을 신청하였다.
⑤ ㉢과 ㉣의 대답이 다르다면 정은 적법한 절차에 따른 행정 소송을 제기하지 않았다.

06

▸ 24063-0136

다음 자료는 근로자 갑, 을이 각각 사업주 병과 체결한 근로 계약서의 일부이다. 이에 대한 법적 판단으로 옳은 것은?

근로 계약서

사업주 병과 근로자 갑(18세, 남)은 다음과 같이 근로 계약을 체결한다.
1. 근로 계약 기간: 2024년 1월 2일부터 2024년 2월 29일까지
2. 근무 장소: ○○ 마트 1～3층
3. 업무의 내용: 실내 청소
4. 소정 근로 시간: 12시 00분부터 20시 00분까지 (휴게 시간: 17시 00분～18시 00분)
5. 근무일/휴일: 매주 5일(월～금) 근무, 주휴일 매주 일요일
6. 임금: 시급 9,000원(연장 근로나 휴일 근로 시 통상 임금의 50%를 가산하여 지급)

근로 계약서

사업주 병과 근로자 을(20세)은 다음과 같이 근로 계약을 체결한다.
1. 근로 계약 기간: 2024년 1월 2일부터 2024년 2월 29일까지
2. 근무 장소: ○○ 마트 주차장
3. 업무의 내용: 주차 안내
4. 소정 근로 시간: 12시 00분부터 21시 00분까지 (휴게 시간: 17시 00분～18시 00분)
5. 근무일/휴일: 매주 5일(수～일) 근무, 주휴일 매주 월요일
6. 임금: 시급 10,000원(연장 근로나 휴일 근로 시 통상 임금의 50%를 가산하여 지급)

* 2024년 법정 최저 임금은 시간당 9,860원임.

① 병과 합의하더라도 갑은 매 근무일에 2시간씩 근로 시간을 연장할 수 없다.
② 갑이 근로 계약서상 근무일에 개근한다면 일요일은 근로를 하지 않더라도 임금을 받을 수 있다.
③ 갑과 병이 체결한 근로 계약상 임금이 법정 최저 임금에 미치지 못하므로 근로 계약 전체가 무효이다.
④ 을이 수요일에 근로 계약서대로 근로하였다면 하루 90,000원의 임금을 받는다.
⑤ 을이 토요일, 일요일에 근로 계약서대로 근무할 경우 병은 통상 임금의 50%를 가산하여 지급해야 한다.

▸ 24063-0137

07

다음 사례에 대한 법적 판단으로 옳은 것은?

A회사 노동조합이 파업을 결의하자 노동조합 간부였던 갑은 회사 정문에 텐트를 치고 농성을 하였다. 이후 노사 간 대화를 하던 중 갑은 A회사 대표를 때려 상해를 입혔고, 이로 인해 기소되어 유죄 판결을 선고받았다. 이후 A회사는 징계 위원회를 열어 갑을 징계 해고하였다. 갑은 자신의 해고는 A회사가 자신의 노동조합 활동을 혐오하여 보복한 것이며, 절차를 지키지 않고 징계권을 남용한 것이라며 □□ 지방 노동 위원회에 구제 신청을 하였다. 이에 대해 □□ 지방 노동 위원회는 부당 해고 구제 신청은 인용하여 갑을 원직 복직하고 임금 상당액을 지급하라고 판정하였으나, 부당 노동 행위 구제 신청은 기각하였다. 이후 갑과 A회사 모두 재심을 신청하였고 중앙 노동 위원회는 부당 해고 구제에 관한 초심 판정을 취소하고, 부당 노동 행위 구제에 관한 재심 신청을 기각하였다. 이에 갑은 소송을 제기하였고 ○○ 법원은 이 사건 재심 판정 중 부당 해고 구제 신청 부분은 부당하고, 부당 노동 행위 구제 신청 부분은 정당하다고 판단하였다.

① 갑이 소속된 노동조합은 갑과 달리 부당 노동 행위를 이유로 노동 위원회에 구제 신청을 할 수 없다.
② 갑이 제기한 소송은 노동 위원회 구제 절차와 별도로 제기할 수 있는 민사 소송이다.
③ ○○ 법원은 □□ 지방 노동 위원회와 달리 갑에 대한 해고가 부당 해고에 해당하지 않는다고 판단하였다.
④ □□ 지방 노동 위원회, 중앙 노동 위원회, ○○ 법원 모두 A회사가 갑을 해고한 것은 갑의 근로 3권을 침해한 것이 아니라고 판단하였다.
⑤ 갑은 ○○ 법원의 판결에 불복하여 상급 법원에 상소할 수 없다.

▸ 24063-0138

08

교사의 질문에 대한 옳은 대답만을 〈보기〉에서 고른 것은?

구분	갑	을	병
소정 근로 시간 (휴게 시간)	9:00～14:30 (11:00～11:30)	9:00～18:00 (13:00～14:00)	12:00～21:00 (20:00～21:00)
임금(시급)	10,000원	12,000원	9,000원
임금 지급일	짝수 달 17일	매달 17일	매주 금요일
임금 지급 방법	법정 대리인 명의의 통장으로 입금	을에게 직접 상품권으로 전액 지급	병 명의의 통장으로 입금

* 갑, 을, 병이 체결한 근로 계약서상 근로 기간에 해당하는 법정 최저 임금은 시간당 9,860원임.

교사

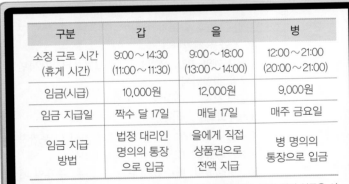

표는 갑, 을, 병이 체결한 근로 계약 내용의 일부를 비교한 것입니다. 갑, 을, 병이 체결한 근로 계약에 대해 근로 기준법을 기준으로 판단해 볼까요?

보기

ㄱ. 갑과 달리 병의 휴게 시간은 근로 기준법에 위반됩니다.
ㄴ. 임금이 법정 기준보다 낮아 병이 체결한 근로 계약 전체가 무효입니다.
ㄷ. 을, 병과 달리 갑의 임금 지급일은 근로 기준법에 위반됩니다.
ㄹ. 갑과 달리 을의 임금 지급 방법은 근로 기준법에 위반됩니다.

① ㄱ, ㄴ ② ㄱ, ㄷ ③ ㄴ, ㄷ ④ ㄴ, ㄹ ⑤ ㄷ, ㄹ

09

▸ 24063-0139

표는 근로 3권을 구분한 것이다. 이에 대한 설명으로 옳은 것은?

근로 3권	내용
A	근로자가 근로 조건의 향상을 위하여 자주적으로 노동조합이나 그 밖의 단결체를 조직 · 운영하거나 그에 가입하여 활동할 권리
B	근로자가 단결체의 대표를 통하여 사용자 측과 근로 조건에 관하여 단체 교섭을 할 권리 및 단체 교섭의 결과 합의된 사항을 단체 협약으로 체결할 권리
C	근로자가 그 주장을 관철할 목적으로 파업, 태업 등과 같이 업무를 저해하는 행위를 할 권리

① A는 단체 행동권, B는 단체 교섭권, C는 단결권이다.
② A는 근로자에게 근로 계약 체결 시 노동조합에 가입할 의무를 부여하는 권리이다.
③ B가 행사되어 교섭이 실시된 경우, 사용자는 근로 조건에 관한 근로자 대표 요구를 모두 수용해야 한다.
④ C에 따른 정당한 쟁위 행위에 참여한 경우, 회사의 업무가 저해되더라도 근로자는 민 · 형사상 책임이 면제된다.
⑤ 사용자가 B를 침해한 행위는 사용자가 A를 침해한 행위와 달리 부당 노동 행위에 해당한다.

10

▸ 24063-0140

다음 자료에 대한 분석으로 옳은 것은?

고등학생 갑은 ○○ 대형 음식점 사장 을과 다음과 같은 내용으로 근로 계약을 체결하였다.

- 근로 계약 기간: 2024년 1월 2일부터 2024년 2월 29일까지
- 소정 근로 시간: 15시 30분부터 22시 00분까지(휴게 시간: 18시 30분～19시 00분)
- 근무일 / 휴일: 매주 5일(수～일) 근무, 주휴일 매주 월요일
- 임금: 시급 10,000원

(가), (나)는 갑이 근로 계약을 체결하면서 을에게 제출했던 서류이다.

(가)

친권자(후견인) 동의서

○ 친권자(후견인) 인적 사항
성명: 병
○ 근로자 인적 사항
성명: 갑
○ 사업장 개요
회사명: ○○ 대형 음식점
사업주: 을

본인은 위 근로자 갑이 위 사업장에서 근로를 하는 것에 대하여 동의합니다.

2024년 1월 2일

친권자(후견인) 병 (인)

(나)

가족 관계 증명서(일반)

등록 기준지	○○도 □□시 △△길

구분	성명	출생 연월일	주민 등록 번호	성별	본
본인	갑	2008. 1. 1.	080101 −xxxxxxx	남	◇◇

가족 사항

구분	성명	출생 연월일	주민 등록 번호	성별	본
부	병	1975. 3. 1.	750301 −xxxxxxx	남	◇◇

* 2024년 법정 최저 임금은 시간당 9,860원이며, 22시 이후 근로는 야간 근로에 해당함.

① 갑의 휴게 시간은 근로 기준법에 위반된다.
② 을은 갑을 고용하면서 (가), (나) 중 하나를 사업장에 갖추어 두어야 한다.
③ 을은 갑의 임금을 병에게 직접 지급하거나 병 명의의 통장에 입금해야 한다.
④ 갑과 을의 합의만으로도 갑은 매 근무일 22시 이후 1시간씩 근로 시간을 연장할 수 있다.
⑤ 병이 동의하더라도 을은 갑을 도덕상 또는 보건상 유해 · 위험한 일에 고용할 수 없다.

국제 관계와 국제법

1 국제 관계

(1) 국제 관계의 의미와 특징

① 의미: 국제 사회의 다양한 행위 주체가 정치, 경제, 사회, 문화 등 여러 영역에서 상호 작용하는 관계

② 특징
- 주권 국가들을 기본 단위로 하여 구성
- 강제력을 행사할 수 있는 중앙 정부의 부재
- 힘의 논리와 국제 규범의 공존 등

③ 국제 관계를 바라보는 관점

구분	현실주의적 관점	자유주의적 관점
특징	• 국제 사회는 힘의 논리가 지배 • 자국의 이익을 추구하며 군사 동맹 등으로 세력 균형을 확보하여 국가 안전 보장	• 국제 사회에 보편적 선이나 국제 규범이 존재 • 국제법, 국제기구의 중요성 강조 → 집단 안보 체제를 통한 국제 평화 보장
한계	• 국가 간 상호 의존적 관계 간과 • 복잡한 국제 관계를 지나치게 단순화	자국의 이익을 우선시하고 힘의 논리가 지배하는 현실을 간과

(2) 국제 관계의 변천

① 베스트팔렌 조약(1648년)
- 유럽에서 주권 국가 체제가 일반화됨.
- 유럽 사회에 주권 국가들을 중심으로 한 새로운 국제 질서 형성

② 제국주의 시대
- 산업 혁명 이후 유럽 열강들의 식민지 확보 경쟁
- 유럽 중심의 국제 사회가 전 세계로 확대

③ 제1, 2차 세계 대전과 평화 유지 노력
- 제1차 세계 대전 발발 → 국가 간 갈등을 평화적으로 해결하기 위해 국제 연맹 설립(1920년)
- 제2차 세계 대전 발발 → 국제 연맹의 한계를 극복하여 국제 사회 및 회원국들에 실질적인 영향력을 행사할 수 있는 국제 연합 설립(1945년)

④ 냉전 체제와 탈냉전 시대
- 미국과 소련을 중심으로 한 이념 대립 → 냉전 체제 형성
- 제3 세계의 부상과 자본주의·공산주의 진영 내부의 다원화 → 다극 체제로의 전환, 냉전 체제 완화
- 몰타 선언(1989년)과 공산주의 진영 붕괴 → 냉전 종식, 탈냉전 시대

(3) 세계화 시대의 국제 관계

① 세계화: 국제 사회의 상호 의존성이 커짐에 따라 개별 국가의 경계를 넘어 세계가 하나로 통합되는 현상

② 국제 관계의 변화
- 국내 정치와 국제 정치의 구별 약화 및 국가 간 협력 강화
- 국가 이외에 다양한 국제 사회 행위 주체들의 활동과 영향력 증가
- 국제법과 같은 국제 규범의 영향력 증가

③ 국제 사회의 행위 주체

국가	국제 사회를 구성하는 기본적인 단위
초국가적 행위체	• 국경을 넘어서 영향력을 행사하는 행위 주체 • 정부 간 국제기구, 국제 비정부 기구, 다국적 기업 등
국가 내부적 행위체	• 국가 내에서 국가를 넘어 영향력을 행사하는 행위 주체 • 지방 자치 단체, 소수 민족 등
영향력 있는 개인	• 국제 사회에 미치는 영향력이 강한 인물 • 강대국의 전직 국가 원수, 저명한 학자, 유명한 연예인 등

2 국제법

(1) 국제법의 의미: 국제 사회 행위 주체들의 관계를 규율하고 국제 질서를 유지하는 규범이나 원칙

(2) 국제법의 법원(法源)

① 조약
- 의미: 국가 또는 국제기구 간에 체결된 명시적 합의
- 원칙적으로 조약 체결 당사자 간에만 법적 구속력을 가짐.
- 우리나라의 경우 헌법에 의하여 체결·공포된 조약은 국내법과 같은 효력을 가짐.
- 유형: 양자 조약, 다자 조약
- 사례: 한미 상호 방위 조약, 기후 변화에 관한 파리 협정 등

② 국제 관습법
- 의미: 국제 사회에서 오랜 기간 반복되어 온 관행이 법 규범으로 승인되어 성립하는 국제법
- 원칙적으로 국제 사회의 모든 국가에 대하여 법적 구속력 발생(포괄적 구속력)
- 사례: 국내 문제 불간섭 등

③ 법의 일반 원칙
- 의미: 국제 사회 문명국들이 공통적으로 승인하여 따르는 법의 보편적인 원칙
- 명확한 다른 국제법이 존재하지 않을 경우 유용한 분쟁 해결의 규범임.
- 사례: 신의 성실의 원칙, 권리 남용 금지의 원칙, 손해 배상 책임의 원칙 등

④ 기타: 판례나 국제법 학자의 학설 등

(3) 국제법의 의의와 한계

① 의의: 국가 간 협력의 기반 제공, 분쟁 해결 수단 제공, 국제 사회 행위 주체들의 행동 규범과 판단 기준 제공

② 한계
- 입법 기구가 없어 모든 국가에 적용할 법 규범 제정이 어려움.
- 법을 강제할 집행 기구가 없어 국제법 이행을 강제하기 어려움.
- 국제 사법 재판소는 원칙적으로 분쟁 당사국의 동의가 있어야만 재판을 할 수 있으므로 국제법은 재판 규범으로서 한계가 있음.

01

▸ 24063-0141

다음 글에 부각된 국제 관계의 특징으로 가장 적절한 것은?

1945년 일본에서 핵무기의 가공할만한 위력을 목격한 이후, 세계는 핵의 평화적 이용 증진을 위해 여러 차례 진통 끝에 1970년 핵을 보유하지 않은 국가의 핵 보유를 막는 것을 주요 목표로 하는 핵 확산 방지 조약(NPT)을 발효시켰다. 그러나 핵무기를 갖고자 하는 일부 국가의 욕망을 NPT 체제로 억누르기에는 역부족이었다. 인도는 평화적인 핵 폭발물의 이용까지 제한한다는 이유로 NPT 가입을 거부하며 핵 개발을 추진하였고, 파키스탄도 인도 – 파키스탄 전쟁을 겪고 비밀리에 핵 개발을 시작하였다. 인도와 파키스탄은 경쟁적으로 핵 실험을 하기도 하며 양국 모두 핵 보유를 선언하였다. 인도와 파키스탄의 핵탄두 보유량이 늘어난 것을 확인한 스톡홀름 국제 평화 연구소는 핵 확산 방지 조약에도 불구하고 각국이 핵무기의 현대화와 핵 억지력 확충에 열을 올리고 있다며 비핵화라는 우리의 목표는 아직 요원한 것으로 보인다고 밝혔다.

① 국제법과 국제기구의 영향력이 강화되고 있다.
② 개별 국가는 자국의 이익을 우선적으로 추구한다.
③ 강제력을 행사할 수 있는 중앙 정부가 개별 국가를 통제하고 있다.
④ 독립된 주권을 가진 국가를 기본 단위로 하여 주권 평등의 원칙이 적용되고 있다.
⑤ 국제 사회의 행위 주체 중 정부 간 국제기구보다 국제 비정부 기구의 영향력이 증가하고 있다.

02

▸ 24063-0142

국제 관계를 바라보는 관점 A, B에 대한 설명으로 옳은 것은?

제1차 세계 대전을 겪은 후 국제 사회는 국제 연맹과 같은 국제기구와 국제법을 통해 전쟁을 막고자 하였다. 이는 인간의 이성에 대한 신뢰를 바탕으로 집단 안보 체제를 통해 국제 평화를 보장할 수 있다고 보는 A에 기반한 시도라고 볼 수 있다. 그러나 또 다시 참혹한 세계 대전이 발발하자 국제 관계에서 이성과 도덕에 대한 낙관적 신뢰는 크게 훼손되었고, 힘을 중심으로 국제 관계를 바라보는 B가 국제 관계학의 지배적인 시각이 되었다. B는 국제 관계에서 개별 국가는 힘으로 규정된 국가 이익을 추구하며, 힘의 균형을 통해 전쟁을 억제할 수 있다고 본다.

① A는 국제 사회를 ‘만인에 대한 만인의 투쟁 상태’라고 본다.
② B는 국제 사회에서 개별 국가가 자국의 이익을 배타적으로 추구한다는 점을 중시한다.
③ A는 B와 달리 국제 사회를 무정부 상태라고 본다.
④ B는 A와 달리 국제 사회에서 권력 관계보다 상호 협력 관계를 중시한다.
⑤ A, B 모두 보편적 선이나 윤리의 관점에서 국제 관계를 설명한다.

▶ 24063-0143

03

그림은 국제 관계의 변천 과정을 나타낸 것이다. (가)~(바)에 대한 설명으로 옳은 것은?

(가) 종교 문제로 일어난 30년 전쟁의 종식을 위해 베스트팔렌 조약이 체결되었다.

↓

(나) 유럽 열강이 자국의 이익을 위해 식민지를 건설하면서 제국주의 시대가 열렸다.

↓

(다) 유럽 여러 국가들의 제국주의 정책은 국가 간의 충돌을 일으켜 제1차 세계 대전이 발발하였다.

↓

(라) 세계 경제 대공황으로 국제 사회가 혼란에 빠진 틈을 타 독일, 일본 등 전체주의 국가에 의해 제2차 세계 대전이 발발하였다.

↓

(마) 미국은 공산화 위협에 직면한 나라에 대한 경제적·군사적 원조를 내용으로 하는 트루먼 독트린을 발표하였다.

↓

(바) 미국과 소련의 정상이 몰타에서 만나 동서 협력을 선언하였다.

① (가)로 인해 유럽 사회에서 주권 국가 중심의 새로운 국제 질서가 형성되었다.
② (나)로 인해 냉전 체제가 형성되었다.
③ (다)와 (라) 사이에 국제 연합이 창설되었다.
④ (마)는 냉전 체제를 완화하는 계기가 되었다.
⑤ (바) 이후에 국제 관계에서는 경제적 실리보다 정치적 이념을 중시하게 되었다.

▶ 24063-0144

04

다음 자료에 대한 옳은 설명만을 〈보기〉에서 고른 것은?

교사: 우리나라가 체결·공포한 조약 중 자신이 조사해 온 조약을 소개해 볼까요?
갑: 저는 '㉠대한민국 정부와 몽골 정부 간의 군사 비밀 정보의 보호에 관한 협정'을 조사했습니다. 이 조약은 2020년 2월 11일에 ㉡국무 회의 심의를 거쳤고 국회 동의는 필요하지 않은 조약입니다.
을: 저는 '㉢아세안 및 한·중·일 비상 쌀 비축 협정'을 조사했습니다. 이 조약은 2013년 1월 29일 국무 회의 심의를 거쳤고 2013년 6월 25일 ㉣국회 동의를 얻었습니다.
교사: 모두 잘 조사해 주었습니다.

보기
ㄱ. 갑은 양자 조약, 을은 다자 조약을 조사하였다.
ㄴ. 우리나라에서 조약에 대한 비준권은 ㉡이 가진다.
ㄷ. ㉠, ㉢ 모두 원칙적으로 체결 당사자에게만 법적 구속력을 가진다.
ㄹ. ㉠과 달리 ㉢은 ㉣을 얻었으므로 국내법과 같은 효력을 가진다.

① ㄱ, ㄴ　② ㄱ, ㄷ　③ ㄴ, ㄷ　④ ㄴ, ㄹ　⑤ ㄷ, ㄹ

05

▸ 24063-0145

밑줄 친 ㉠~㉢에 대한 설명으로 옳은 것은?

> 갑은 ㉠노동조합 및 노동 관계 조정법(이하 '노조법') 제24조 제2항 등은 노조 전임자가 사용자로부터 급여를 지급받는 것을 금지하고 있어 결국 이들의 신분상 불안으로 인한 노동조합 활동의 위축을 초래하므로 근로자 및 노동조합의 단결권을 침해한다고 주장하였다. 또한 우리나라가 비준한 국제 노동 기구(ILO) 협약 제135호인 ㉡기업의 근로자 대표에게 제공되는 보호 및 편의에 관한 협약의 '근로자 대표가 그 직무를 신속·능률적으로 수행할 수 있도록 기업으로부터 적절한 편의가 제공되어야 한다.'라는 내용에 반하는 것으로 국제법 존중 원칙을 정한 ㉢헌법 제6조 제1항에도 위배된다며 헌법 소원 심판을 청구하였다. 이에 헌법 재판소는 노조 전임자에 대한 급여 지급 금지에 대한 절충안으로 근로 시간 면제 제도가 도입된 이상, 이 사건 노조법 조항들이 위 협약에 배치된다고 보기 어렵고 이 사건 노조법 조항들은 국제법 존중주의 원칙에 위배되지 않는다고 판단하였다.

① ㉠은 강제적으로 집행할 기관이 없다는 한계를 가진다.
② ㉡과 같은 국제법의 법원(法源)이 국내에서 효력을 가지기 위해서는 비준 과정에서 국회의 동의가 필수적으로 요구된다.
③ ㉡은 ㉠과 달리 입법 기관에 의해 제정되었다.
④ ㉡, ㉢ 모두 성문화된 형식으로 존재한다.
⑤ 헌법 재판소는 ㉠과 달리 ㉡이 우리나라에서 ㉢과 동등한 효력을 갖는다고 판단하였다.

06

▸ 24063-0146

다음 자료에 대한 설명으로 옳은 것은? (단, A~C는 각각 조약, 국제 관습법, 법의 일반 원칙 중 하나임.)

> 교사: 국제 사법 재판소는 재판소에 회부된 분쟁을 국제법에 따라 재판하는 것을 임무로 합니다. 국제 사법 재판소의 재판 기준이 되는 국제법의 법원(法源) 중 A, B, C에 대해 설명해 볼까요?
> 갑: A는 국제 사회의 반복된 관행이 법적 확신을 얻어 효력을 가지게 된 것입니다.
> 을: 우리나라에서 B에 대한 체결·비준권은 국회가 가집니다.
> 병: C는 B와 달리 당사자 간 명시적인 합의 절차를 거쳐야만 성립됩니다.
> 교사: 세 사람 중 두 사람의 설명은 옳고, 한 사람의 설명은 틀렸습니다.

① A는 원칙적으로 국제 사회의 모든 국가에 대하여 법적 구속력을 가진다.
② B는 국가뿐만 아니라 국제기구도 체결 주체가 될 수 있다.
③ C의 사례로 '신의 성실의 원칙'을 들 수 있다.
④ A는 C와 달리 성문화된 형식을 갖추어야 효력이 발생한다.
⑤ 옳은 설명을 한 사람은 을과 병이다.

07

▸ 24063-0147

다음 자료에 대한 옳은 설명만을 〈보기〉에서 있는 대로 고른 것은? (단, A, B는 각각 조약, 국제 관습법 중 하나임.)

[게임 방식]

- 국제법의 법원 A, B의 특징이 적혀 있는 카드를 선택하여 깃발을 이동할 수 있다.
- 자신의 순서가 되면 카드를 한 장만 선택한다. 선택한 카드의 내용이 A에만 해당하는 특징이면 깃발을 왼쪽으로 1칸 이동하고, B에만 해당하는 특징이면 깃발을 오른쪽으로 1칸 이동하고, A, B 모두에 해당하는 특징이면 깃발을 이동하지 않는다.

[갑이 자신의 순서일 때 선택한 카드]

〈첫 번째 선택 카드〉	〈두 번째 선택 카드〉	〈세 번째 선택 카드〉	〈네 번째 선택 카드〉
원칙적으로 모든 국가에 포괄적인 구속력을 가진다.	국제기구도 체결 주체가 될 수 있다.	주로 성문화된 형식으로 존재한다.	(가)

[갑이 카드 선택 전 깃발 위치]

㉠	㉡		㉢	㉣

보기

ㄱ. 첫 번째 카드 선택 후 갑의 깃발이 ㉢에 위치한다면 B는 국제 사회에서 반복된 관행이 법 규범으로 승인되어 효력을 가지게 된 국제법이다.
ㄴ. 파리 기후 변화 협약이 A의 사례라면 세 번째 카드 선택 후 갑의 깃발은 ㉠에 위치한다.
ㄷ. 국내 문제 불간섭이 B의 사례라면 네 번째 카드 선택 후 갑의 깃발은 ㉣에 위치할 수 있다.
ㄹ. 첫 번째 카드 선택 후 갑의 깃발이 ㉡에 위치하고 (가)가 '국제 사법 재판소 재판 준거로 활용될 수 있다.'라면, 네 번째 카드 선택 후 갑의 깃발은 ㉢에 위치한다.

① ㄱ, ㄴ ② ㄱ, ㄹ ③ ㄴ, ㄷ ④ ㄱ, ㄷ, ㄹ ⑤ ㄴ, ㄷ, ㄹ

08

▸ 24063-0148

밑줄 친 ㉠~㉢에 대한 옳은 설명만을 〈보기〉에서 고른 것은?

인간의 존엄성을 해치는 위협으로부터 인권 보장을 위해 활동하는 ㉠국제 비정부 기구 앰네스티는 보고서를 통해 러시아가 우크라이나 점령 지역에서 민간인을 강제 이송 및 추방하고 있는 것은 반인도적 범죄에 해당할 수 있다는 입장을 밝혔다. 앰네스티 사무총장은 어린이를 가족들에게서 분리하고 주민들을 수백 킬로미터나 떨어진 곳으로 강제 이송하는 것은 우크라이나 민간인들에게 심각한 고통을 초래한다며 러시아의 행위를 규탄했다. 한편 ㉡정부 간 국제기구인 국제 연합의 안전 보장 이사회는 러시아의 우크라이나 내 점령지 합병을 규탄하고 우크라이나를 침공한 러시아군의 즉각 철수를 요구하는 결의안을 채택하려 했으나 당사자이자 ㉢상임 이사국인 러시아의 거부권 행사로 부결되었다.

보기

ㄱ. ㉠은 국제 사회를 구성하는 기본적인 단위이다.
ㄴ. 개별 국가와 달리 ㉡은 조약의 체결 주체가 될 수 없다.
ㄷ. ㉢은 국제 관계를 바라보는 현실주의적 관점으로 설명할 수 있다.
ㄹ. ㉠, ㉡은 모두 국경을 넘어 영향력을 행사하는 초국가적 행위체이다.

① ㄱ, ㄴ ② ㄱ, ㄷ ③ ㄴ, ㄷ ④ ㄴ, ㄹ ⑤ ㄷ, ㄹ

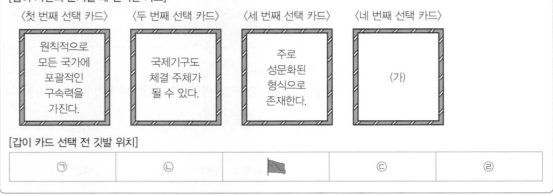

THEME

16 국제 문제와 국제기구

1 국제 문제

(1) 국제 문제의 의미와 특징

① 의미: 여러 국가나 국제 사회 전반에 부정적인 영향을 미치는 문제

② 특징

• 국가 간 상호 의존성이 커지면서 그 영향력의 범위가 넓어지고 있음.

• 국제 문제 해결을 위해 협력과 공조 체제 구축이 필요하지만 강제성을 가진 기구가 없어 국가 간 합의와 해결책을 도출하기 어려움.

(2) 국제 문제의 종류

① 안보 문제: 민족, 인종, 종교 등의 차이나 영토, 자원을 둘러싼 갈등으로 분쟁이나 전쟁 발생, 테러 조직의 활동 등

② 경제 문제: 남북문제, 빈곤 문제 등

③ 환경 문제: 지구 온난화, 오존층 파괴, 국제 하천의 오염 등

④ 인권 문제: 여성과 아동 학대, 난민 등

(3) 국제 문제의 해결

구분	외교적 해결	사법적 해결
의미	분쟁 당사자 간 협상을 통해 자율적으로 해결책을 마련하거나 제3자의 조정 등을 활용	국제 사법 기관에 제소하여 국제법에 따라 해결
의의	분쟁의 실질적 해결이 가능하고 향후 발생할 분쟁을 사전에 예방 가능	공정하고 객관적인 해결안 도출에 대한 기대 가능
한계	종교 간 갈등 등 첨예한 대립 상황에서 해결을 기대하기 어려움.	재판 기간이 길어질 수 있고, 당사국의 판결 불복 시 구속력을 행사하기 어려움.

2 국제 연합

(1) 국제 연합의 창설 목적 및 구성

① 창설 목적: 국제 평화 유지 및 경제, 사회, 문화 등의 분야에서 활발한 교류를 통해 국가 간 우호와 협력 증진

② 구성: 6개 주요 기관과 각종 전문 기구 등

(2) 총회

① 지위: 모든 회원국이 참여하는 최고 의사 결정 기관

② 의사 결정

• 주권 평등의 원칙에 따라 1국 1표로 표결

• 총회 의결은 권고적 효력을 가지며 회원국의 행동을 강제하지 못함.

(3) 안전 보장 이사회

① 지위: 국제 평화와 안전 유지에 관한 국제 연합의 실질적 의사 결정 기관

② 구성: 5개 상임 이사국과 10개 비상임 이사국

③ 의사 결정: 15개 이사국 중 9개국 이상의 찬성으로 의결하는데, 절차 사항이 아닌 실질 사항의 경우에는 상임 이사국 중 한 국가라도 거부권을 행사하면 부결됨.

(4) 국제 사법 재판소

① 지위: 국가 간 분쟁을 국제법을 적용해 법적으로 해결하는 기관

② 구성: 국제 연합 총회와 안전 보장 이사회에서 선출한 서로 국적이 다른 15명의 재판관

③ 특징

• 국제 연합 관련 기관의 법적 질의에 권고적 의견을 제시함.

• 원칙적으로 분쟁 당사국들이 합의하여 분쟁 해결을 요청한 사건에 대해서만 관할권 가짐.

• 당사국의 판결 불복 시 국제 사법 재판소가 직접 제재할 수 있는 수단이 없음.

(5) 국제 연합의 기타 주요 기관과 각종 전문 기구

① 기타 주요 기관: 사무국, 경제 사회 이사회, 신탁 통치 이사회

② 각종 전문 기구: 세계 보건 기구, 국제 노동 기구 등

(6) 국제 연합의 한계

① 회원국들의 분담금 납부가 원활하지 않아서 재정적 어려움이 존재함.

② 안전 보장 이사회의 상임 이사국이 거부권을 자주 행사하여 의사 결정이 어려움.

③ 총회의 권고안이 현실적 구속력을 가지지 못하여 분쟁 해결에 도움이 되지 못하는 경우가 많음.

④ 국제 사법 재판소는 판결에 대한 집행력이 약해 국제 질서 유지를 위한 역할에 한계를 보임.

3 우리나라의 국제 관계

(1) 우리나라 국제 관계의 변화

① 1950년대: 미국을 중심으로 하는 자유 진영 국가와 우호 관계

② 1970년대: 냉전이 완화되면서 공산주의 국가들과 관계 개선 노력

③ 1980년대 후반: 적극적인 북방 외교로 공산권 국가와 수교

④ 1990년대: 국제 연합 가입, 경제 협력 개발 기구(OECD) 가입

(2) 우리나라의 국제 관계 현황

① 남북 분단으로 인한 긴장 상태 지속

② 일본의 역사 왜곡과 중국의 동북 공정 사업 등 과거사와 관련된 갈등 존재

③ 세계화 시대에 각국과의 치열한 무역 경쟁 및 긴밀한 경제적 상호 의존 관계 형성

(3) 우리나라의 바람직한 외교 방향

① 외교의 의미: 한 국가가 자국의 이익을 위해 국제 사회에서 평화적인 방법으로 펼치는 대외 활동

② 외교의 방법: 주로 협상을 통해 이루어지며 이 과정에서 설득, 타협, 군사적 · 정치적 위협 등이 나타나기도 함.

③ 우리나라 외교의 방향과 과제

• 한반도 문제의 평화적 해결 추구

• 국제 관계에서의 주체성과 능동성 강화

• 공식 외교뿐만 아니라 민간 외교 자원도 적극 활용

01

▸ 24063-0149

자료는 국제 문제의 해결 방법 (가), (나)의 사례이다. 이에 대한 설명으로 옳은 것은? (단, (가), (나)는 각각 외교적 해결, 사법적 해결 중 하나임.)

(가)의 사례

○○ 일보

갑국에서 을국쪽으로 흐르는 △△강을 두고 오랜 기간 갈등을 빚던 두 나라는 국제 사법 재판소의 판결을 통해 이 문제를 해결하였다. 국제 사법 재판소는 이 강을 국제 수로로 인정하고 공동 관리 명령을 내렸으며 두 나라 모두 이를 수락하였다.

(나)의 사례

○○ 일보

A국과 B국은 중동의 패권을 놓고 다투며 국교를 단절한 바 있다. 이후 양국의 화해 분위기가 본격화된 것은 지난 3월 C국의 중재로 비밀 회담을 열고 국교 단절 7년만에 관계 정상화를 선언하면서부터이다. B국은 이달 초 A국에 대사관을 열었고 A국도 B국에 외교관을 파견한 상태이다.

① (가)는 당사국이 판결에 불복할 경우 강제력을 행사하기 어려울 수 있다는 한계를 가진다.
② (나)는 갈등이 첨예하게 대립되는 국제 문제도 쉽게 해결할 수 있다.
③ (가)는 (나)와 달리 국제 문제를 평화적으로 해결하는 방법이다.
④ (나)는 (가)와 달리 국제 문제 해결 과정에서 국제법을 배제한다.
⑤ (나)는 (가)와 달리 분쟁 당사국끼리 자율적인 해결이 어려울 때 활용할 수 있는 방법이다.

02

▸ 24063-0150

국제 연합의 주요 기관 (가)에 대한 설명으로 옳은 것은?

갑국과 을국이 가입한 고문 방지 협약 제7조 제1항은 협약상의 범죄를 저지른 자가 자국 관할 내에 있을 경우 그 국가는 혐의자를 기소하거나 다른 국가로 범죄인 인도를 할 것을 규정하고 있다. 이른바 '기소 또는 인도' 의무이다. 병국 대통령으로 재직 당시 수많은 고문, 전쟁 범죄 및 인도에 반하는 범죄를 저지른 혐의를 받고 있는 A는 실각 후 갑국으로 망명해 계속 거주하였다. 그런데 병국 출신의 을국 국민이 을국 법원에 A에 대해 소송을 제기하자, 을국은 갑국에게 A를 인도해 달라고 요청하였다. 그러나 갑국이 이에 응하지 않았고, 을국은 갑국이 고문 방지 협약 상 의무를 위반했다며 (가) 에 제소하였다. 이에 (가) 는 협약에 '기소 또는 인도' 의무의 이행 시한이 구체적으로 규정되어 있지는 않지만 갑국은 합리적 기간 내에 지체없이 이를 이행해야 한다며 갑국이 고문 방지 협약상 의무를 위반하였다고 판단하였다.

① A에 대한 형사 처벌 결정을 내릴 수 있다.
② 국적이 서로 다른 15인의 재판관으로 구성된다.
③ 판결에 불복하는 당사국을 직접 제재할 수 있다.
④ 국제 평화와 안전 유지에 관한 실질적 의사 결정 기관이다.
⑤ 조약과 달리 성문화되지 않은 국제 관습법은 재판 준거로 활용하지 않는다.

03

▸ 24063-0151

자료는 국제 정세의 흐름과 시기별 한국의 외교 정책을 나타낸 것이다. (가)~(다)에 들어갈 수 있는 내용으로 옳은 것은?

> **한국 외교의 발자취**
>
> 1. 정부 수립과 한국 전쟁
> 2. 동서 냉전 시기(1950년대)
>   - 국제 정세: 냉전 체제가 본격적으로 진행되면서 동서 진영 간의 긴장이 고조되었다.
>   - 한국의 외교 정책: (가)
> 3. 데탕트 시기(1970년대)
>   - 국제 정세: 미국과 중국이 수교를 맺고 일본 및 서유럽 국가 역시 중국과 관계 개선을 시도하면서 동서 간의 데탕트 분위기가 확산되었다.
>   - 한국의 외교 정책: (나)
> 4. 탈냉전 시기(1980년대 후반 이후)
>   - 국제 정세: 미국과 소련이 몰타에서 정상 회담을 하였으며, 1990년 동독과 서독의 통일, 1991년 소련이 공식적으로 해체되면서 냉전 질서는 사실상 종식되었다.
>   - 한국의 외교 정책: (다)

① (가) – 미국을 중심으로 하는 자유 진영 국가와 우호 관계 강화
② (나) – 적극적인 북방 외교의 성과로 중국과 수교를 맺음
③ (나) – 국제 연합(UN) 및 경제 협력 개발 기구(OECD) 가입
④ (다) – 국가 안보를 최우선으로 하는 반공주의 외교 실시
⑤ (다) – 경제적 이익보다 정치적 이념을 중시하는 외교 실시

04

▸ 24063-0152

다음 자료에 대한 설명으로 옳은 것은? (단, A, B는 모두 국제 연합의 주요 기관임.)

A는 국제 평화와 안전 유지에 관한 일차적 책임을 지는 기관입니다. 그런데 A의 의사 결정 과정에서 상임 이사국의 잦은 거부권 행사로 국제 현안에 대한 대처가 제대로 이루어지지 않자 국제 연합의 개혁을 요구하는 목소리가 커지고 있습니다. 국제 연합 개혁을 위해 ㉠국제 연합 헌장을 개정하려면 어떤 절차를 거쳐야 하나요?

국제 연합 헌장의 개정을 위해서는 모든 회원국으로 구성된 B에서 회원국의 3분의 2 이상의 찬성에 의하여 개정안이 채택되어야 합니다. 이후 A의 모든 상임 이사국을 포함한 국제 연합 회원국의 3분의 2에 의하여 각자의 헌법상 절차에 따라 ㉡비준되었을 때, 모든 국제 연합 회원국에 대하여 발효하게 됩니다.

① ㉠과 같은 국제법의 법원(法源)은 원칙적으로 국제 사회의 모든 국가에 대하여 법적 구속력을 가진다.
② 우리나라에서 조약에 대한 ㉡은 국회의 권한이다.
③ A에서는 B와 달리 의사 결정 과정에서 주권 평등의 원칙이 적용된다.
④ B는 A와 달리 국제 사회의 분쟁 해결을 위해 군사적 조치를 결정할 수 있는 권한을 가진다.
⑤ A, B 모두 국제 사법 재판소 재판관을 선출하는 권한을 가진다.

05

▸ 24063-0153

다음 자료에서 공통으로 시사하는 국제 문제에 대한 설명으로 가장 적절한 것은?

- 플라스틱이 분해될 때 발생하는 미세 플라스틱이 인간의 혈액에서도 검출되면서 플라스틱 오염에 대한 우려는 점점 커지고 있다. 경제 협력 개발 기구(OECD)는 화석 연료로 생산하는 플라스틱이 전 세계 탄소 배출량의 3.4%를 차지한다며 플라스틱이 지구 온난화에도 영향을 미치고 있다고 지적하였다. 그린피스 등 환경 단체들은 플라스틱의 재활용률이 10% 미만이고, 20% 이상은 불에 태우거나 아무 곳에나 버려지고 있다며 플라스틱을 규제하는 국제 협약이 필요하다고 강조하였다. 이에 전 세계 175개국은 플라스틱이 유발하는 환경오염을 규제하기 위한 국제 협약의 초안을 마련하기로 뜻을 모았다.
- 미군 철수 후 아프가니스탄 정권을 장악한 탈레반 치하에서 아프간인들이 겪는 기아와 빈곤 문제가 심각하다. 41개국이 참가한 화상 회의에서 유엔 사무총장은 “아프간인의 약 95%는 먹을 것이 부족하고 900만 명은 기아선상에 놓여 있다며 즉각 행동하지 않으면 기아와 영양 결핍에 빠진 아프간을 보게 될 것”이라고 우려하였다. 이날 회의에서 영국은 3억 8천만 달러, 독일은 2억 유로, 미국은 2억 400만 달러를 내기로 약속했으며, 유엔은 국제 사회가 아프간인들을 돕기 위해 24억 4천만 달러의 기금을 마련하기로 약정했다고 밝혔다.

① 국제 문제 해결 과정에서 국가는 자국의 이익을 우선시한다.
② 국가 간 경제 격차로 인한 갈등이 국제 문제 발생의 원인이다.
③ 국제 문제 발생 시 외교적 해결보다 사법적 해결이 더 효과적이다.
④ 개별 국가의 대응만으로 해결이 어려워 국제 사회의 협력과 공조가 필요하다.
⑤ 국제기구가 개별 국가를 규제할 수 있는 강제력을 가지지 못해 국제 문제 해결에 어려움이 있다.

06

▸ 24063-0154

다음 사례를 통해 파악할 수 있는 국제 연합의 한계에 대한 옳은 설명만을 〈보기〉에서 있는 대로 고른 것은?

갑국은 1979년 ○○정권이 출범하면서 우호적인 관계였던 을국과 마찰이 발생하였다. 이에 을국은 갑국 내 반 정부 세력에게 군사 고문단 파견, 무기 제공 등의 지원 활동을 계속하였고 갑국은 을국의 이러한 활동이 자국에 대한 무력 침공을 구성하는 것이라며 국제 사법 재판소에 제소하였다. 이에 국제 사법 재판소는 을국이 갑국에 대해 국제 연합 헌장 및 국제 관습법이 금지하는 무력 공격을 했다는 점을 인정하며 갑국이 입은 피해에 대해 을국이 배상하여야 한다고 판시하였다. 그러나 을국은 지속적으로 국제 사법 재판소 판결 이행을 거부하였다. 국제 연합 헌장은 국제 사법 재판소 판결의 이행을 위해 안전 보장 이사회가 적절한 조치를 결정할 수 있도록 규정하고 있지만 을국이 표결 과정에서 거부권을 행사할 수 있는 상임 이사국이라서 이마저도 기대하기 어렵다.

보기

ㄱ. 안전 보장 이사회의 표결 과정에서 강대국의 힘의 논리가 반영된다.
ㄴ. 국제 사법 재판소가 판결을 이행하지 않는 당사국을 직접 제재할 수단이 없다.
ㄷ. 회원국들의 분담금 납부가 원활하게 이루어지지 않아 재정적인 어려움을 겪고 있다.
ㄹ. 안전 보장 이사회의 상임 이사국이 국제 사법 재판의 패소국인 경우 판결 이행을 위한 조치가 이루어지기 어렵다.

① ㄱ, ㄷ ② ㄱ, ㄹ ③ ㄴ, ㄷ ④ ㄱ, ㄴ, ㄹ ⑤ ㄴ, ㄷ, ㄹ

▸ 24063-0161

5 **우리나라 헌법의 기본 원리 A, B에 대한 설명으로 옳은 것은?**

> ○○ 신문
>
> 정부는 청년들의 문화생활 향유를 위하여 연 20만 원을 지원하는 청년 문화 복지 카드 사업을 추진하고 있다.

이 사업은 국가가 국민의 자율적인 문화 활동을 보장함으로써 문화 발전의 토대를 마련하는 것이 되므로 A를 구현하는 것이라 볼 수 있습니다.

국민들이 다양한 문화 생활을 누릴 수 있게 하는 것은 국민들의 인간다운 삶을 보장해 주는 것이 되므로 B를 구현하는 것도 될 수 있습니다.

① A를 실현하기 위해 종교 · 학문 · 예술 활동의 자유를 보장한다.
② A는 국가가 경제 민주화를 위하여 경제에 관한 규제와 조정을 할 수 있는 근거가 된다.
③ B는 근대 입헌주의 헌법에서부터 강조된 원리이다.
④ B를 실현하기 위하여 우리나라는 국제법과 조약이 정하는 바에 의하여 외국인의 지위를 보장한다.
⑤ B는 A와 달리 기본권을 해석하거나 제한하는 입법의 심사 기준으로 작용한다.

▸ 24063-0162

6 **밑줄 친 ㉠~㉥에 대한 설명으로 옳은 것은?**

어제 치러진 지방 선거에서 우리 지역에서 여러 명의 ㉠지방 의회 의원이 당선되었다고 하는데 왜 이렇게 많은 거예요?

지역구 의원으로 당선된 사람들 중에는 ㉡○○도 의회 의원이 있고, ㉢△△시 의회 의원도 있어서 그래.

㉣지방 자치 단체의 장도 두 명이던데요.

맞아. ㉤○○도지사와 ㉥△△ 시장이 각각 선출됐어.

① ㉤은 조례를 제정하거나 개정 또는 폐지에 대한 의결권을 가진다.
② ㉠은 집행 기관, ㉣은 의결 기관이다.
③ ㉡은 ㉤과 달리 주민 소환의 대상이 된다.
④ ㉥은 ㉢이 편성한 지방 자치 단체의 예산을 심의 · 의결한다.
⑤ ㉢은 지방 자치 사무 전반에 대한 감사권 행사를 통해 ㉥을 견제할 수 있다.

▸ 24063-0163

7 **다음 자료에 대한 설명으로 옳은 것은? (단, A~D는 우리나라 국가 기관임.) [3점]**

> 오늘 A는 ㉠본회의를 열고 B가 재의 요구한 ㉡○○법 개정안에 대해 의결하였습니다. C 후보자인 갑에 대한 임명 동의안도 의결되었습니다. 이로써 갑은 행정부 최고 심의 기관인 D에 부의장으로서 참석할 수 있게 되었습니다.

① A에서 ㉡의 의결 정족수는 헌법 개정안의 의결 정족수와 같다.
② B는 ㉠의 개최를 A에 요구할 수 있다.
③ D는 A와 달리 국가 및 법률이 정한 단체의 회계 검사를 담당한다.
④ 감사원은 세입 · 세출의 결산을 검사하여 C와 D에 보고하여야 한다.
⑤ A는 C의 해임을 B에게 건의할 수 있다.

▸ 24063-0164

8 **다음 자료에 대한 설명으로 옳지 않은 것은?**

> • 갑은 ○○법을 위반하였다는 이유로 기소되어 재판을 받았다. 1, 2심 모두 유죄 판결이 났으며, 갑은 2심 판결에 불복하여 A에 상고하였다. 상고심 계속 중 갑은 ○○법 해당 조항이 자신의 기본권을 침해하여 헌법에 위반된다고 주장하며 A에 (가) 제청 신청을 하였으나 기각되자, B에 헌법 소원 심판을 청구하였다.
> • 지방 의회 의원 선거에서 당선된 을은 지방 의회 의원은 국회의원과 달리 후원회를 지정할 수 없으며, 이를 위반한 경우 형사 처벌을 할 수 있도록 규정한 △△법 해당 조항이 자신의 기본권을 침해한다며 B에 헌법 소원 심판을 청구하였다.

① 갑은 위헌 심사형 헌법 소원 심판, 을은 권리 구제형 헌법 소원 심판을 청구하였다.
② A의 장(長)은 B의 재판관을 구성할 권한을 가진다.
③ A의 장(長)은 B의 장(長)과 달리 탄핵 심판의 대상이 된다.
④ A는 당사자의 신청이 없더라도 B에 (가)를 제청할 수 있다.
⑤ A의 장(長), B의 장(長)은 모두 국회의 동의를 얻어 대통령이 임명한다.

▶ 24063-0165

9 다음 자료에 대한 옳은 설명만을 〈보기〉에서 고른 것은? (단, A~C는 각각 정당, 시민 단체, 이익 집단 중 하나임.) [3점]

문제: A, B, C에 해당하는 특징을 두 가지씩만 작성하세요.

구분	답안	채점 결과
A	• 공익 실현을 목적으로 한다. • (가)	2점
B	• 정치적 책임을 진다. • (나)	1점
C	• 집단의 특수 이익 실현을 목적으로 한다. • (다)	2점

* 각 답안 내용별로 채점하고, 답안 하나당 맞으면 1점, 틀리면 0점을 부여함.

보기

ㄱ. B가 시민 단체이면, (가)에 '정치 과정에서 산출 기능을 담당한다.'가 들어갈 수 있다.

ㄴ. (나)에 '정치적 중립을 추구한다.'가 들어가면, A, C는 대의 민주제의 한계를 보완하는 역할을 한다.

ㄷ. (가)에 '정권 획득을 목표로 한다.'가 들어가면, (나)에 '공익 실현을 목적으로 한다.'가 들어갈 수 있다.

ㄹ. '정치 사회화 기능을 수행한다.'는 (다)와 달리 (가), (나)에는 들어갈 수 있다.

① ㄱ, ㄴ ② ㄱ, ㄷ ③ ㄴ, ㄷ ④ ㄴ, ㄹ ⑤ ㄷ, ㄹ

▶ 24063-0166

10 다음 자료에 대한 분석으로 옳은 것은? [3점]

전형적인 의원 내각제를 채택하고 있는 갑국은 지역구 의원 240명, 비례 대표 의원 50명으로 의회가 구성된다. 갑국은 차기 선거부터 다음 1안과 2안 중 하나로 선거 제도를 개편하고자 한다. 1안, 2안 모두 지역구 의원 240명, 비례 대표 의원 50명으로 의회가 구성되며, 유권자는 지역구 의원 선출을 위해 후보자에 1표, 비례 대표 의원 선출을 위해 정당에 1표를 행사한다. 각 선거구별로 선출되는 지역구 의원 수는 같다.

• 1안
지역구 의원 선거에서는 단순 다수 대표제 방식으로 당선되고, 각 정당은 선거구별로 1인의 후보자만 공천한다. 비례 대표 의석은 각 정당의 배분 의석수에서 각 정당의 지역구 의석수를 뺀 값을 각 정당에 배분한다. 각 정당의 배분 의석수보다 각 정당의 지역구 의석수가 더 많으면 해당 정당에는 비례 대표 의석은 배분하지 않고, 이 결과 갑국에 초과 의석이 발생할 수 있다. 각 정당의 배분 의석수는 각 정당의 정당 투표 득표율에 의회 의원 정수(290명)를 곱하여 산출된 수의 정수(整數)만큼 의석을 각 정당에 먼저 배분하고, 잔여 의석은 소수점 이하 수가 큰 순서대로 각 정당에 1석씩 배분한다.

• 2안
지역구 의원 선거 방식은 1안과 같다. 비례 대표 의석은 비례 대표 의석수(50석)에 각 정당 득표율을 곱하여 산출된 수의 정수(整數)만큼 의석을 각 정당에 먼저 배분하고, 잔여 의석은 득표율이 높은 정당부터 1석씩 배분한다.

다음은 갑국의 최근 의회 의원 선거 결과이다.

(단위: %)

구분	A당	B당	C당	D당
정당 투표 득표율	17	43	19	21
지역구 의석률	10	55	20	15

* 투표율은 100%이고, 무소속 후보자 및 무효표는 없음.
** 개편안 적용 시, 최근 의회 의원 선거 결과를 토대로 함.

① 1안 적용 시, 지역구 의원 선거의 선거구제는 중·대선거구제이다.
② 1안 적용 시, 초과 의석은 3석이 발생한다.
③ 2안 적용 시, A당은 과대 대표된다.
④ 1안과 달리 2안 적용 시, B당은 단독으로 내각을 구성할 수 있다.
⑤ C, D당은 모두 1안보다 2안을 적용할 경우 유리하다.

▸ 24063-0167

11 민법의 기본 원칙이 적용된 판결 (가), (나)에 대한 설명으로 옳은 것은?

(가) 가족사진 촬영을 예약하였다가 촬영일 10일 전에 취소했는데, 예약금 환불이 불가하다고 규정한 약관 조항은 사업자가 입게 되는 손해에 비하여 당사자는 과중한 손해를 입게 되어 지나치게 불공정하므로 이 약관 조항은 무효이다.
(나) 피고는 상가 점포 점유자로서 건물 외부 전기 배선 관리를 잘못하여 마찰로 피복이 벗겨진 전기 배선 부분이 빗물 등에 노출돼 화재가 발생하여 원고의 점포에 피해를 주었으므로 피고에게 배상 책임이 있다.

① (가)에 적용된 원칙에 따르면 계약의 내용이 현저하게 불공정할 경우에는 그 법적 효력이 발생하지 않는다.
② (나)에 적용된 원칙에 따르면 가해자의 고의나 과실이 없어도 일정한 요건이 충족되면 그 행위로 인해 발생한 손해에 대한 배상을 인정한다.
③ (나)에 적용된 원칙은 제조물 책임법에서 제조업자의 배상 책임에 적용된다.
④ (가)에 적용된 원칙은 (나)에 적용된 원칙과 달리 개인 간 법률관계의 형성에 국가가 개입해서는 안 됨을 강조한다.
⑤ (가)에 적용된 원칙에 비해 (나)에 적용된 원칙은 경제적 약자를 보호하는 효과가 크다.

▸ 24063-0168

12 다음 사례에 대한 법적 판단으로 옳은 것은?

법률혼 부부인 갑과 을은 자녀 병을 낳고 살았으나 종교 문제로 다툼이 심해지면서 협의상 이혼을 하였다. 병에 대한 양육권은 갑이 가지기로 하였다. 몇 년 후 갑은 정과 재혼하고 혼인 신고를 하였다. 얼마 후 정은 병을 적법한 절차를 거쳐 친양자로 입양하였고 그로부터 1년 뒤에 갑과 정 사이에서 자녀 무가 태어났다. 어느 날 교통사고로 정이 사망하였고, 사망 당시 정에게는 14억 원의 재산이 있었다. 정은 평소에 자신이 죽으면 모든 재산을 ○○재단에 넘기라는 말을 자주 하였다.

① 갑과 을의 이혼은 법원의 이혼 의사 확인으로 효력이 발생한다.
② 병과 무는 모두 법원의 판결로 정과 친자 관계가 형성되었다.
③ 정이 병을 입양한 이후에도 을과 병 간의 친자 관계는 유지된다.
④ 정의 사망 시 병의 법정 상속분과 무의 법정 상속분은 같다.
⑤ 갑, 병, 무가 유류분 반환을 청구하지 않을 경우 ○○재단이 14억 원을 받는다.

▸ 24063-0169

13 다음 사례에 대한 옳은 법적 판단만을 〈보기〉에서 고른 것은? [3점]

• 갑(50세)이 운전 중 극도로 피곤한 상태에서 브레이크를 밟는다는 것이 가속 페달을 잘못 밟아 A를 다치게 하였다.
• 을(30세)은 해외여행을 간 병의 부탁으로 병의 개를 관리하고 있었는데, 산책하다가 을이 잠깐 한눈을 판 사이 병의 개가 B를 물어 다치게 하였다.
• 정이 아들 무(5세)와 함께 공원에서 산책하던 중 무가 장난삼아 던진 돌에 근처에 있던 C가 맞아 크게 다쳤다.

보기

ㄱ. 갑은 행위 당시 책임 능력이 없으므로 불법 행위 책임을 지지 않는다.
ㄴ. 을과 병이 B에 대해 공동 불법 행위자의 책임을 진다.
ㄷ. 정은 무의 법정 감독 의무자로서 C에 대해 특수 불법 행위 책임을 질 수 있다.
ㄹ. 갑은 일반 불법 행위 책임, 을은 특수 불법 행위 책임을 질 수 있다.

① ㄱ, ㄴ ② ㄱ, ㄷ ③ ㄴ, ㄷ ④ ㄴ, ㄹ ⑤ ㄷ, ㄹ

▸ 24063-0170

14 다음 자료의 (가)~(다)에 대한 옳은 법적 판단만을 〈보기〉에서 있는 대로 고른 것은? [3점]

갑(18세)은 을(40세)로부터 고가의 전기 자전거를 구입하였다. 표의 (가)~(다)는 전기 자전거 구입 계약을 체결할 당시의 상황을 나타낸다. 갑의 법정 대리인은 병이다.

구분		갑의 상황	
		병의 동의를 얻은 경우	병의 동의를 얻지 않은 경우
을의 상황	갑이 미성년자임을 안 경우	(가)	(나)
	갑이 미성년자임을 알지 못한 경우	–	(다)

보기

ㄱ. (가)의 상황에서 병은 갑이 미성년자임을 이유로 갑과 을의 계약을 취소할 수 없다.
ㄴ. (나)의 상황에서 을은 병에게 갑과의 계약을 추인할지 여부의 확답을 촉구할 수 있다.
ㄷ. (다)의 상황에서 을은 병에게 계약 체결의 의사 표시를 철회할 수 없다.

① ㄱ ② ㄴ ③ ㄱ, ㄴ
④ ㄴ, ㄷ ⑤ ㄱ, ㄴ, ㄷ

▸ 24063-0171

15 다음 사례에 대한 옳은 법적 판단만을 〈보기〉에서 고른 것은? [3점]

○○회사에 다니는 갑과 을은 모두 ○○회사의 노동조합에 가입되어 있다. 어느 날 ○○회사는 갑과 을을 해고하였는데, 갑과 을은 모두 부당 해고라고 생각한다. 다음은 갑과 을의 해고 사유 및 구제 절차와 법원 판결을 나타낸다.

구분	갑	을
해고 사유	노동조합 간부로서 파업 주도	상습적인 무단 결근 등 불성실한 근무 태도
구제 절차	갑이 중앙 노동 위원회의 재심 판정에 불복하여 행정 소송을 제기	○○회사가 중앙 노동 위원회의 재심 판정에 불복하여 행정 소송을 제기
법원의 판결	갑이 승소하였으며 판결이 확정됨.	○○회사가 승소하였으며 판결이 확정됨.

보기

ㄱ. 법원은 ○○회사의 갑에 대한 부당 해고를 인정하였다.
ㄴ. 지방 노동 위원회는 갑에 대한 해고가 부당 해고로 성립하지 않는다고 판단하였다.
ㄷ. 중앙 노동 위원회는 을에 대한 해고가 부당 해고로 성립한다고 판단하였다.
ㄹ. ○○회사의 노동조합은 지방 노동 위원회에 을의 해고에 대해 부당 노동 행위 구제 신청을 할 수 있었다.

① ㄱ, ㄴ ② ㄱ, ㄷ ③ ㄴ, ㄷ ④ ㄴ, ㄹ ⑤ ㄷ, ㄹ

▸ 24063-0172

16 다음 자료에 대한 분석으로 옳은 것은? [3점]

갑(20세)은 을을 폭행하여 상해를 입힌 혐의로 체포되었다. 갑은 수사를 받고 구속된 상태에서 기소되었다. 다음 (가)~(라)는 갑의 형사 절차를 나타낸다.

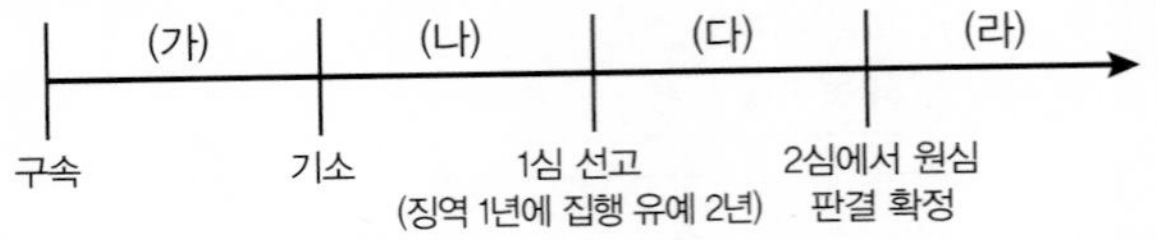

① (가)에서 갑은 구속 영장 실질 심사를 청구할 수 있다.
② (나)에서 갑은 보석 제도를 활용하여 구속 집행 정지를 청구할 수 있다.
③ (다)에서 을은 갑에 대한 형벌이 너무 가볍다고 판단할 경우 항소할 수 있다.
④ (라)에서 판결 확정일로부터 2년이 지나면 갑은 교도소에 구금된다.
⑤ 갑은 (가)~(라)에서 모두 무죄로 추정된다.

▸ 24063-0173

17 다음 자료에 대한 옳은 설명만을 〈보기〉에서 있는 대로 고른 것은? (단, A~C는 각각 조약, 국제 관습법, 법의 일반 원칙 중 하나임.) [3점]

〈자료 1〉은 국제법의 법원(法源) A~C를 비교한 것이고, 〈자료 2〉는 갑~병이 제시된 각 진술에 해당하는 국제법의 법원(法源)을 모두 적은 것이다.

〈자료 1〉

• B와 달리 A는 주로 성문의 형식으로 존재한다.
• A, B와 달리 C는 국내 문제 불간섭의 원칙을 포함한다.

〈자료 2〉

진술	갑	을	병
신의 성실의 원칙을 포함한다.	C	B	A
일정한 체결 절차를 거쳐야 법적 효력을 가진다.	A	A	C
국제 사회의 반복적 관행이 법 규범으로 승인된 것이다.	B	C	B

보기

ㄱ. 모든 진술에 대하여 옳은 답을 적은 사람은 갑이다.
ㄴ. C와 달리 B는 원칙적으로 체결 당사자에 대해서만 효력이 발생된다.
ㄷ. A와 달리 B, C는 국제 사회에서 원칙적으로 포괄적인 구속력을 가진다.
ㄹ. A, B, C는 모두 국제 사법 재판소의 재판 규범으로 작용한다.

① ㄱ, ㄴ ② ㄱ, ㄷ ③ ㄷ, ㄹ
④ ㄱ, ㄴ, ㄹ ⑤ ㄴ, ㄷ, ㄹ

▸ 24063-0174

18 **국제 관계를 바라보는 관점 A, B에 대한 진술로 옳은 것은? (단, A, B는 각각 국제 관계를 바라보는 자유주의적 관점과 현실주의적 관점 중 하나임.)**

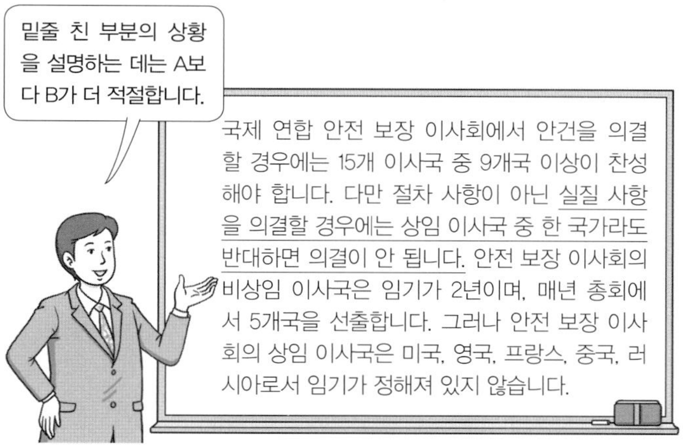

밑줄 친 부분의 상황을 설명하는 데는 A보다 B가 더 적절합니다.
국제 연합 안전 보장 이사회에서 안건을 의결할 경우에는 15개 이사국 중 9개국 이상이 찬성해야 합니다. 다만 절차 사항이 아닌 실질 사항을 의결할 경우에는 상임 이사국 중 한 국가라도 반대하면 의결이 안 됩니다. 안전 보장 이사회의 비상임 이사국은 임기가 2년이며, 매년 총회에서 5개국을 선출합니다. 그러나 안전 보장 이사회의 상임 이사국은 미국, 영국, 프랑스, 중국, 러시아로서 임기가 정해져 있지 않습니다.

① A는 국제 사회가 힘의 논리에 의해 지배된다고 본다.
② B는 국제 사회에 보편적인 선(善)이 존재한다고 전제한다.
③ A는 B와 달리 국제법과 국제기구의 역할을 중시한다.
④ A와 달리 B는 집단 안보 체제를 통해 국제 평화를 유지할 수 있다고 본다.
⑤ B와 달리 A는 개별 국가는 자국의 이익을 배타적으로 추구한다고 본다.

▸ 24063-0175

19 **다음 사례에서 법원이 밑줄 친 부분과 같이 판결한 근거로 가장 적절한 것은?**

> 갑은 ○○ 법원의 집행관 사무소의 사무원으로 근무하는 도중 경매 입찰과 관련하여 금품을 받아 뇌물죄로 기소되었다. 이에 법원은 형법 제129조의 뇌물죄는 공무원이 업무와 관련하여 뇌물을 수수한 것을 말하는데, 집행관 사무소의 사무원은 집행관을 보조하는 위치에 있을 뿐이므로 형법 제129조에서 정한 공무원으로 볼 수 없다고 밝혔다. 집행관 사무소의 사무원이 하는 업무의 성질이 국가의 사무와 비슷하다는 이유로 공무원에게 적용되는 형법상 뇌물죄를 적용하는 것은 잘못이라며 무죄를 선고하였다.

① 성문법이 아닌 관습법을 근거로 처벌할 수 없다.
② 범죄의 성립과 그 처벌은 행위 당시의 법률에 의해야 한다.
③ 범죄와 형벌이 법률에 구체적이고 명확하게 규정되어야 한다.
④ 범죄 행위의 경중과 행위자가 부담해야 할 형벌의 정도는 서로 균형을 이루어야 한다.
⑤ 법률에 규정이 없는 사항에 대해서 그것과 유사한 성질을 가지는 사항에 관한 법률을 적용하여 처벌해서는 안 된다.

▸ 24063-0176

20 **다음 사례에 대한 법적 판단으로 옳은 것은? (단, 갑~병이 받은 처분 및 판결은 확정되었음.)**

> • 갑은 사기 혐의로 구속되어 수사를 받았으나 검사는 갑이 피해를 배상하고 깊이 반성하고 있는 점을 참작하여 기소 유예 처분을 내렸다.
> • 을은 남의 집 창문을 깨뜨린 혐의로 불구속 상태에서 수사와 재판을 받았으나 법원은 화재로 긴급한 상황에서 현재의 위난을 피하기 위한 상당한 이유가 인정된다고 판단하여 무죄 판결을 내렸다.
> • 병은 법정에서 허위 증언을 한 혐의로 구속되어 재판을 받았으나 법원은 병의 행위가 조직 폭력배들의 협박에 의하여 강요된 행위로 법적 비난 가능성이 없음을 인정하여 무죄 판결을 내렸다.

① 검사는 갑의 행위가 범죄로 성립되지 않는다고 보았다.
② 법원은 을의 행위가 긴급 피난에 해당한다고 보았다.
③ 법원은 병의 행위가 위법성이 조각된다고 보았다.
④ 법원은 을과 병의 행위가 범죄의 구성 요건에 해당하지 않는다고 보았다.
⑤ 을과 달리 갑, 병은 국가에 형사 보상을 청구할 수 있다.

문항에 따라 배점이 다르니, 각 물음의 끝에 표시된 배점을 참고하시오. 3점 문항에만 점수가 표시되어 있습니다. 점수 표시가 없는 문항은 모두 2점입니다.

▶ 24063-0177

1 그림은 정치를 바라보는 관점에 대한 수업 장면이다. 이에 대한 설명으로 옳은 것은? [3점]

[상황 1], [상황 2]는 정치라고 할 수 있을까요?

교사

[상황 1] 동창회에서 동창들이 △△ 회칙을 만드는 과정
[상황 2] 국회에서 국회 의원들이 ○○ 법률을 제정하는 과정

갑: [상황 1]과 달리 [상황 2]는 정치라고 할 수 있습니다. 정치는 국가만의 고유한 현상으로 정치권력의 획득·유지·행사와 관련된 활동이기 때문입니다.

을: 저는 갑의 의견과 다릅니다. (가) 은/는 정치라고 할 수 있습니다. 정치는 모든 사회 집단에서 나타나는 이해관계나 갈등을 조정하고 해결하는 활동이기 때문입니다.

① 갑의 관점은 국가 형성 이전에 나타난 정치 현상을 설명하는 데 적합하다.
② 을의 관점은 복잡하고 다원화된 현대 사회의 정치 현상을 설명하는 데 적합하다.
③ 갑의 관점은 을의 관점과 달리 정부가 정책을 논의하는 과정을 정치라고 본다.
④ 을의 관점은 갑의 관점과 달리 소수의 엘리트에 의해서만 정치가 이루어진다고 본다.
⑤ (가)에는 '[상황 2]와 달리 [상황 1]'이 들어갈 수 있다.

▶ 24063-0178

2 법치주의의 유형 A, B에 대한 설명으로 옳은 것은?

A는 법의 목적이나 내용에 관계 없이 통치의 합법성을 강조한다. 즉, 합법적인 절차를 거쳐 제정된 명확한 법에 의해 통치가 이루어져야 한다는 원리이다. B는 합법적인 절차에 따라 법이 제정되는 것뿐만 아니라 그 목적과 내용도 인간의 존엄성, 정의에 부합하는 법에 따라 통치가 이루어져야 한다는 원리이다.

① A는 독재 정치를 정당화하는 논리로 악용될 수 있다.
② B는 통치자를 제외한 모든 사람이 법의 지배를 받아야 한다고 본다.
③ A는 B와 달리 위헌 법률 심사제의 필요성을 강조한다.
④ B는 A와 달리 국가의 자의적 권력 행사 방지를 중시한다.
⑤ 법치주의의 의미는 역사적으로 B에서 A로 변천해 왔다.

▶ 24063-0179

3 다음 자료에 대한 설명으로 옳은 것은? (단, 갑국과 을국의 정부 형태는 각각 전형적인 대통령제와 의원 내각제 중 하나임.)

갑국 국민: 이번에 선출된 의회 의원 중에서 내가 평소에 지지하는 의원들이 총리와 각료가 되었어.

을국 국민: 우리나라는 너희 나라와 달라. 우리나라에서는 의회 의원의 각료 겸직이 금지되어 있어.

① 갑국에서는 행정부 수반이 국가 원수의 지위를 가진다.
② 을국의 정부 형태는 입법부와 행정부의 권력이 융합된 형태이다.
③ 갑국에서는 을국에서와 달리 의회가 행정부에 대한 불신임권을 가진다.
④ 을국에서는 갑국에서와 달리 행정부가 법률안 제출권을 가진다.
⑤ 갑국, 을국에서는 모두 국민의 선거를 통해 행정부 수반을 선출한다.

▶ 24063-0180

4 밑줄 친 ㉠~㉤에 대한 옳은 설명만을 〈보기〉에서 고른 것은? [3점]

○○ 신문

㉠정부에서 마련한 △△ 복지 제도 시행

㉡정부는 △△ 복지 제도를 시행하기로 하였다. ㉢□□ 협회의 △△ 복지 필요에 대한 지속적인 요구가 있었고 정부가 이러한 요구를 수용한 것이다. △△ 복지 제도가 시행됨에 따라 ㉣◇◇ 학회는 '△△ 복지 제도의 평가와 앞으로의 준비'라는 주제로 학술 대회를 열었다. 추후 ㉤ △△ 복지 제도 시행에 따라 나타나는 다양한 사회 현상에 대하여 전문가와 국민이 여러 측면에서 평가를 할 것이다.

┌ 보기 ┐
ㄱ. ㉠은 정치 과정에서 투입에 해당한다.
ㄴ. ㉢은 정치 과정에서 산출에 해당한다.
ㄷ. ㉣과 달리 ㉡은 정책 결정 기구에 해당한다.
ㄹ. ㉤은 정치 과정에서 ㉠에 대한 환류에 해당한다.

① ㄱ, ㄴ ② ㄱ, ㄷ ③ ㄴ, ㄷ ④ ㄴ, ㄹ ⑤ ㄷ, ㄹ

▶ 24063-0181

5 **다음 자료에 대한 설명으로 옳은 것은? (단, A~C는 각각 자유권, 사회권, 청구권 중 하나임.) [3점]**

서술형 평가

문제: 기본권 유형 A, B, C의 특징을 각각 2가지만 쓰시오.
(특징 한 개당 옳게 답한 경우 1점, 총 6점)

기본권 유형	답란	점수
A	• 기본권 중 역사적으로 가장 오래된 기본권이다. • 다른 기본권 보장을 위한 수단적 권리이다.	1점
B	• 소극적이고 방어적 성격의 권리이다. • (가)	2점
C	• 실질적 평등의 실현을 목적으로 하는 권리이다. • (나)	1점

① A는 국가의 존재를 전제로 하지 않는 권리이다.
② B는 자본주의 문제점을 해결하는 과정에서 등장한 권리이다.
③ C는 법률로도 제한할 수 없는 불가침의 권리이다.
④ (가)에는 '바이마르 헌법에 처음으로 규정된 권리이다.'가 들어갈 수 있다.
⑤ (나)에는 '헌법에 열거되지 않아도 보장받을 수 있는 권리이다.'가 들어갈 수 있다.

▶ 24063-0182

6 **우리나라 헌법의 기본 원리 A, B에 대한 설명으로 옳은 것은?**

우리나라 헌법의 기본 원리에서 A는 헌법 제9조 "국가는 전통문화의 계승·발전과 민족 문화의 창달에 노력하여야 한다."와 관련이 있고, B는 헌법 제34조 제1항 "모든 국민은 인간다운 생활을 할 권리를 가진다."와 관련이 있어요.

① A는 최고의 권력인 주권이 국민에게 있다는 원리이다.
② A의 실현 방안으로 '권력 분립 제도와 사법권의 독립'이 있다.
③ B는 남북 분단이라는 역사적 상황에서 평화적 통일을 추구한다는 원리이다.
④ B의 실현 방안으로 '국가에 사회 보장 및 사회 복지의 증진 의무 부여'가 있다.
⑤ A는 B와 달리 현대 복지 국가 헌법에서부터 강조된 원리이다.

▶ 24063-0183

7 **우리나라의 국가 기관 A~D에 대한 설명으로 옳은 것은?**

• A는 국가의 세입·세출 결산의 검사권을 가진다.
• B는 상고·재항고 사건의 최종심 관할권을 가진다.
• C는 B의 장(長)에 대한 임명권을 가진다.
• D는 C에 대한 탄핵 소추권을 가진다.

① A는 국가 예산안 심의·확정권을 가진다.
② B는 위헌 법률 심판권을 가진다.
③ C는 법률 제·개정권을 가진다.
④ D는 국정 감사권과 국정 조사권을 가진다.
⑤ 국무 회의에서 C는 의장, A의 장(長)은 부의장이다.

▶ 24063-0184

8 **우리나라 지방 자치 단체의 기관 A, B에 대한 설명으로 옳은 것은? (단, A, B는 각각 지방 의회, 지방 자치 단체의 장 중 하나임.) [3점]**

○○시 행정 사무의 총괄 책임을 지는 A는 B를 방문하여 간담회에 참석하였습니다. 간담회에서는 올해 계획된 지방 자치 단체 예산을 반영하여 ○○시의 주요한 현안 사업에 대해 함께 의견을 공유하고 수렴하는 시간을 가졌습니다. A는 해당 사업이 ○○시 예산안을 심의·의결하는 B의 협력이 필요한 사업이라고 강조하였습니다. 사업과 관련하여 부족한 예산은 정부의 추가 지원을 요청한다는 입장입니다.

① A는 조례를 제정할 수 있는 권한을 가진다.
② B는 지방 자치 단체의 사무에 대한 감사권을 가진다.
③ B의 장(長)은 A와 달리 주민 소환의 대상이 될 수 있다.
④ A와 B는 수직적 권력 분립 관계에 있다.
⑤ A, B 모두 중앙 정부와 수평적 권력 분립 관계에 있다.

▶ 24063-0185

9 **정치 참여 집단 A~C에 대한 설명으로 옳은 것은? (단, A~C는 각각 정당, 이익 집단, 시민 단체 중 하나임.)**

A는 특수 이익을 추구하는 B와 구별되고 C처럼 공공의 이익을 추구한다. 한편, A는 자신의 행위에 대해 정치적 책임을 지는 C와 구별된다.

① A는 정권 획득을 목적으로 한다.
② B는 행정부와 의회를 매개하는 역할을 한다.
③ C는 공직 선거에서 후보자를 공천한다.
④ C는 A, B와 달리 대의 민주주의의 한계를 보완하는 기능을 한다.
⑤ A, C는 B와 달리 구성원의 이익을 위해 정부에 의사를 표출한다.

▸24063-0186

10 민법의 기본 원칙 A, B에 대한 설명으로 옳은 것은?

근대 민법의 기본 원칙인 A는 개인 소유의 재산에 대한 사적 지배를 인정하고 국가나 다른 개인이 함부로 이를 간섭하거나 제한하지 못한다는 원칙이다. 이후 자본주의의 발달에 따라 빈부 격차, 환경 오염 등의 문제가 발생함에 따라 소유권에 공공의 개념을 접합하여 소유권은 공공복리에 적합하도록 행사해야 한다는 B로 수정·보완되었다.

① A는 사적 자치의 원칙, B는 계약 공정의 원칙이다.
② A에 따르면 현저히 불공정한 내용의 계약은 무효이다.
③ B에 따르면 자신의 행동에 충분한 주의를 기울였다면 책임을 질 필요가 없다.
④ 정부가 환경을 보호하기 위해 개인 소유의 땅을 개발 제한 구역으로 지정하는 것은 A가 아닌 B에 부합한다.
⑤ B는 A와 달리 개인주의와 자유주의를 바탕으로 하고 있다.

▸24063-0187

11 다음 사례에 대한 옳은 법적 판단만을 〈보기〉에서 고른 것은? [3점]

고등학생 갑(15세)과 을(17세)은 전자 제품 대리점에 가서 고가의 노트북을 구매하는 계약을 사장인 병(45세)과 각각 체결하였다. 계약 체결 당시 갑은 법정 대리인의 동의가 있었고, 병은 갑이 미성년자임을 알았다. 반면, 을은 계약 체결 당시 법정 대리인의 동의를 받지 않았고, 병은 을이 미성년자인 것을 몰랐다.

보기

ㄱ. 갑의 법정 대리인은 갑이 미성년자라는 이유로 갑이 병과 체결한 계약을 취소할 수 없다.
ㄴ. 병은 갑의 법정 대리인에게 갑이 병과 체결한 계약을 취소할 것인지에 대한 확답을 촉구할 권리가 없다.
ㄷ. 을의 법정 대리인은 을과 달리 을이 병과 체결한 계약을 취소할 수 있다.
ㄹ. 병은 을과의 계약을 철회할 수 없다.

① ㄱ, ㄴ ② ㄱ, ㄷ ③ ㄴ, ㄷ ④ ㄴ, ㄹ ⑤ ㄷ, ㄹ

▸24063-0188

12 다음 사례에 대한 법적 판단으로 옳은 것은? [3점]

• 갑은 유치원생 자녀 을과 함께 직장 동료가 맡긴 강아지를 데리고 공원에서 산책을 하였다. 갑이 산책하다가 친구를 만나 이야기를 하던 중에 감독 의무를 게을리한 틈을 타서 을이 장난감을 던져 병 소유의 드론이 파손되었다. 갑은 병에게 사과하기 위해 다가가던 중 실수로 강아지의 목줄을 놓쳤고, 강아지가 조깅하고 있던 정의 다리를 물어 부상을 입혔다.
• A는 집에서 배달 음식을 먹기 위해 B가 운영하는 치킨집에서 치킨 배달을 시켰다. B는 치킨집에서 배달 아르바이트를 하는 C의 배달 업무 관련 감독을 소홀히 했는데 때마침 C가 오토바이 배달 중 부주의로 D를 치어 부상을 입혔다. 그리고 A는 배달시킨 치킨을 받지 못하였다.

① 갑은 병에게 법정 감독 의무자로서 특수 불법 행위 책임을 진다.
② 을은 책임 능력이 없어서 갑이 병의 손해에 대한 무과실 책임을 진다.
③ 갑은 정에게 동물의 점유자 책임을 지지 않는다.
④ C는 A에게 계약에 따른 채무 불이행 책임을 진다.
⑤ B와 C는 D에 대해 공동 불법 행위자의 책임을 진다.

▸24063-0189

13 밑줄 친 A 원칙에 부합하는 진술로 가장 적절한 것은?

A 원칙은 법적 안정성과 법률에 대한 예측 가능성을 담보하는 법치 국가 이념에 그 근거가 있다. 즉 행위 시에 범죄가 되지 않는다고 신뢰한 행위자를 처벌하거나 그가 예측한 것보다 불이익한 처벌을 하여서는 법에 대한 국민의 일반적 신뢰와 국민 행동의 자유를 보장할 수 없다. 이러한 법치 국가적 근거 이외에도 소급하여 부과된 형벌은 책임과 결부된 정당한 형벌이 아니고 예방적 효과도 가질 수 없는 무의미한 형벌이라는 점에서 형사 정책적 근거도 갖는다고 할 수 있다.

① 범죄와 형벌 사이에는 적정한 균형이 유지되어야 한다.
② 범죄와 형벌은 그 내용이 명확하게 규정되어 있어야 한다.
③ 범죄와 형벌은 행위 시의 법률에 의하여 결정되어야 한다.
④ 범죄와 형벌은 의회에서 제정한 성문의 법률에 규정되어 있어야 한다.
⑤ 법률에 규정한 사항이 없을 때 비슷하게 규정한 법률을 적용해서 처벌하지 않아야 한다.

▸ 24063-0190

14 다음 사례에 대한 법적 판단으로 옳은 것은?

- 갑과 을은 혼인 신고를 하고 병을 낳고 살다가 협의상 이혼을 하였고, 갑이 병을 양육하기로 결정하였다. 을은 정과 결혼식을 올린 뒤 혼인 신고를 하지 않고 살고 있다. 을은 회사에 가는 중에 교통사고로 사망하였고, 별도의 유언은 없었다.
- A와 B는 혼인 신고를 하고 C, D를 낳고 살다가 재판상 이혼을 하였고, A가 C, D를 양육하기로 하였다. E는 B와 결혼식을 올린 뒤 혼인 신고를 하고 살다가 C를 적법한 절차를 거쳐 친양자로 입양하였다. 이후, A는 지병으로 사망하였고, 별도의 유언은 없었다.

① 갑과 을은 이혼 숙려 기간을 거치지 않고 이혼하였다.
② 갑, 정과 달리 병은 을의 재산을 상속받을 수 있다.
③ B와 E의 혼인은 형식적 요건을 갖추지 못하였다.
④ C는 입양이 되었더라도 E의 성과 본을 따를 수 없다.
⑤ C, D는 모두 A의 재산을 상속받을 수 있다.

▸ 24063-0191

15 다음 자료에 대한 옳은 법적 판단만을 〈보기〉에서 고른 것은? [3점]

근로 계약서

사용자 갑과 근로자 을(17세)은 다음과 같이 근로 계약을 체결한다.

1. 근로 계약 기간: 2024년 7월 18일~2024년 8월 16일까지
2. 근무 장소: ○○ 대형 마트
3. 업무의 내용: 상품 수량 확인
4. 소정 근로 시간: 9시~17시(휴게 시간: 12시~13시)
5. 근무일 / 휴일: 매주 월요일~금요일 근무, 주휴일 매주 토, 일요일
6. 임금
   - 시간급: 시간당 9,800원 – 임금 지급일: 매월 15일
   - 지급 방법: 근로자의 법정 대리인 예금 통장에 입금
7. 기타: 2024년 이후 근로 계약을 체결하는 근로자는 노동조합 가입이 제한됨.

* 2024년 법정 최저 임금은 시간당 9,860원임.

〈보기〉

ㄱ. 을의 소정 근로 시간은 1일 법정 근로 시간을 초과한다.
ㄴ. 을의 임금이 법정 최저 임금에 미치지 못하므로 갑과 을의 근로 계약 전체가 무효이다.
ㄷ. 갑이 을에게 임금을 지급하는 방법은 근로 기준법에 위배된다.
ㄹ. 갑은 을의 근로 3권에서 단결권을 침해한다.

① ㄱ, ㄴ ② ㄱ, ㄷ ③ ㄴ, ㄷ ④ ㄴ, ㄹ ⑤ ㄷ, ㄹ

▸ 24063-0192

16 그림은 범죄의 성립 여부를 판단하는 과정을 나타낸다. 이에 대한 설명으로 옳은 것은? [3점]

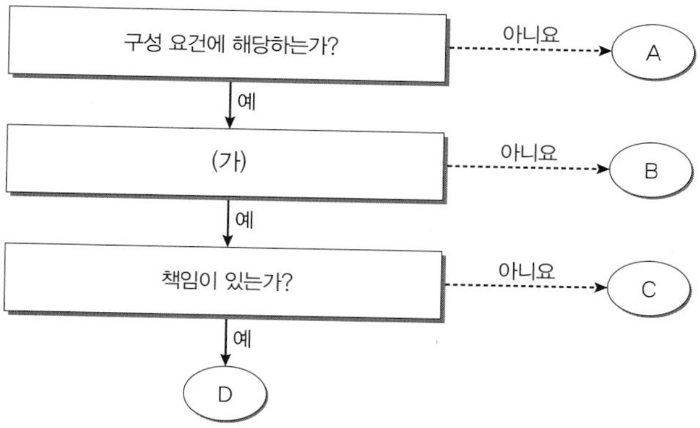

① 심신 상실자가 폭행을 가한 행위는 A에 해당한다.
② 경찰관이 범죄 현장에서 적법한 절차에 따라 현행범인을 체포한 행위는 B에 해당한다.
③ 골목에서 오토바이를 피하다가 어쩔 수 없이 남의 집에 들어간 행위는 C에 해당한다.
④ 저항할 수 없는 폭력에 의해 강요된 행위는 D에 해당한다.
⑤ (가)에는 '위법성 조각 사유에 해당하는가?'가 들어갈 수 있다.

▸ 24063-0193

17 밑줄 친 ㉠~㉢에 대한 법적 판단으로 옳은 것은?

① ㉠이 되더라도 유죄 판결이 확정될 때까지 갑과 을은 무죄 추정의 원칙을 적용받는다.
② ㉠이 된 이후에 갑과 을은 일정한 보증금을 납부하더라도 구속 집행 정지를 청구할 수 없다.
③ 을과 달리 검사는 ㉢에 대해 항소할 수 없다.
④ ㉡, ㉢이 확정되면 판사의 지휘에 따라 형이 집행된다.
⑤ ㉡, ㉢이 확정되면 을과 달리 갑은 형사 보상을 청구할 수 있다.

▸ 24063-0194

18 국제법의 법원(法源) A～C에 대한 설명으로 옳은 것은? (단, A～C는 각각 조약, 국제 관습법, 법의 일반 원칙 중 하나임.)

국제법의 법원(法源)은 국가들과 국제기구들이 스스로의 행위를 규율하기 위해 다양한 방법을 통해 제정하거나 창설한다. 국제법의 법원(法源)으로 A는 국제법 주체들이 국제법의 규율하에 법적 구속력을 받도록 체결한 국제적 합의이다. 그리고 B는 일반적이고 일관된 국가들의 관행과 그에 따른 법적 의무감의 결과로서 생겨난다. 한편, C는 문명국들의 국내 법원에서 공통적으로 적용되고 있는 법의 보편적인 원칙이다.

① 우리나라의 경우 A에 대한 비준권은 국회가 가진다.
② B는 국가 또는 국제기구 간에 명시적 합의의 결과물이다.
③ C의 예로 '국내 문제 불간섭'을 들 수 있다.
④ A는 B와 달리 주로 문서의 형식을 갖춘다.
⑤ C는 A, B와 달리 국제 사법 재판소에서 재판의 준거가 될 수 있다.

▸ 24063-0195

19 국제 연합의 주요 기관 A～C에 대한 옳은 설명만을 〈보기〉에서 있는 대로 고른 것은? [3점]

공지사항 | 게시판 | Q&A

국제 연합 주요 소식

- A, 15개 이사국이 모여서 공동 성명 채택 논의
  └ 국제 사회의 평화를 위한 협력 방안 의견 엇갈려
- B, 최고 의결 기관으로 ○○ 관련 결의안 주목
  └ 표결에 따라 90%가 넘은 회원국이 찬성, 결의안 채택
- C, △△국의 협약 위반 관련에 따른 판결 내려
  └ 판결 결과에 따라 주변 국가에 미칠 영향 분석

보기

ㄱ. A에 속하는 모든 이사국은 거부권을 가진다.
ㄴ. B에서는 1국 1표로 주권 평등 원칙이 적용된다.
ㄷ. C의 재판 당사자는 국가뿐만 아니라 개인도 될 수 있다.
ㄹ. A, B는 모두 C의 재판관을 선출할 수 있는 권한을 가진다.

① ㄱ, ㄷ ② ㄱ, ㄹ ③ ㄴ, ㄹ
④ ㄱ, ㄴ, ㄷ ⑤ ㄴ, ㄷ, ㄹ

▸ 24063-0196

20 다음 자료에 대한 분석으로 옳은 것은? [3점]

갑국 의회의 의원은 지역구 의원 10명, 비례 대표 의원 11명으로 총 21명이다. 지역구 의원 선거와 비례 대표 의원 선거는 동시에 실시하고, 유권자는 각 1표씩 2표를 행사한다. 지역구 의원 선거는 5개의 선거구에서 득표순으로 2인을 각각 선출한다. 〈자료 1〉은 갑국의 선거구 현황이며, 〈자료 2〉는 최근 실시된 지역구 의원 선거 결과이다.

〈자료 1〉 갑국의 선거구 현황

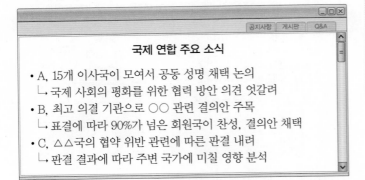

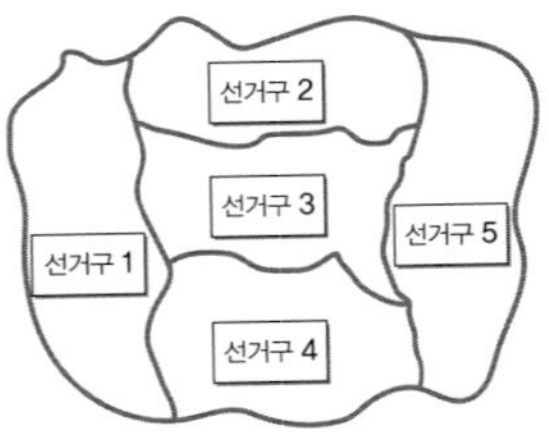

〈자료 2〉 지역구 의원 선거 결과

(단위: 표)

선거구	A당	B당	C당	D당	합계
1	30	40	20	10	100
2	40	20	30	10	100
3	40	60	30	70	200
4	20	30	40	10	100
5	30	40	20	10	100

* 정당은 A～D당만 존재하며, 무소속 후보자는 없음.
** 투표율은 100%이고, 무효표는 없음.
*** 각 정당은 1인의 후보자만 공천함.

비례 대표 의원 선거는 각 정당이 얻은 득표율에 비례 대표 의석수를 곱하여 산출된 정수(整數)만큼 각 정당에 먼저 배분하고 잔여 의석은 소수점 이하의 수가 큰 순서대로 각 정당에 1석씩 배분한다. 최근 실시된 비례 대표 의원 선거 결과 득표율은 A당 15%, B당 40%, C당 25%, D당 20%이다. 갑국은 다음과 같은 개편안을 검토하고 있다.

• 개편안 •

〈지역구 의원 선출 방식〉 기존 5개의 선거구에서 3개의 선거구로 획정한다. 하나의 선거구 유권자 수가 다른 선거구 유권자 수의 2배 이상이 되지 않도록 하며, 접하지 않은 선거구는 통합할 수 없다. 그리고 재획정된 3개의 선거구에서 최다 득표자 1인을 각각 선출한다.
〈비례 대표 의원 선출 방식〉 비례 대표 의원은 총 18명을 선출하며, 선출 방식은 기존과 동일하다.

* 개편안의 경우 최근 의회 의원 선거 결과를 기준으로 판단함.

① 현행과 달리 개편안의 지역구 의원 선거구 제도는 중·대선거구제이다.
② 현행과 개편안 모두 지역구 의원 선거의 대표 결정 방식은 절대다수 대표제이다.
③ 개편안에서 선거구를 획정하는 방안은 총 3가지이다.
④ 개편안 적용 시 C당과 D당이 얻는 비례 대표 의석수는 동일하다.
⑤ 현행보다 개편안 적용 시 A당은 총의석수가 줄어들고, B당은 총의석수가 늘어난다.

실전 모의고사 3회

제한시간 30분 | 배점 50점 | 정답과 해설 45쪽

문항에 따라 배점이 다르니, 각 물음의 끝에 표시된 배점을 참고하시오. 3점 문항에만 점수가 표시되어 있습니다. 점수 표시가 없는 문항은 모두 2점입니다.

▸ 24063-0197

1 정치를 바라보는 관점 A, B에 대한 질문에 모두 옳게 응답한 학생은? [3점]

A는 정치권력의 획득, 유지, 행사와 관련된 국가만의 고유 활동을 정치로 보는 B와 달리 국가를 포함한 모든 사회 집단에서 정치 현상이 나타난다고 본다.

구분	갑	을	병	정	무
A는 B에 비해 다원화된 현대 사회의 정치 현상을 설명하는 데 적합한가?	○	○	○	×	×
A는 B에 비해 정치 주체로 인정하는 범위가 넓은가?	○	○	×	×	×
B는 A와 달리 국가 성립 이전의 정치 현상을 설명하기에 용이한가?	○	×	×	○	○
A, B 모두 '국회에서 ○○법을 개정하는 것'을 정치로 보는가?	○	○	○	○	×

(○: 예, ×: 아니요)

① 갑 ② 을 ③ 병 ④ 정 ⑤ 무

▸ 24063-0198

2 다음 자료에 대한 옳은 설명만을 〈보기〉에서 있는 대로 고른 것은? (단, A, B는 각각 형식적 법치주의와 실질적 법치주의 중 하나임.)

구분	A	B
차이점	(가)	(나)
공통점	(다)	

보기

ㄱ. (가)에 '법률로써 국민의 기본권을 제한할 수 있음.'이 들어갈 수 있다.

ㄴ. (다)에 '형식적 합법성을 중시함.'이 들어갈 수 있다.

ㄷ. A가 실질적 법치주의이면 (나)에 '독재 정치를 정당화하는 논리로 악용될 수 있다는 비판을 받음.'이 들어갈 수 있다.

ㄹ. B가 형식적 법치주의이면 (가)에 '법의 목적과 내용이 헌법 이념에 부합해야 함을 강조함.'이 들어갈 수 있다.

① ㄱ, ㄴ ② ㄱ, ㄹ ③ ㄷ, ㄹ ④ ㄱ, ㄴ, ㄷ ⑤ ㄴ, ㄷ, ㄹ

▸ 24063-0199

3 다음 자료에 대한 설명으로 옳지 않은 것은? (단, A~C는 각각 국민 주권주의, 문화 국가의 원리, 복지 국가의 원리 중 하나임.)

구분	관련 헌법 내용	실현 방안
A	대한민국은 민주 공화국이다.	(가)
B	(나)	여성 근로자 보호
C	(다)	(라)

① (가)에 '복수 정당제 보장'이 들어갈 수 있다.

② (나)에 '모든 국민은 인간다운 생활을 할 권리를 가진다.'가 들어갈 수 있다.

③ (다)에 '국가는 전통문화의 계승·발전과 민족 문화의 창달에 노력하여야 한다.'가 들어갈 수 있다.

④ (라)에 '평생 교육의 진흥'이 들어갈 수 있다.

⑤ C는 A, B와 달리 현대 복지 국가 헌법에서부터 강조되었다.

▸ 24063-0200

4 밑줄 친 ㉠~㉢에 대한 옳은 설명만을 〈보기〉에서 있는 대로 고른 것은? [3점]

갑은 ◇◇법에 규정된 범죄 행위를 한 혐의로 재판을 받던 중 재판의 전제가 된 ◇◇법 해당 조항이 헌법에 위반된다고 판단하여 법원에 ㉠위헌 법률 심판 제청 신청을 하였다. 그러나 법원은 이를 기각하였고, 이에 갑은 ㉡헌법 소원 심판을 청구하였다. 한편 을은 재판과 상관없이 갑의 재판에서 전제가 된 ◇◇법 해당 조항이 헌법에 보장된 기본권을 침해한다며 ㉢헌법 소원 심판을 청구하였다.

보기

ㄱ. ㉠이 없어도 법원은 위헌 법률 심판 제청을 할 수 있다.

ㄴ. 법원이 ㉠을 받아들였다면 대법원에서 위헌 법률 심판이 진행되었을 것이다.

ㄷ. ㉡은 위헌 심사형 헌법 소원 심판, ㉢은 권리 구제형 헌법 소원 심판이다.

① ㄱ ② ㄴ ③ ㄱ, ㄷ ④ ㄴ, ㄷ ⑤ ㄱ, ㄴ, ㄷ

▸ 24063-0201

5 **다음은 전형적인 정부 형태를 채택한 갑국의 정치 상황 변동을 나타낸 것이다. 이에 대한 설명으로 옳은 것은? [3점]**

구분	t기	t+1기	t+2기
행정부 수반 소속 정당의 의석 점유율	45%	60%	40%
행정부 수반 소속 정당	B당	A당	B당
의회 제1당	A당	A당	A당

* t기와 t+1기의 정부 형태는 다르며, 정당은 A당, B당만 존재하며, 무소속 의원은 없음.

① t기에는 t+1기와 달리 행정부의 법률안 제출권이 인정된다.
② t기, t+2기에 모두 행정부 수반의 법률안 거부권이 인정된다.
③ t기 여당의 의석 점유율이 t+2기 야당의 의석 점유율보다 높다.
④ t+1기, t+2기에 모두 여소야대 현상이 나타난다.
⑤ t+2기에는 t+1기와 달리 의회의 내각 불신임권이 인정된다.

▸ 24063-0202

6 **밑줄 친 ㉠~㉧에 대한 설명으로 옳은 것은?**

〈법률 개정 절차〉

㉠ 제출 → ㉡ 국회 의장 → 상임 위원회 → ㉢ 본회의 → ㉣ 공포

〈헌법 개정 절차〉

㉤ 제안 → ㉥ 공고 → ㉦ 국회 의결 → ㉧ 국민 투표 → ㉨ 공포

① 국회 재적 의원 1/3이 찬성하면 ㉠, ㉤이 모두 가능하다.
② ㉡은 국회의 동의를 얻어 대통령이 임명한다.
③ ㉢과 ㉧은 모두 직접 민주제의 요소에 해당한다.
④ 대통령은 ㉣, ㉤, ㉥, ㉨의 권한을 갖는다.
⑤ ㉦을 위해서는 국회 재적 의원 과반수의 출석과 출석 의원 2/3 이상의 찬성이 필요하다.

▸ 24063-0203

7 **밑줄 친 ㉠~㉤에 대한 설명으로 옳은 것은?**

> 우리나라의 지방 자치 단체는 ㉠광역 지방 자치 단체와 ㉡기초 지방 자치 단체로 구분되며, 각 급별로 주민의 선거를 통해 선출된 ㉢집행 기관과 ㉣의결 기관을 두고 있다. 또한 교육의 자율성, 전문성, 독립성을 보장하기 위하여 주민이 선출한 ㉤교육감을 두고 있다.

① ㉠의 지역구 의원과 달리 ㉡의 지역구 의원은 중·대선거구제로 선출된다.
② ㉢과 달리 ㉣은 규칙 제정권을 가지고 있다.
③ ㉢은 지방 의회, ㉣은 지방 자치 단체의 장이다.
④ ㉢과 달리 ㉣의 모든 구성원은 주민 소환의 대상이 된다.
⑤ ㉤은 ㉠, ㉡ 모두에서 선출된다.

▸ 24063-0204

8 **다음 자료에 대한 설명으로 옳지 않은 것은? (단, 갑, 을의 연령은 각각 중학교를 졸업한 17세, 20세 중 하나임.) [3점]**

> • '연장 근로를 제외하고 1일 7시간을 초과하여 근로할 수 없는가?'라는 질문에 대해 갑과 달리 을의 응답은 '예'이다.
> • '(가)'라는 질문으로 갑과 을을 구분할 수 없다.
> • '(나)'라는 질문에 대해 을과 달리 갑의 응답은 '예'이다.

① (가)에 '최저 임금제의 적용을 받는가?'가 들어갈 수 있다.
② (가)에 '고용 노동부 장관이 발급한 취직 인허증이 있어야 근로할 수 있는가?'가 들어갈 수 있다.
③ (나)에 '단독으로 임금을 청구할 수 있는가?'가 들어갈 수 있다.
④ 갑과 달리 을은 1일 1시간을 초과하여 연장 근로를 할 수 없다.
⑤ 갑과 달리 을은 친권자나 후견인의 동의를 얻어야 근로 계약을 체결할 수 있다.

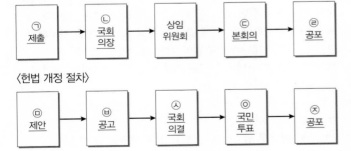

▸ 24063-0205

9 다음 자료에 대한 옳은 설명만을 〈보기〉에서 고른 것은? (단, A～C는 각각 시민 단체, 이익 집단, 정당 중 하나임.)

서술형 평가

각 항목에 대한 답을 서술하시오.(단, 옳은 내용은 각 항목 당 1점, 틀린 내용은 0점을 부여함.)

서술할 항목	답안	채점 결과
1. A와 다른 B의 특징	정치적 책임을 짐.	1점
2. B와 다른 C의 특징	(가)	0점
3. C와 다른 A의 특징	공익보다 사익을 우선시함.	0점

보기

ㄱ. (가)에 '정치 과정에서 투입을 담당함.'이 들어갈 수 있다.
ㄴ. (가)에 '공직 선거에서 후보자를 공천함.'이 들어갈 수 있다.
ㄷ. A는 B, C와 달리 정부와 의회를 매개하는 역할을 한다.
ㄹ. B는 A, C와 달리 정치 사회화 기능을 수행한다.

① ㄱ, ㄴ　② ㄱ, ㄷ　③ ㄴ, ㄷ　④ ㄴ, ㄹ　⑤ ㄷ, ㄹ

▸ 24063-0206

10 다음 자료에 대한 옳은 설명만을 〈보기〉에서 고른 것은? (단, A, B는 각각 자유주의적 관점, 현실주의적 관점 중 하나임.)

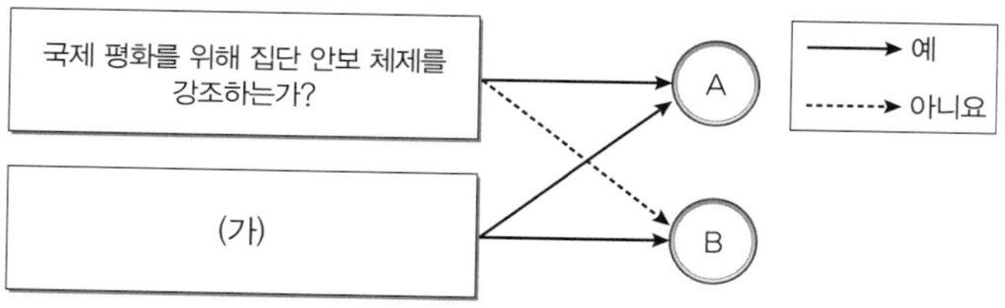

보기

ㄱ. (가)에 '국제 사회에 강제력을 가진 중앙 정부가 없다고 보는가?'가 들어갈 수 있다.
ㄴ. A는 인간을 이기적인 존재로 인식한다.
ㄷ. A는 B와 달리 개별 국가의 이익과 국제 사회 전체의 이익이 조화를 이룰 수 있다고 본다.
ㄹ. B는 A와 달리 국제 사회의 문제 해결에 있어 국제법과 국제기구가 중요한 역할을 한다고 본다.

① ㄱ, ㄴ　② ㄱ, ㄷ　③ ㄴ, ㄷ　④ ㄴ, ㄹ　⑤ ㄷ, ㄹ

▸ 24063-0207

11 밑줄 친 ㉠～㉥에 대한 설명으로 옳은 것은? [3점]

갑과 을은 법률혼 상태에서 A를 낳고 살다가 을이 가정에 소홀하자 ㉠재판상 이혼을 하였다. A는 을과 함께 살았는데, 을과 병이 혼인 신고를 한 후에 병이 A를 ㉡친양자가 아닌 양자로 입양하였다. 한편 갑과 정은 ㉢혼인 신고를 한 후에 B를 낳았고, 갑은 정이 재혼 전에 낳은 자녀인 C를 ㉣친양자로 입양하였다. 어느 날 ㉤갑은 교통사고로 사망하였고, ㉥을은 질병으로 사망하였으며, 갑, 을 모두 유언을 남기지 않았다. 사망 시 갑과 을은 빚 없이 각각 9억 원의 재산이 있었다.

① ㉠을 위해서는 원칙적으로 이혼 숙려 기간을 거쳐야 한다.
② ㉡으로 인해 을과 A와의 친자 관계가 종료된다.
③ ㉢ 이후 갑, 정은 B와의 친자 관계 형성을 위해 인지 절차를 거쳐야 한다.
④ ㉣로 보아 입양 시 C는 성인이었음을 알 수 있다.
⑤ A의 법정 상속액은 ㉤의 경우보다 ㉥의 경우에 1억 6천만 원이 많다.

▸ 24063-0208

12 다음 사례에 대한 법적 판단으로 옳지 않은 것은? (단, 갑～병은 모두 17세임.) [3점]

갑, 을, 병은 모두 법정 대리인인 부모의 동의를 얻지 않고 고가의 스마트폰을 판매업자 A로부터 구매하는 계약을 체결하였다.

A는 갑이 미성년자임을 알지 못한 상태에서 계약을 체결하였다.	A는 을이 위조한 부모의 동의서를 믿고 계약을 체결하였다.	A는 병이 미성년자임을 알았지만 계약을 체결하였다.

① 갑의 부모와 달리 을의 부모는 계약을 취소할 수 없다.
② 을의 부모와 달리 병의 부모는 계약을 취소할 수 있다.
③ 갑, 병은 을과 달리 계약을 취소할 수 있다.
④ A가 철회권을 행사할 수 있는 상대방은 을, 병이 아닌 갑이다.
⑤ A가 확답을 촉구할 권리를 행사할 수 있는 부모는 병의 부모가 아닌 갑의 부모이다.

▸ 24063-0209

13 민법의 기본 원칙 A~C에 대한 설명으로 옳은 것은?

민법의 기본 원칙	내용
A	소유권에 공공의 개념을 접합하여 소유권은 공공복리에 적합하도록 행사해야 한다는 원칙
B	계약의 내용이 사회 질서에 위반되거나 현저하게 공정하지 못한 경우 법적 효력이 발생하지 않는다는 원칙
C	가해자의 고의나 과실이 없어도 일정한 요건이 충족되면 그 행위로 발생한 손해에 대해 배상 책임이 인정될 수 있다는 원칙

① A에 따르면 개인의 소유권은 절대적 권리이다.
② B는 개인 간 법률관계 형성에 국가가 개입할 수 있는 근거가 된다.
③ C는 경제적 강자의 책임 회피 수단으로 악용되기도 한다.
④ A, B는 C와 달리 근대 민법의 기본 원칙으로 적용되었다.
⑤ B, C는 A와 달리 개인주의와 자유주의 사상을 바탕으로 한다.

▸ 24063-0210

14 다음 자료에 대한 옳은 법적 판단만을 〈보기〉에서 고른 것은?

사건	법원의 판단	판결
갑은 지나가던 사람들을 흉기로 폭행하여 상해를 입혔음.	갑은 폭행 당시 심신 상실의 상태에 있었음.	갑에게 무죄를 선고함.
을은 편의점에서 술과 담배를 훔쳤음.	을의 절도 행위는 저항할 수 없는 병의 폭력에 의해 강요된 것이었음.	을에게 무죄를 선고함.

보기
ㄱ. 갑에게 무죄가 선고된 이유는 범죄의 구성 요건에 해당하지 않기 때문이다.
ㄴ. 을에게 무죄가 선고된 이유는 위법성이 있는 행위이지만 책임이 조각되기 때문이다.
ㄷ. 법원은 판결 시 갑, 을 모두에게 집행 유예를 선고할 수 없다.
ㄹ. 갑의 행위와 달리 을의 행위에 대해 법원은 위법성 조각 사유에 해당한다고 판단하였다.

① ㄱ, ㄴ ② ㄱ, ㄷ ③ ㄴ, ㄷ ④ ㄴ, ㄹ ⑤ ㄷ, ㄹ

▸ 24063-0211

15 다음 사례에 대한 옳은 법적 판단만을 〈보기〉에서 고른 것은? [3점]

갑과 을은 ○○회사의 노동조합에 가입되어 있다. 어느 날 갑과 을은 모두 ○○회사로부터 해고를 당하였다. 갑의 해고 사유는 노동조합의 쟁의 행위를 주도하였다는 것이고, 을의 해고 사유는 근무 태만이다. 갑과 을은 모두 해고가 부당하다며 지방 노동 위원회에 구제 신청을 하였다. 이후 갑은 행정 소송을 제기하였고, ○○회사도 을의 해고에 대한 중앙 노동 위원회의 판단에 대해 행정 소송을 제기하였다. 1심 법원은 갑의 해고와 을의 해고가 모두 부당하지 않다고 판단하여 판결하였으며 판결은 확정되었다.

보기
ㄱ. 지방 노동 위원회는 갑의 해고와 을의 해고에 대해 모두 부당하다고 판단하였다.
ㄴ. 중앙 노동 위원회는 갑의 해고와 달리 을의 해고에 대해 부당하다고 판단하였다.
ㄷ. 갑과 ○○회사는 모두 중앙 노동 위원회의 재심 판정에 대해 소송을 제기하였다.
ㄹ. 갑의 해고와 달리 을의 해고에 대해서는 ○○회사의 노동조합도 노동 위원회에 구제 신청을 할 수 있었다.

① ㄱ, ㄴ ② ㄱ, ㄷ ③ ㄴ, ㄷ ④ ㄴ, ㄹ ⑤ ㄷ, ㄹ

▸ 24063-0212

16 밑줄 친 ㉠~㉥에 대한 설명으로 옳은 것은?

갑을 폭행하여 상해를 입힌 혐의로 ㉠을은 불구속 수사를 받았고, ㉡병은 구속 수사를 받았다.

⬇

검사는 을, 병 모두를 ㉢기소하였다.

⬇

1심 법원은 을에게 징역 6월에 ㉣집행 유예 1년을 선고하였고, 병에게 징역 1년을 선고하였다.

⬇

㉤2심 법원은 을에게 무죄를 선고하였고, 병에게 징역 2년을 선고하였다.

⬇

대법원은 ㉥을, 병에 대한 원심 판결을 확정하였다.

① ㉠, ㉡으로 보아 을과 달리 병은 구속 전 피의자 심문을 받았다.
② ㉢으로 인해 을, 병에 대한 무죄 추정의 원칙은 적용되지 않는다.
③ ㉣은 유예 기간을 경과한 때에는 면소된 것으로 간주한다.
④ ㉤의 판결에 대해 을과 병이 상고를 하였다.
⑤ ㉥ 이후 을, 병 모두 형사 보상을 청구할 수 없다.

▸ 24063-0213

17 다음 자료에 대한 옳은 설명만을 〈보기〉에서 고른 것은? [3점]

〈게임 규칙〉

〈카드 1〉~〈카드 4〉 중에서 2장을 선택한다. 선택한 카드 내용이 사회권, 자유권, 참정권, 청구권 중 3개의 공통된 특징에 해당하면 3점, 2개의 공통된 특징에 해당하면 2점, 1개의 특징에만 해당하면 1점, 어느 기본권에도 해당하지 않는 특징이면 0점이다. 카드 2장의 점수를 합하여 높은 점수를 획득한 사람이 승리한다.

카드	카드 내용
1	국가의 존재를 전제로 함.
2	(가)
3	(나)
4	열거되어야 보장받을 수 있는 권리

〈학생 갑~정이 선택한 카드와 총점〉

학생	선택 카드	총점
갑	〈카드 1〉, 〈카드 2〉	㉠
을	〈카드 2〉, 〈카드 3〉	2점
병	〈카드 3〉, 〈카드 4〉	㉡
정	〈카드 1〉, 〈카드 4〉	㉢

보기

ㄱ. ㉢은 '5점'이다.
ㄴ. (가)에 '정치 과정에 참여할 수 있는 능동적 권리임.'이 들어가면 ㉠은 '5점'이다.
ㄷ. (나)에 '다른 기본권 보장의 전제가 되는 권리임.'이 들어가면 ㉡은 '3점'이다.
ㄹ. (가)에 '소극적 권리임.'이 들어가고, (나)에 '기본권 보장을 위한 수단적 권리임.'이 들어갈 수 있다.

① ㄱ, ㄴ ② ㄱ, ㄷ ③ ㄴ, ㄷ ④ ㄴ, ㄹ ⑤ ㄷ, ㄹ

▸ 24063-0214

18 다음 자료에 대한 설명으로 옳은 것은? [3점]

수행 평가

다음 각 사례에 대한 옳은 법적 판단 내용을 2가지씩 쓰시오.(답안 내용이 옳으면 1점, 옳지 않으면 0점임.)

사례	답안 내용	점수
미성년자 갑은 을의 식당에서 종업원으로 일을 하다가 실수로 손님 A에게 음식을 쏟아 상해를 입혔다. 이에 A는 손해 배상을 요구하고 있다.	갑의 부모는 A에게 특수 불법 행위 책임을 진다.	㉠
	(가)	0점
병은 정 소유의 건물에서 PC방을 운영하고 있었는데, B가 PC방의 창틀이 떨어져 다쳤다며 손해 배상을 요구하고 있다.	B의 손해에 대한 1차적 책임은 정이 진다.	㉡
	(나)	㉢

① ㉠은 '0점', ㉡은 '1점'이다.
② (가)에 '갑의 행위가 불법 행위로 성립하면 갑의 부모와 을은 모두 일반 불법 행위 책임을 질 수 있다.'가 들어갈 수 없다.
③ (가)에 'A가 입은 손해에 대해 을이 면책되면 A는 갑에게 손해 배상을 요구할 수 없다.'가 들어갈 수 없다.
④ (나)에 'B가 입은 손해에 대해 병이 면책되면 정은 B에게 무과실 책임을 진다.'가 들어가면 ㉢은 '1점'이다.
⑤ ㉢이 '1점'이면 (나)에 '병과 달리 정은 특수 불법 행위 책임을 질 수 있다.'가 들어갈 수 있다.

▸ 24063-0215

19 다음 자료에 대한 옳은 설명만을 〈보기〉에서 있는 대로 고른 것은? (단, A~C는 각각 총회, 안전 보장 이사회, 국제 사법 재판소 중 하나임.)

> 교사: 국제 연합의 주요 기관 A~C에 대해 발표해 보세요.
> 갑: A는 국제 평화와 안전 유지에 관한 실질적 의사 결정 기관입니다.
> 을: (가)
> 병: C의 구성원 선출권은 A, B가 갖습니다.
> 정: (나)
> 교사: 갑, 병, 정만 옳은 내용을 발표했네요.

보기

ㄱ. (가)에 'A와 달리 B의 의결 방식에는 힘의 논리가 적용됩니다.'가 들어갈 수 있다.
ㄴ. (가)에 'B는 모든 회원국이 참여하는 최고 의사 결정 기관입니다.'가 들어갈 수 있다.
ㄷ. (나)에 'A의 이사국의 임기는 모두 2년입니다.'가 들어갈 수 있다.
ㄹ. (나)에 '국가와 달리 개인은 C에 제소할 수 있습니다.'가 들어갈 수 없다.

① ㄱ, ㄴ　② ㄱ, ㄹ　③ ㄴ, ㄷ
④ ㄱ, ㄷ, ㄹ　⑤ ㄴ, ㄷ, ㄹ

▸ 24063-0216

20 다음 자료에 대한 설명으로 옳은 것은? [3점]

갑국 의회는 지역구 의원 8명, 비례 대표 의원 16명으로 구성된다. 지역구 의원은 단순 다수 대표제로 선출되며, 비례 대표 의원은 각 정당의 득표율에 비례 대표 의석수를 곱하여 산출된 수의 정수(整數)만큼 의석을 각 정당에 배분하고 잔여 의석은 소수점 이하 수가 큰 순서대로 각 정당에 1석씩 배분한다. 갑국에서는 선거 제도를 다음과 같이 개편하려고 한다.

> 지역구 선거구를 〈1-2〉, 〈3-4〉, 〈5-6〉, 〈7-8〉로 조정하여 총 4개로 하며, 선거구당 2명씩 선출한다. 각 정당은 한 선거구에서 2명이 당선될 가능성이 있으면 2명을 공천하고, 그렇지 않은 경우에는 1명만 공천한다. 비례 대표 의원은 전국을 〈1-2-3-4〉, 〈5-6-7-8〉로 조정하여 2개의 선거구로 나눈 후 각 선거구별로 8명씩을 이전과 같은 방식으로 배분한다.

아래 표는 최근 갑국의 의회 의원 선거 결과이다. 개편안에 대한 분석 시 최근 선거 결과를 토대로 판단한다.

〈최근 갑국 의회 의원 선거 결과〉

(단위: 표)

선거구	A당	B당	C당	D당	유권자수
1	30	60	90	20	200
2	40	170	30	10	250
3	40	20	70	20	150
4	30	10	150	10	200
5	30	80	10	30	150
6	40	30	90	140	300
7	40	60	70	30	200
8	20	110	10	10	150

* 무효표 및 무소속 후보자는 없으며, 투표율은 100%임.
** 유권자가 각 정당 후보자에게 한 투표는 각 정당에 투표한 것으로도 봄.

① 현행에서 C당은 과소 대표된다.
② D당은 현행보다 개편안이 더 유리하다.
③ B당의 비례 대표 의석수는 현행에 비해 개편안이 적다.
④ 개편안에서 A당이 3석, B당이 10석을 얻으면 C당은 7석을 얻는다.
⑤ 개편안의 비례 대표 의원 선거구 〈5-6-7-8〉에서 가장 많은 당선자를 배출한 정당은 C당이다.

문항에 따라 배점이 다르니, 각 물음의 끝에 표시된 배점을 참고하시오. 3점 문항에만 점수가 표시되어 있습니다. 점수 표시가 없는 문항은 모두 2점입니다.

▶ 24063-0217

1 그림은 정치를 바라보는 서로 다른 관점을 가진 갑과 을의 대화이고, 표는 질문을 통해 갑과 을의 관점을 구분한 것이다. 이에 대한 설명으로 옳은 것은?

> 정치는 정치권력의 획득, 유지, 행사와 관련된 활동으로 국가만을 배경으로 나타납니다.

> 그렇지 않습니다. 정치는 국가를 포함한 모든 사회 집단에서 나타나는 이해관계의 대립과 갈등을 조정하고 해결하는 활동입니다.

갑 / 을

질문	갑	을
(가)	예	아니요
(나)	아니요	예
(다)	예	예

① 갑의 관점은 다원화된 현대 사회의 갈등 해결 과정을 설명하는 데 적합하다.
② 을의 관점은 정치의 주체를 소수의 통치 엘리트로 한정한다.
③ (가)에 '국가 형성 이전의 정치 현상을 설명하기에 적합한가?'가 들어갈 수 있다.
④ (나)에 '국가의 정치 현상과 국가 이외의 사회 집단의 정치 현상이 본질적으로 다르다고 보는가?'가 들어갈 수 없다.
⑤ (다)에 '대통령의 법률안 거부권 행사를 정치로 보는가?'가 들어갈 수 없다.

▶ 24063-0218

2 우리나라 헌법의 기본 원리 A, B에 대한 설명으로 가장 적절한 것은? (단, A, B는 각각 국민 주권주의, 자유 민주주의 중 하나임.)

> • ' (가) '라는 질문으로 A와 B를 구분할 수 없다.
> • '적법 절차의 원리를 실현 방안으로 하는가?'라는 질문에 A는 B와 달리 '예'라고 답한다.

① (가)에 '복수 정당제를 실현 방안으로 하는가?'가 들어갈 수 없다.
② A는 언론·출판·집회·결사의 자유를 보장하는 것을 실현 방안으로 한다.
③ B는 자유주의와 민주주의가 결합한 정치 원리이다.
④ A는 B와 달리 국가 권력이 국민적 합의에 근거하여 정당성을 가져야 한다는 원리이다.
⑤ B는 A와 달리 최저 임금 제도를 실시하는 것을 실현 방안으로 한다.

▶ 24063-0219

3 법치주의의 유형 A, B에 대한 설명으로 옳은 것은? [3점]

> '법률 없으면 범죄 없고, 형법도 없다.'는 형식적 의미의 죄형 법정주의는 법률만 있으면 그 내용적 정당성을 문제 삼지 않았다. 그러나 합법적 절차를 거쳐 제정된 법률에 의한다면 법치주의를 준수하는 것으로 보는 A로는 부당한 법률에 의해 형벌권이 남용되는 것을 막을 수 없다는 역사적 경험을 하였다. 이에 대한 반성으로 형벌권의 행사가 법률에 근거해야 할 뿐만 아니라 법률의 목적과 내용도 정의에 부합해야 한다는 B의 영향을 받아 죄형 법정주의는 '적정한 법률이 없으면 범죄가 없고, 형벌도 없다.'는 의미로 발전하였다.

① A는 '법의 지배'가 아닌 '인(人)의 지배'를 중시한다.
② B는 합법적 권력에 의한 독재 정치를 정당화할 우려가 있다.
③ A는 B와 달리 합법적으로 제정된 형벌 규정이 과잉 금지 원칙을 준수하는지를 중시한다.
④ B는 A와 달리 입법부의 자의로부터 국민의 자유를 보장하는 것을 강조한다.
⑤ A와 B는 모두 통치의 합법성뿐 아니라 법의 내용도 중시한다.

▶ 24063-0220

4 기본권 유형 A에 대한 설명으로 옳은 것은? [3점]

> 기소 유예 처분을 받은 갑은 고소인·고발인에 한해서만 검사의 불기소 처분에 항고할 권리를 부여하고 있는 □□법 조항이 A를 침해한다며 헌법 소원 심판을 청구하였다. 이에 대해 헌법 재판소는 항고 제도는 고소인 또는 고발인이 검사의 부당한 불기소 처분에 불복할 수 있는 절차와 기회를 부여하는 데에 목적이 있다고 하였다. 그러므로 헌법 재판소는 해당 조항이 기소 유예 처분을 받은 피의자를 항고권의 주체에서 배제하더라도 수인할 수 없을 정도로 합리적인 이유 없이 피의자를 차별하여 A를 침해하는 것은 아니라고 보았다.

① 소극적·방어적인 성격의 권리이다.
② 정치 과정에 참여할 수 있는 능동적 권리이다.
③ 다른 기본권 보장의 전제 조건이 되는 권리이다.
④ 국민 주권주의를 실현할 수 있는 수단이 되는 권리이다.
⑤ 개인 생활에 대한 국가의 적극적 개입을 통해 실현되는 권리이다.

정답과 해설 48쪽

▸ 24063-0221

5 교사가 제시한 정치 참여 집단 A～C에 대한 학생들의 옳은 설명만을 〈보기〉에서 고른 것은? (단, A～C는 각각 정당, 이익 집단, 시민 단체 중 하나임.)

다음은 '지역 축제 활성화'를 주제로 정치에 참여하는 사례입니다. 이에 대해 설명해 볼까요?
• 공익을 위해 활동하는 A, 지역 축제에서 바가지 요금으로 소비자 피해가 발생하지 않도록 지방 자치 단체에 대책 마련 촉구
• 상인 연합회로 구성된 B, 지역 축제 임대료 및 수수료 인하 주장
• C, 지역 축제 활성화를 위해 지역 경제 개발 관련 전문가를 공직 선거에서 후보자로 공천

보기

갑: A는 자신의 활동에 대해 정치적 책임을 집니다.
을: C는 행정부와 의회를 매개하는 역할을 합니다.
병: B는 A, C와 달리 공적 이익보다 사적 이익을 우선시합니다.
정: C는 A, B와 달리 대의 정치의 한계를 보완하는 역할을 합니다.

① 갑, 을 ② 갑, 병 ③ 을, 병 ④ 을, 정 ⑤ 병, 정

▸ 24063-0222

6 다음 사례에 대한 옳은 법적 판단만을 〈보기〉에서 있는 대로 고른 것은? [3점]

드라마 등장 인물 소개	
 갑(31세)	사실혼 관계였던, 갑과 을 사이에서 을이 A를 낳았다. A가 3세가 되던 해에 갑과 을의 사실혼 관계가 해소되었다. 이후 갑은 A(6세)를 양육하고 있던 중 병을 만나게 되었다.
 병(33세)	법률혼 관계였던, 병과 정 사이에서 병이 B를 낳았다. B가 8세가 되던 해에 병은 부정한 행위를 한 정을 상대로 재판상 이혼을 청구하였고, 법원이 이를 받아들여 이혼을 하였다. 이후 병은 B(10세)를 양육하고 있던 중 갑을 만나게 되었다.

보기

ㄱ. 갑이 A와 친자 관계를 형성하기 위해서는 인지 절차를 거쳐야 한다.
ㄴ. 병과 정의 이혼의 경우 법원은 이혼의 책임이 정에게 있다고 판단하였다.
ㄷ. 병과 정의 이혼은 원칙적으로 이혼 숙려 기간을 거쳐야 한다.
ㄹ. 갑과 병이 법률혼을 하게 되면 B는 갑과 병의 혼인 외의 출생자가 된다.

① ㄱ, ㄴ ② ㄱ, ㄷ ③ ㄷ, ㄹ
④ ㄱ, ㄴ, ㄹ ⑤ ㄴ, ㄷ, ㄹ

▸ 24063-0223

7 다음 자료에 대한 옳은 설명만을 〈보기〉에서 고른 것은? [3점]

• 게임 규칙
– 우리나라 국가 기관의 권한이 적힌 카드 6장을 내용이 보이지 않도록 뒤집어서 펼쳐 놓는다.
– 갑, 을, 병은 동시에 각각 2장씩 카드를 가져간다.
– 가져간 카드 내용이 법원의 권한이면 1점, 대통령의 권한이면 2점, 국회의 권한이면 3점을 획득한다.

• 카드 내용

카드 A	국정 감사 · 조사권
카드 B	위헌 법률 심판 제청권
카드 C	(가)
카드 D	(나)
카드 E	(다)
카드 F	명령 · 규칙의 위헌성 및 위법성에 대한 심사권

• 게임 결과

구분	첫 번째 카드	두 번째 카드	점수
갑	C	F	3점
을	A	E	㉠
병	B	D	㉡

보기

ㄱ. (가)에는 '국무 위원 임명 제청권'이 들어갈 수 있다.
ㄴ. (나)에 '대통령 탄핵 소추권'이 들어가면 ㉡은 '5점'이다.
ㄷ. (다)에 '대법원장 · 대법관 임명권'이 들어가면 ㉠은 '5점'이다.
ㄹ. (나)에 '법률안 거부권'이 들어가고, (다)에 '조약의 체결 및 비준권'이 들어가면 을의 점수가 가장 높다.

① ㄱ, ㄴ ② ㄱ, ㄷ ③ ㄴ, ㄷ ④ ㄴ, ㄹ ⑤ ㄷ, ㄹ

▸ 24063-0224

8 밑줄 친 ㉠~㉣에 대한 설명으로 옳은 것은?

안녕, △△△! 우리나라 □□도 에 해당하는 지방 자치 뉴스 알려줄래?
네 개의 뉴스를 알려드리겠습니다.
㉠주민 참여 예산 제도를 통해 131건 사업이 제안되었습니다.
㉡지역구 의원 갑이 공직 선거법 위반으로 재판 중입니다.
㉢비례 대표 의원 을이 △△ 조례안을 대표 발의하였습니다.
㉣지방 자치 단체의 장인 병의 법령 위반에 대해 주민이 스마트폰으로 주민 감사 청구를 하였습니다.

① ㉡은 중선거구제로 선출된다.
② ㉣은 의결 기관이다.
③ ㉠은 ㉣이 편성한 예산안을 심의 · 확정하는 제도이다.
④ ㉡과 ㉢은 모두 주민 소환의 대상이 될 수 있다.
⑤ ㉡, ㉢, ㉣의 임기는 모두 4년이다.

▸ 24063-0225

9 다음 자료에 대한 설명으로 옳은 것은? [3점]

[서술형 평가]

우리나라 정부 형태에는 전형적인 정부 형태 A와 B에 해당하는 요소가 있다. 정부 형태 A는 국민의 선거에 의해 입법부를 구성하고 의회에서 행정부 수반을 선출하여 권력이 융합된 것을 특징으로 한다. 정부 형태 B는 별도의 선거로 국민이 행정부 수반을 선출하고, 입법부도 구성하기 때문에 엄격한 권력 분립이 특징이다.

1. 우리나라 헌법 조항에서 A 요소를 서술하시오. (1점)
2. 우리나라 헌법 조항에서 B 요소를 국회의 권한 측면에서 서술하시오. (1점)

[학생 답안 및 채점 결과]

문항	답안	채점 결과
1	(가)	1점
2	(나)	0점

* 답안 한 가지당 옳은 답을 쓴 경우 1점, 옳지 않은 답을 쓴 경우 0점을 부여함.

① A는 행정부 수반의 임기가 엄격하게 보장된다.
② B는 행정부 수반과 국가 원수가 일치하지 않는다.
③ (가)에는 '국무 회의는 정부의 권한에 속하는 중요한 정책을 심의한다.'가 들어갈 수 없다.
④ (가)에는 '대통령은 국회에 대하여 법률안 거부권을 가진다.'가 들어갈 수 있다.
⑤ (나)에는 '국무총리 또는 국무 위원의 해임을 대통령에게 건의할 수 있다.'가 들어갈 수 있다.

▸ 24063-0226

10 다음 자료의 법원의 판단에서 쟁점이 된 민법의 기본 원칙에 대한 진술로 옳은 것은?

갑은 ○○ 지역 주택 조합의 조합원이 되어 아파트 1세대를 공급받기로 하는 조합 가입 계약을 체결하고 이에 따른 분담금으로 5,000만 원을 지급하였다. 그런데 갑은 조합원의 자격 요건을 상실하게 되었는데, 조합 가입 계약의 내용 때문에 분담금을 바로 돌려받지 못하였다. 지급한 분담금을 대체 계약자가 대금을 입금한 경우에만 환불하기로 한 조합 가입 계약의 내용이 고객에게 부당하게 불리한 약관 조항이라며 갑은 민사 소송을 제기하였다. 이에 대해 1심 법원과 달리 2심 법원은 신의 성실의 원칙에 반하여 공정성을 잃은 약관 조항이라고 판단하였다. 하지만 대법원은 부당하게 불리한 조항인지 모든 사정을 종합하여 판단해야 한다고 보았다.

① 개인의 소유권은 공공복리를 위하여 필요한 경우에 한하여 법률로써 제한될 수 있다.
② 자신에게 고의나 과실이 없는 경우에도 일정한 요건에 따라 손해 배상 책임을 질 수 있다.
③ 계약 내용이 사회 질서에 반하거나 현저하게 공정하지 못한 경우 법적 효력이 인정되지 않는다.
④ 개인은 자신의 고의나 과실에 따른 행위로 타인에게 손해를 끼친 경우에 대해서만 책임을 진다.
⑤ 개인 소유의 재산에 대해 사적 지배를 인정하여 국가는 이를 함부로 간섭하거나 제한하지 못한다.

▸ 24063-0227

11 다음 사례에 대한 옳은 법적 판단만을 〈보기〉에서 고른 것은?

갑(17세)은 고가의 스피커를 구매하는 계약을 을(40세)과 체결하였다. 계약 당시 갑의 법정 대리인인 병의 동의가 없었다.

〈상황〉

㉠	을이 계약 당시 갑이 미성년자임을 안 경우
㉡	갑이 병의 동의서를 위조하여, 을이 병의 동의가 있는 것으로 믿은 경우
㉢	을이 계약 당시 갑이 미성년자임을 몰랐던 경우

보기

ㄱ. ㉠이라면 갑은 을과의 계약을 취소할 수 없다.
ㄴ. ㉡이라면 병은 갑과 을의 계약을 취소할 수 있다.
ㄷ. ㉢이라면 ㉠과 달리 을은 갑에게 계약의 의사 표시를 철회할 수 있다.
ㄹ. ㉠, ㉢ 모두 을은 병에게 계약의 취소 여부에 대한 확답을 촉구할 수 있다.

① ㄱ, ㄴ ② ㄱ, ㄷ ③ ㄴ, ㄷ ④ ㄴ, ㄹ ⑤ ㄷ, ㄹ

▸ 24063-0228

12 다음 자료에 대한 옳은 설명만을 <보기>에서 고른 것은?

갑은 절도의 죄로 3년 이상 징역형을 선고받은 사람으로 누범 기간 중에 타인의 집 앞에 놓인 2만 원 상당의 타인의 재물을 절취하였다. 1심에서 갑은 징역 1년을 선고받았으나 이에 불복하여 항소하였다. 항소심에서 ○○ 지방 법원 합의부는 누범인 갑에게 적용되는 □□법 △△조항이 하한 징역 1년부터 상한 징역 40년까지 법정형의 폭이 지나치게 넓어 자의적인 형벌권 행사가 가능해져 죄질에 비하여 무거운 형에 처해질 위험에 처할 수 있어 죄형 법정주의의 A 원칙에 위반된다며 헌법 재판소에 (가) 를 제청하였다. 이에 대해 헌법 재판소는 절도 범죄자들로부터 사회를 방위하고 그 재범을 방지하여야 할 필요성이 있으므로 해당 조항의 입법 목적이 정당하다고 보았다. 또한 해당 조항의 구성 요건을 충족시키는 행위를 3차례에 걸쳐 저질렀다면 행위 책임이 더욱 가중되어 불법성과 비난 가능성이 높으므로 법정형이 과도하다고 보기 어려워 합헌이라고 판단하였다.

보기

ㄱ. A 원칙은 법률에 규정되지 않은 사항에 대해 그것과 유사한 성질을 가지는 사항에 관한 법률을 적용할 수 없다는 원칙이다.
ㄴ. A 원칙에 따르면 형벌이 행위자의 책임의 정도를 초과해서는 안 된다.
ㄷ. (가)는 위헌 법률 심판이다.
ㄹ. 헌법 재판소는 갑에게 적용되는 □□법 △△조항이 형법의 보장적 기능에 부합하지 않는다고 보았다.

① ㄱ, ㄴ ② ㄱ, ㄷ ③ ㄴ, ㄷ ④ ㄴ, ㄹ ⑤ ㄷ, ㄹ

▸ 24063-0229

13 (가)~(다)는 갑에 대한 형사 절차를 나타낸 것이다. 이에 대한 법적 판단으로 옳은 것은?

(가) 갑은 ○○법 위반 혐의로 수사를 받고 있던 중 검사의 영장 청구에 의해 ㉠구속 전 피의자 심문을 거쳐 구속되었다.
(나) 1심 재판에서 갑은 구속 상태에서 재판을 받고 있다.
(다) 1심 재판에서 □□ 지방 법원 단독 판사는 갑에게 징역 6개월에 집행 유예 1년을 선고하였다.

① ㉠은 원칙적으로 법관이 갑을 직접 심문하고 구속 영장 발부 여부를 결정하는 제도이다.
② (가)에서 수사가 개시되기 위해서는 고소·고발이 있어야만 한다.
③ (나)에서 갑은 구속 적부 심사 제도를 통해 불구속 재판을 받을 수 있다.
④ (다)에서 갑은 유예의 실효 없이 유예된 날로부터 일정한 기간을 경과하면 면소된 것으로 간주하는 판결을 받았다.
⑤ (다)의 판결에 불복할 경우 갑은 검사와 달리 항소할 수 있다.

▸ 24063-0230

14 다음 자료에 대한 설명으로 옳은 것은? [3점]

갑은 6촌 이내의 혈족 사이인 을과 혼인 신고를 하고 살던 중 을이 이혼을 요구하자 거절하였다. 이에 을은 혼인 무효의 소를 제기하여 갑과 을의 혼인이 무효가 되었다. 이에 갑은 항소하였고, 항소심 계속 중 8촌 이내 혈족 사이의 혼인을 금지하고 이를 혼인 무효 사유로 규정한 ○○법 □□조항에 대해 A에 (가) 제청 신청을 하였다. A는 (가) 제청 신청을 기각하였고, 이에 갑은 B에 (나)를 청구하였다.

① A는 위헌·위법한 명령·규칙·처분에 대한 최종 심사권을 갖는다.
② B의 모든 재판관은 국회의 동의를 얻어 대통령이 임명한다.
③ (나)는 권리 구제형 헌법 소원 심판이다.
④ A는 갑의 제청 신청이 없으면 B에 직권으로 (가)를 제청할 수 없다.
⑤ A의 (가) 제청과 B의 (나)는 모두 국회를 견제하는 권한에 해당한다.

▸ 24063-0231

15 다음 사례에 대한 옳은 법적 판단만을 <보기>에서 있는 대로 고른 것은? (단, 갑~병에 대한 판결은 모두 확정됨.) [3점]

- 갑은 감염병으로 인해 자가 격리 통보를 받았으나, 보이스피싱 피해 신고를 위해 주거지를 이탈하여 감염병의 예방 및 관리에 관한 법률 위반으로 기소되었다. 이에 대해 ○○ 지방 법원은 갑에 대한 형의 선고를 유예하였다.
- 을은 A의 의사에 반하여 A에게 직접 찾아 가거나 전화를 이용하여 글, 그림 등을 지속적으로 보내 스토킹 범죄의 처벌 등에 관한 법률 위반으로 기소되었다. 이에 대해 △△ 지방 법원은 징역 4월에 집행 유예 1년을 선고하면서 스토킹 범죄 재범 예방 강의 수강 40시간을 명령하였다.
- 병은 인터넷 사이트에서 위조 상표가 부착된 핸드백을 판매하여 상표법 위반으로 기소되었다. 이에 대해 □□ 지방 법원은 징역 6월에 집행 유예 2년을 선고하면서 압수된 핸드백을 몰수하였다.

보기

ㄱ. 병은 갑, 을과 달리 재산형에 해당하는 형벌을 선고받았다.
ㄴ. 갑과 을에게 형벌의 대안적 제재인 보안 처분이 부과되었다.
ㄷ. 을, 병은 징역형의 유예를 받은 날로부터 일정 기간을 경과한 때에 면소된 것으로 간주하는 판결을 받았다.
ㄹ. 갑, 을, 병의 행위는 모두 범죄의 구성 요건에 해당한다.

① ㄱ, ㄴ ② ㄱ, ㄹ ③ ㄴ, ㄷ
④ ㄱ, ㄷ, ㄹ ⑤ ㄴ, ㄷ, ㄹ

▸ 24063-0232

16 (가)에 들어갈 수 있는 내용으로 옳은 것은? [3점]

저는 사진관을 운영하는 갑(40세)과 결혼식 과정을 비디오로 촬영하기로 하는 계약을 맺었습니다. 그러나 결혼식 당일 갑이 고용한 을(28세)이 결혼식 시간을 실수로 착각하는 바람에 결혼식 장소에 늦게 도착하여 비디오 촬영이 제대로 이루어지지 않았습니다. 당황한 을이 촬영 중 제 발에 카메라를 떨어뜨려 큰 부상을 입었습니다. 그리고 제주도로 신혼 여행을 갔는데, 음식점에서 식사를 하던 중 상가 건물 벽이 무너져 팔을 다쳤습니다. 그 상가 건물은 병(50세)의 소유인데 병이 정(40세)에게 임대하여 사고 당시에는 정이 상가 건물에서 음식점을 영업하고 있었습니다. 손해 배상을 받고 싶은데 누가 손해 배상 책임을 지나요?
(가)
변호사

① 갑이 불법 행위 책임을 지더라도 정신적 손해에 대한 배상 책임은 지지 않습니다.

② 을이 채무 불이행에 대한 손해 배상 책임을 집니다.

③ 갑이 사용자로서 특수 불법 행위 책임을 진다면 을은 일반 불법 행위 책임을 지지 않습니다.

④ 갑이 을에 대한 선임 및 사무 감독에 상당한 주의를 다했음을 증명한다면 갑과 을 모두 불법 행위 책임을 지지 않습니다.

⑤ 정이 손해의 방지에 필요한 주의를 게을리하지 않았음을 증명하면 병이 공작물 소유자로서 특수 불법 행위 책임을 집니다.

▸ 24063-0233

17 다음 사례에 대한 법적 판단으로 옳은 것은? [3점]

갑은 자신이 소속된 노동조합의 적법한 쟁의 행위에 참가하였다는 이유로, 을은 근무 실적이 저조하다는 이유로 A회사로부터 해고되었다. 갑, 을은 각각 적법한 절차를 거쳐 ○○ 지방 노동 위원회에 A회사의 해고에 대해 구제 신청을 하였다.

질문	답변	
	갑	을
○○ 지방 노동 위원회에서 인용 결정이 있었는가?	예	예
중앙 노동 위원회에 신청된 재심에서 인용 결정이 있었는가?	예	아니요
중앙 노동 위원회의 재심 판정에 대하여 행정 소송법이 정하는 바에 의한 소가 제기되었는가?	예	예

* 갑, 을은 모두 A회사 노동조합에 가입되어 있음.

① A회사의 노동조합은 갑, 을에 대한 해고에 대해 노동 위원회에 구제 신청을 할 수 있다.

② 을은 갑과 달리 ○○ 지방 노동 위원회에 구제 신청하는 것과 별도로 A회사를 상대로 해고의 효력을 다투는 소를 제기할 수 있다.

③ A회사는 갑의 해고에 대한 중앙 노동 위원회의 재심 판정에 불복하여 행정 소송을 제기하였다.

④ ○○ 지방 노동 위원회와 중앙 노동 위원회는 을에 대한 해고에 대한 판단이 달랐다.

⑤ 행정 소송에서 재심 판정을 취소한다면, 갑에 대한 해고는 부당 해고이지만, 을에 대한 해고는 부당 해고가 아니라고 본 것이다.

▸ 24063-0234

18 국제 관계를 바라보는 갑, 을의 관점에 대한 설명으로 옳은 것은?

> 갑: 국제 에너지 자원 문제를 해결하기 위해서는 국제기구 주도로 에너지 관련 협약을 만들어야 합니다. 이를 통해 국가 간 평화적이고 협력적인 국제 관계를 만들어 에너지 자원을 관리해야 합니다.
> 을: 그렇지 않습니다. 에너지 자원은 국가 안보에 핵심적인 역할을 합니다. 권력의 극대화를 추구하는 국가는 대립하는 상대국의 국력과 동일한 군사력을 유지하기 위해 경쟁하고 있습니다. 그러므로 개별 국가는 에너지 자원을 먼저 확보하는 것이 중요합니다.

① 갑의 관점은 국제 사회가 도덕적 규범보다 힘의 논리에 의해 지배된다고 본다.
② 갑의 관점은 세력 균형 전략으로 국제 질서 유지가 가능하다고 본다.
③ 을의 관점은 평화를 달성하기 위한 방안으로 집단 안보를 강조한다.
④ 을의 관점은 국제 사회에서 강제력을 행사할 수 있는 중앙 정부가 존재하지 않는다고 본다.
⑤ 을의 관점은 갑의 관점과 달리 개별 국가의 이익과 국제 사회 전체의 이익이 조화될 수 있다고 본다.

▸ 24063-0235

19 국제 연합의 주요 기관 A, B에 대한 설명으로 옳은 것은?

> **○○ 신문**
> 카리브해 3개 섬에 대한 니카라과와 콜롬비아의 분쟁에 대해 A는 콜롬비아에게 영유권이 있다고 판결을 내렸다. 니카라과가 연안 대륙붕의 경계를 넓혀 3개 섬의 200해리 안으로 배타적 권리를 주장하였지만, 이를 인정하지 않은 것이다.

> **□□ 신문**
> 미얀마에서 일어난 군사 쿠데타에 대해 B에서 미얀마 군부가 폭력을 중단할 것을 요구하는 사항이 담긴 ㉠결의안을 발표하였다. 이사국 15개국 중 12개국이 찬성하여 결의안이 통과된 것으로 해당 사항은 절차 사항이 아니다.

① A는 서로 국적이 같은 재판관으로 구성될 수 있다.
② A는 국제 연합의 모든 회원국이 참여하는 최고 의결 기관이다.
③ B에서 ㉠에 거부권을 행사한 상임 이사국은 없었다.
④ A에서 B의 비상임 이사국을 선출한다.
⑤ B는 A의 판결을 이행하지 않는 국가에 적절한 조치를 취할 수 없다.

▸ 24063-0236

20 다음 자료에 대한 분석으로 옳은 것은? [3점]

갑국은 현재 6개의 선거구에서 각 선거구별 최다 득표자 1인을 의회 의원으로 선출하고 있다. 다음은 현재 갑국의 선거구 및 최근 의회 의원 선거 결과를 나타낸다.

〈현재 갑국의 선거구〉

선거구 1	선거구 2	선거구 3
선거구 4	선거구 5	선거구 6

〈최근 의회 의원 선거의 정당별 득표 결과〉

(단위: 표)

구분	A당	B당	C당	D당	합계
선거구 1	140	90	160	10	400
선거구 2	150	70	230	150	600
선거구 3	70	50	80	20	220
선거구 4	80	90	10	20	200
선거구 5	40	50	90	20	200
선거구 6	230	20	50	80	380
합계	710	370	620	300	2,000

* 투표율은 100%이며, 무효표는 없음.
** 유권자 1인은 1표를 행사하고, 무소속 후보자는 없음.
*** 개편안의 경우 위 표를 근거로 차기 선거 결과를 판단함.

갑국은 2개의 선거구를 하나로 통합하여 총 3개의 선거구를 구성한 후, 각 선거구에서 득표순으로 2인의 의원을 선출하는 개편안을 검토하고 있다. 현재 갑국의 선거구에서 개편안 적용 시 선거구 통합은 경계선이 접한 선거구끼리만 가능하며 대각선 방향의 통합은 고려하지 않는다. 통합 후 하나의 선거구 유권자 수가 다른 선거구 유권자 수의 2배 이상이 되지 않도록 한다. 정당이 후보자를 공천할 때 선거구별로 2인이 당선 가능한 경우 2인을, 그렇지 않은 경우 1인을 공천한다. 단, 정당이 2인의 후보자를 공천한 경우 각 후보자는 소속 정당의 득표수를 2로 나눈 만큼 득표한다고 본다.

① 현행은 개편안과 달리 동일 선거구 내 당선자 간 유권자의 투표 가치 차등 문제가 발생할 수 있다.
② 개편안에서 선거구를 통합할 수 있는 경우는 총 3개이다.
③ 개편안 적용 시 A당의 총의석수는 최소 3석, 최대 4석이다.
④ C당은 개편안 중 선거구 1-4, 2-5, 3-6 통합을 선호한다.
⑤ B당은 현행보다 개편안을 적용하는 것이 유리하고, D당의 경우 선거 제도 개편에 따른 유불리는 없다.

실전 모의고사 5회

제한시간 30분 | 배점 50점 | 정답과 해설 53쪽

문항에 따라 배점이 다르니, 각 물음의 끝에 표시된 배점을 참고하시오. 3점 문항에만 점수가 표시되어 있습니다. 점수 표시가 없는 문항은 모두 2점입니다.

▸ 24063-0237

1 그림은 정치를 바라보는 서로 다른 관점을 가진 갑과 을의 대화이다. 이에 대한 설명으로 옳은 것은?

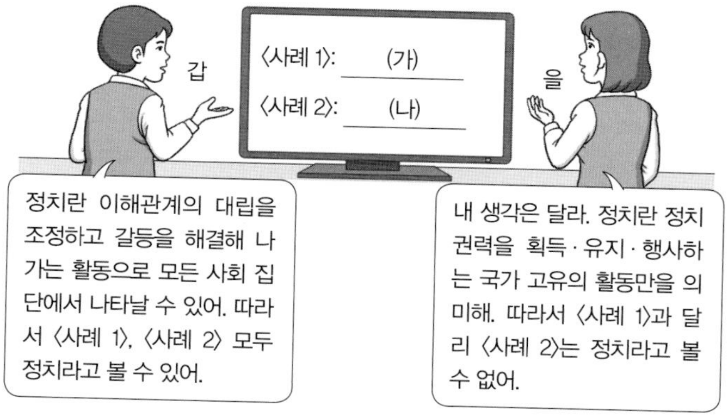

갑
〈사례 1〉: (가)
〈사례 2〉: (나)
을
정치란 이해관계의 대립을 조정하고 갈등을 해결해 나가는 활동으로 모든 사회 집단에서 나타날 수 있어. 따라서 〈사례 1〉, 〈사례 2〉 모두 정치라고 볼 수 있어.
내 생각은 달라. 정치란 정치 권력을 획득·유지·행사하는 국가 고유의 활동만을 의미해. 따라서 〈사례 1〉과 달리 〈사례 2〉는 정치라고 볼 수 없어.

① 갑의 관점은 국가 형성 이전에 나타난 정치 현상을 설명하는 데 적합하다.
② 갑의 관점은 을의 관점과 달리 정치권력을 획득하고 행사하는 활동을 정치로 보지 않는다.
③ 을의 관점은 갑의 관점에 비해 다원화된 현대 사회의 갈등 해결 양상을 설명하는 데 용이하다.
④ '학급 회의를 통한 스마트폰 이용 규칙 제정'은 (가)에 들어갈 수 있다.
⑤ '국회의 지방 자치법 개정안 의결'은 (나)에 들어갈 수 있다.

▸ 24063-0238

2 법치주의의 유형 A, B에 대한 옳은 설명만을 〈보기〉에서 고른 것은? [3점]

A는 합법적 절차를 거쳐 제정된 법률이라면 그 목적이나 내용을 문제 삼지 않아 다수의 횡포와 독재를 초래할 수 있다. 따라서 오늘날의 법치주의는 국민의 권리·의무에 관한 사항을 법률로써 정해야 한다는 A에 그치는 것이 아니라, 그 법률의 목적과 내용 또한 기본권 보장의 헌법 이념에 부합되어야 한다는 B를 의미한다.

보기

ㄱ. A는 B와 달리 국가 권력의 자의적 행사를 경계한다.
ㄴ. A는 B와 달리 위헌 법률 심사제가 필요하다고 본다.
ㄷ. B는 A와 달리 통치 행위의 형식적 합법성뿐만 아니라 실질적 정당성까지 중시한다.
ㄹ. A, B는 모두 국민의 기본권을 제한하기 위해서는 법적 근거가 필요하다고 본다.

① ㄱ, ㄴ ② ㄱ, ㄷ ③ ㄴ, ㄷ ④ ㄴ, ㄹ ⑤ ㄷ, ㄹ

▸ 24063-0239

3 다음 자료에 대한 설명으로 옳은 것은?

우리나라는 헌법 전문에서 "항구적인 세계 평화와 인류 공영에 이바지함으로써"라고 규정하고 제5조 제1항에서 "대한민국은 국제 평화의 유지에 노력하고 ㉠침략적 전쟁을 부인한다."라고 규정하여 (가) 를 헌법의 기본 원리로 명시하고 있다. (가) 를 실현하기 위해 우리나라는 헌법에 의하여 체결·공포된 A, 국제 사회에서 반복된 관행이 법적 확신을 얻어 효력을 가지게 된 B와 같은 국제법을 존중한다.

① (가)는 분단된 현실을 반영한 우리나라 특유의 원리이다.
② '재외 국민의 선거권 보장'은 (가)의 실현 방안이다.
③ '국제법과 조약이 정하는 바에 의한 외국인의 지위 보장'은 (가)의 실현 방안이다.
④ ㉠에 따라 전쟁 지역에 국군을 파병하는 것은 금지된다.
⑤ A는 B와 달리 비준 절차를 거치지 않더라도 국내법과 동등한 효력을 가진다.

▸ 24063-0240

4 다음 자료에 대한 설명으로 옳은 것은? [3점]

갑국과 을국의 정부 형태는 각각 전형적인 대통령제와 의원 내각제 중 하나이며, ㉠ 의 행정부 수반은 법률안 거부권을 가지고 ㉡ 의 행정부 수반은 의회 해산권을 가진다. 갑국의 정당 제도는 양당제, 을국의 정당 제도는 다당제이며 양국의 시기별 행정부 수반 소속 정당의 의회 의석률은 다음과 같다.

(단위: %)

시기	갑국	을국
T시기	30	55
T+1시기	60	35

* 갑국, 을국 모두 정부 형태의 변화는 없고, 무소속 의원은 없음.

① ㉠에는 '을국', ㉡에는 '갑국'이 들어간다.
② 갑국에서는 행정부 수반이 국가 원수의 지위를 동시에 가진다.
③ T시기 갑국에서는 을국과 달리 연립 내각이 구성된다.
④ T시기 갑국 의회는 T+1시기에 비해 내각을 불신임할 가능성이 높다.
⑤ T시기에 을국의 행정부 수반은 갑국의 행정부 수반과 달리 임기를 엄격하게 보장받는다.

▸ 24063-0241

5 다음 자료는 기본권 유형 A와 관련된 헌법 재판소 결정을 정리한 것이다. 이에 대한 설명으로 옳은 것은?

> • 쟁점
> 피성년 후견인인 국가 공무원은 당연 퇴직한다고 정한 ○○법 조항이 A를 침해하는지 여부
> • 헌법 재판소의 판단
> 심판 대상 조항은 사무를 처리할 능력이 지속적으로 결여되어 피성년 후견인이 된 자를 당연 퇴직시킴으로써 직무 수행 능력 결여로 발생할 수 있는 직무 수행의 하자나 위험을 사전에 방지하고자 하여 입법 목적의 정당성이 인정된다. 그런데 국가 공무원이 피성년 후견인이 되었다 하더라도 곧바로 당연 퇴직 되는 대신 휴직을 통한 회복의 기회를 부여하고 휴직 기간이 끝났음에도 직무에 복귀하지 못하거나 직무를 감당할 수 없을 때 비로소 직을 박탈하는 방법을 상정할 수 있다. 이처럼 심판 대상 조항과 같은 정도의 입법 목적을 달성하면서, 국가 및 공공 단체의 구성원으로서 그 직무를 담당할 수 있는 권리인 A의 침해를 최소화할 수 있는 대안이 존재하므로 심판 대상 조항은 침해의 최소성에 반한다.

① A는 역사적으로 가장 오래된 기본권이다.
② A는 다른 기본권을 보장하기 위한 수단적 권리이다.
③ A는 국가 권력에 의한 간섭이나 침해를 배제하는 방어적 권리이다.
④ A는 국가의 정치적 의사 결정 과정에 참여할 수 있는 능동적 권리이다.
⑤ 심판 대상 조항은 입법 목적이 정당하므로 과잉 금지의 원칙에 위배되지 않는다.

▸ 24063-0242

6 다음 자료에 대한 설명으로 옳은 것은? [3점]

> 우리나라 기초 자치 단체인 ○○시의 ㉠ <u>○○시 의회</u>는 최근 본회의를 열고 ㉡ <u>○○시장</u> 갑에게 노년층을 위한 복지 문화 공간 확보와 관련하여 시정 질문을 하였다. 이후 ○○시 의회 지역구 의원인 을은 ㉢ <u>고령 장애인 지원에 관한 조례안</u>을 발의하였다. 한편 갑은 ㉣ <u>○○시 예산안</u>을 편성하여 이번 본회의에 제출하였다.

① ㉠은 집행 기관, ㉡은 의결 기관이다.
② ㉢은 주민 투표를 거쳐야 최종 확정된다.
③ ㉠은 ㉡과 달리 법령의 범위 내에서 규칙을 제정한다.
④ ㉠은 본회의에 제출된 ㉣을 심의·확정한다.
⑤ 갑은 을과 달리 주민 소환의 대상이 될 수 있다.

▸ 24063-0243

7 우리나라 헌법 기관 A～C에 대한 설명으로 옳은 것은? [3점]

> A는 명령·규칙 또는 처분이 헌법이나 법률에 위반되는 여부가 재판의 전제가 될 때 이를 최종적으로 심사할 권한을 가짐으로써 행정부를 견제할 수 있다. B는 탄핵 심판을 통해 국무총리, 국무 위원 등 고위 공직자의 파면 여부를 결정함으로써 행정부를 견제할 수 있다. 행정부의 수반인 C는 A의 장(長)과 B의 장(長)에 대한 임명권을 가짐으로써 A와 B를 견제할 수 있다. 이처럼 우리나라 국가 기관은 상호 견제와 균형을 통해 권력 분립의 원리를 실현하고 있다.

① A는 위헌 법률 심판권을 가진다.
② A는 법관의 자격을 가진 9인의 재판관으로 구성된다.
③ B는 정당 해산 심판 제소권을 가진다.
④ A는 C를 선출하는 선거의 효력을 다투는 소송의 재판권을 가진다.
⑤ A의 장(長)과 달리 B의 장(長)을 임명하기 위해 C는 국회 동의를 얻어야 한다.

▸ 24063-0244

8 자료에 제시된 [사례]를 상황 (가)～(라)에 적용할 경우에 대한 법적 판단으로 옳은 것은? [3점]

> [사례] 갑(17세)은 판매업자 을로부터 고가의 명품 가방을 구매하는 계약을 체결하였다.

질문	상황			
	(가)	(나)	(다)	(라)
갑은 법정 대리인의 동의를 얻어 계약을 체결하였는가?	○	×	×	×
계약 체결 당시 을은 갑이 미성년자임을 알고 있었는가?	×	×	○	×
갑이 신분증을 위조하여 을에게 자신을 성년자로 믿게 하였는가?	×	×	×	○

(○: 예, ×: 아니요)

① (가)에서 갑은 법정 대리인의 동의를 얻어 계약을 취소할 수 있다.
② (나)에서 을은 갑에게 계약 취소 여부에 대한 확답을 촉구할 권리를 행사할 수 있다.
③ (라)에서 갑의 법정 대리인은 갑이 미성년자임을 이유로 계약을 취소할 수 있다.
④ (나)에서 을은 (다)에서와 달리 갑의 법정 대리인의 추인이 있기 전까지 계약 체결의 의사 표시를 철회할 수 있다.
⑤ (가)～(라) 중 갑이 계약을 취소할 수 있는 상황은 3개이다.

▸ 24063-0245

9 **다음 자료에 대한 옳은 설명만을 〈보기〉에서 고른 것은? (단, A, B는 각각 투입, 산출 중 하나임.)**

교사: 정치 과정을 그림과 같이 나타낼 수 있습니다. A의 사례로는 시민들이 교통 약자 이동 편의를 증진하기 위한 입법 청원을 하는 것을 들 수 있습니다. B의 사례로는 (가) 을/를 들 수 있습니다.

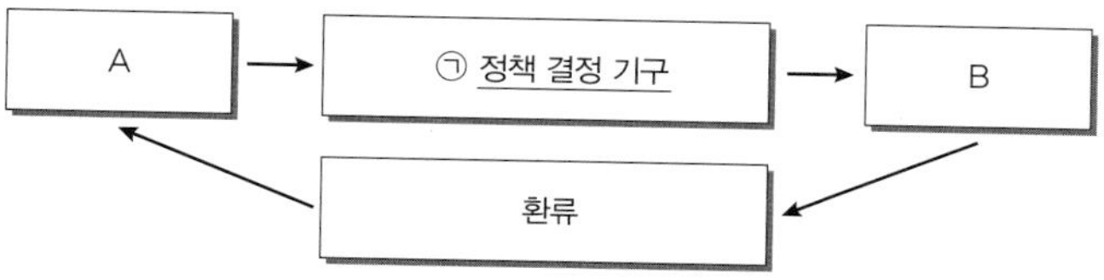

보기

ㄱ. 정당은 시민 단체와 달리 ㉠에 해당한다.
ㄴ. 언론은 사회적 의제를 설정하고 여론을 형성하는 활동을 통해 A에 참여할 수 있다.
ㄷ. B는 A와 달리 경제 · 사회 · 문화 · 생태와 같은 정치 외적 요소의 영향을 받지 않는다.
ㄹ. '전동 킥보드 이용 시 주의 의무를 강화하는 도로 교통법 개정'은 (가)에 들어갈 수 있다.

① ㄱ, ㄴ ② ㄱ, ㄷ ③ ㄴ, ㄷ ④ ㄴ, ㄹ ⑤ ㄷ, ㄹ

▸ 24063-0246

10 **민법의 기본 원칙 (가)에 대한 설명으로 가장 적절한 것은?**

부득이한 사정으로 자신의 반려동물을 키울 수 없게 된 고객은 자신의 동물을 맡아 보호 · 관리를 하는 사업자를 찾게 된다. 통상 이러한 고객들은 반려동물의 소유권을 사업자에게 이전하면서 관리 비용을 지불하고, 사업자는 해당 동물을 새 주인에게 입양 보내거나 보호 · 관리하는 의무를 부담하는 계약을 체결하게 된다. 그런데 고객이 반려동물의 소유권을 포기했다는 이유로 고객의 관여를 전면 금지하고 동물의 반환 및 비용 환급을 불가능하도록 규정한 약관 조항은 사업자의 의무를 이유 없이 경감하고 고객에게 부당하게 불리하여 (가) 에 위배된다. 이에 고객의 관여 불가 조항을 삭제하고 사업자가 계약 내용을 이행하지 않을 시 고객이 동물의 반환 및 비용의 환급을 요구할 수 있도록 관련 약관 조항이 시정되었다.

① 소유권은 공공복리에 적합하도록 행사되어야 한다는 원칙이다.
② 개인은 자율적인 판단에 따라 법률관계를 형성할 수 있다는 원칙이다.
③ 자신의 고의나 과실에 따른 행위로 타인에게 손해를 끼친 경우에만 책임을 진다는 원칙이다.
④ 개인 소유의 재산에 대한 사적 지배를 인정하고 국가나 타인이 함부로 간섭하지 못한다는 원칙이다.
⑤ 계약의 내용이 사회 질서에 위반되거나 현저하게 공정하지 못한 경우 법적 효력이 발생하지 않는다는 원칙이다.

▸ 24063-0247

11 **다음 자료에 대한 설명으로 옳은 것은?**

교사: A와 B는 모두 대통령에게 국무 위원의 해임을 건의할 수 있습니다. 우리나라 헌법 기관 A, B에 대해 설명해 볼까요?
갑: A는 정부의 권한에 속하는 중요 정책을 심의하는 행정부 최고 심의 기관입니다.
을: B는 국가 예산안을 심의 · 의결합니다.
병: A는 B를 탄핵 소추할 수 있는 권한을 가집니다.
정: B는 대통령에게 A의 해임을 건의할 수 있습니다.
교사: 두 사람은 옳게 말했고 나머지 두 사람은 틀리게 말했습니다.

① 옳게 말한 사람은 을과 정이다.
② A는 국정 조사 및 국정 감사권을 가진다.
③ A는 헌법 재판소 재판관 3인에 대한 임명권을 가진다.
④ B는 국무 위원 임명 제청권을 가진다.
⑤ B는 A의 동의를 얻어 대통령이 임명한다.

▸ 24063-0248

12 **다음 사례에 대한 법적 판단으로 옳은 것은? [3점]**

갑과 을은 법률혼을 하고 함께 살던 중 갑과 을 사이에서 A, B가 태어났다. 이후 갑과 을은 성격 차이로 자주 다툼을 겪다가 이혼 숙려 기간을 거친 후 법원으로부터 이혼 의사를 확인받아 이혼하였다. 이혼 당시 A는 갑이, B는 을이 양육하기로 하였다. 몇 년 후 을은 병과 재혼(법률혼)하였고 병의 어머니 정과 함께 살게 되었다. 을과 병 사이에서 C가 태어났으며 병은 적법한 절차를 거쳐 B를 친양자로 입양하였다. 그러나 정으로부터 심히 부당한 대우를 받던 을은 결국 법원의 판결을 통해 병과 이혼하였다.

① 갑과 을의 이혼은 법원이 이혼 의사를 확인함으로써 효력이 발생한다.
② 을과 병의 이혼은 갑과 을의 이혼과 달리 이혼 사유에 제한이 없는 이혼이다.
③ 병은 갑과 달리 이혼하면서 혼인 중 취득한 재산에 대한 분할을 청구할 수 없다.
④ 을과 병의 이혼 후 병이 사망한다면, 정과 C는 을과 달리 병의 재산을 상속받을 수 있다.
⑤ 을과 병의 이혼 당시, A, B, C는 각각 갑, 을, 병 중 2명과 친자 관계가 있다.

▸ 24063-0249

13 다음 사례에 대한 옳은 법적 판단만을 〈보기〉에서 고른 것은?

갑은 친구인 을이 출장을 떠나면서 맡긴 을 소유의 개를 데리고 산책을 하던 중 병을 만나게 되었다. 병이 개에게 접근하자 입마개가 채워져 있지 않던 개가 병에게 달려들었고 병은 정신적 충격과 함께 전치 3주의 치료를 요하는 상해를 입었다. 이 사고로 인하여 갑은 과실 치상죄로 벌금 50만 원을 선고받았다.

보기

ㄱ. 을은 동물의 소유자로서 병에게 무과실 책임을 진다.
ㄴ. 병은 갑에게 정신적 손해에 대한 위자료를 청구할 수 있다.
ㄷ. 갑은 동물의 점유자로서 병에게 특수 불법 행위 책임을 진다.
ㄹ. 갑은 과실 치상죄로 벌금을 선고받았으므로 병에게 손해 배상 책임을 지지 않는다.

① ㄱ, ㄴ ② ㄱ, ㄷ ③ ㄴ, ㄷ ④ ㄴ, ㄹ ⑤ ㄷ, ㄹ

▸ 24063-0250

14 밑줄 친 A원칙에 대한 설명으로 가장 적절한 것은?

갑이 지방세를 체납하자 해당 지방 자치 단체는 갑이 근무하는 회사 대표 을에게 '갑이 체납한 지방세를 징수하기 위해 갑에게 지급되는 급여의 1/2을 압류하니 이를 지급하라'는 취지의 통지서를 전달하였다. 그러나 을은 이를 이행하지 않았고 ○○법 위반으로 재판을 받게 되었다. 재판 계속 중 을은 '법에 의한 정부의 명령 사항에 위반한 자'를 처벌하고 있는 ○○법 조항이 죄형 법정주의에 위배된다며 위헌 법률 심판 제청 신청을 하였고 제청 법원이 헌법 재판소에 위헌 법률 심판 제청을 하였다. 이에 헌법 재판소는 심판 대상 조항 중 '명령 사항'이라는 개념이 모호하게 규정됨으로써 과세 관청이 조세에 관하여 내린 행정적 처분 중 무엇이 이에 해당되고 해당되지 않는지에 관하여, 통상의 판단 능력을 가진 일반인은 물론 세무 행정 실무자와 법률 전문가 사이에서조차 법 해석상의 혼란을 일으키고 있다며, ○○법 조항은 죄형 법정주의의 <u>A원칙</u>에 위반된다고 판단하였다.

① 범죄 행위의 경중과 형사 책임 사이에 균형을 갖추어야 한다는 원칙이다.
② 범죄와 형벌이 법률에 구체적으로 명확하게 규정되어야 한다는 원칙이다.
③ 관습법을 근거로 일정한 행위를 범죄로 인정하거나 형벌을 부과하는 것을 금지한다는 원칙이다.
④ 법률에 규정이 없는 사항에 대해 그것과 유사한 내용을 가지는 법률을 적용하여 처벌해서는 안 된다는 원칙이다.
⑤ 범죄와 형벌은 행위 시의 법률에 의하여 결정되어야 하므로 법률 시행 이전의 행위에 소급하여 적용할 수 없다는 원칙이다.

▸ 24063-0251

15 다음 사례에 대한 법적 판단으로 옳은 것은? [3점]

갑은 자신의 전자 지갑으로 을 소유의 가상 화폐가 잘못 전달되자 이를 보관하다가 사용하였다. 이에 검사는 횡령 및 배임 혐의로 갑을 기소하였다. 1심 법원은 갑이 을 소유의 가상 화폐를 을에게 반환하기 위해 그대로 보관하여야 할 임무를 위배하였고 재산상 이익을 얻었다고 볼 수 있으므로 배임죄가 성립한다고 판단하였다. 반면, 횡령죄의 객체는 자기가 보관하는 '타인의 재물'이므로 재물이 아닌 재산상의 이익은 횡령죄의 객체가 될 수 없는데 이 사건의 가상 화폐는 물리적 실체가 없고 관리할 수 있는 동력에도 해당하지 않아 재물로 볼 수 없다며 갑에게 횡령죄가 성립하지 않는다고 판단하였다. 이에 갑과 검사가 모두 항소하였으나 2심 법원은 이를 모두 기각하였고 갑은 상고하였다. 대법원은 갑과 을 사이에 신임 관계를 인정하기 어렵고 갑이 배임죄의 주체인 '타인의 사무를 처리하는 자'에 해당한다고 볼 수 없다며 원심 판결을 ○○ 고등 법원으로 파기 환송하였다.

형법 제355조 ① 타인의 재물을 보관하는 자가 그 재물을 횡령하거나 그 반환을 거부한 때에는 5년 이하의 징역 또는 1천500만 원 이하의 벌금에 처한다. (횡령)
② 타인의 사무를 처리하는 자가 그 임무에 위배하는 행위로써 재산상의 이익을 취득하거나 제삼자로 하여금 이를 취득하게 하여 본인에게 손해를 가한 때에도 전항의 형과 같다. (배임)

① 갑에 대한 1심 재판은 지방 법원 단독 판사가 담당하였다.
② 1심 법원은 갑의 행위가 횡령죄의 구성 요건에 해당하지 않는다고 판단하였다.
③ 1심 법원과 달리 2심 법원은 가상 화폐를 재물이라고 판단하였다.
④ 대법원은 갑의 행위가 배임죄의 구성 요건에 해당하나 위법성이 조각된다고 판단하였다.
⑤ 대법원은 가상 화폐가 재물에 해당하지 않으므로 갑에게 재산상 이익도 발생하지 않았다고 판단하였다.

▶ 24063-0252

16 다음 사례에 대한 법적 판단으로 옳은 것은?

(가) 회사원 갑은 회사 공금을 횡령했다는 이유로 고소를 당하여 구속 수사를 받았다.

⬇

(나) 검사는 갑을 기소하였고 1심 법원은 갑에게 징역 6월에 집행 유예 2년을 선고하였고, 이에 불복한 갑은 항소하였다.

⬇

(다) 재판 과정에서 회사 업무 담당자 을이 컴퓨터 처리를 잘못하여 벌어진 일임이 밝혀졌고, 2심 법원은 갑에게 무죄를 선고하였다. 이후 해당 판결이 확정되었다.

① (가)에서 피해자나 이해관계자가 아닌 제3자의 신고로 갑에 대한 수사 기관의 수사가 시작되었다.
② (가)에서 갑은 자신의 석방을 위해 법원에 구속 영장 실질 심사를 청구할 수 있다.
③ (나)에서 1심 법원은 갑의 유죄를 인정하면서 선고를 받은 후 2년이 경과한 때에는 면소되는 것으로 간주되는 판결을 내렸다.
④ (다)에서 2심 재판 계속 중 갑은 배상 명령 제도를 활용하여 을로부터 민사적 손해 배상을 받아낼 수 있다.
⑤ (다) 이후 갑은 형사 보상 제도를 활용하여 구금에 대한 물질적 · 정신적 피해의 보상을 청구할 수 있다.

▶ 24063-0253

17 다음 사례에 대한 옳은 법적 판단만을 〈보기〉에서 고른 것은? [3점]

갑은 자동차 정비업 등을 하는 ○○회사에 입사하여 업무 수행 중 팀원과 다투게 되었다. 갑은 월차계를 제출하고 퇴근하였고 국민 신문고 인터넷 홈페이지에 팀원의 폭행으로 입원하여 치료받고 있다는 글을 기재하면서 고용 보험 상실 신고 처리 관련 민원을 담은 글을 작성하였다. 이에 국민 신문고 담당 공무원은 ○○회사에 전화하여 갑의 고용 보험 상실 신고 처리가 되지 않아 민원이 접수되었다는 이야기를 하였고, ○○회사는 갑이 자진 퇴사한 것으로 고용 보험 상실 신고를 하였다. 이에 갑은 회사에 사직 의사를 표시한 바 없음에도 자신을 퇴사 처리한 것은 부당 해고에 해당한다며 □□ 지방 노동 위원회에 구제 신청을 하였으나, □□ 지방 노동 위원회는 갑과 ○○회사 사이의 근로관계가 갑에 의사에 반해 일방적으로 종료되었다고 보기 어렵다며 갑의 구제 신청을 기각하였다. 이에 갑은 중앙 노동 위원회에 재심을 신청하였고 중앙 노동 위원회도 초심과 동일한 이유를 들어 재심 신청을 기각하였다. 이에 갑은 소송을 제기하였고 법원은 중앙 노동 위원회가 갑과 ○○회사 사이의 부당 해고 구제 재심 신청 사건에 관하여 한 재심 판정을 취소한다는 판결을 내렸다.

* 고용 보험 상실 신고: 근로자가 퇴사하는 경우 고용 보험 자격을 상실하였음을 신고하는 것

보기

ㄱ. 갑은 자신의 근로 3권이 침해되었음을 이유로 □□ 지방 노동 위원회에 구제 신청을 하였다.
ㄴ. 중앙 노동 위원회는 갑과 ○○회사 사이의 근로관계가 ○○회사의 일방적인 의사 표시에 따라 종료되었다고 판단하였다.
ㄷ. 갑이 제기한 소송은 노동 위원회 구제 절차를 거치지 않고서는 제기할 수 없는 소송이다.
ㄹ. 법원은 ○○회사가 갑이 자진 퇴사한 것으로 고용 보험 상실 신고를 하여 근로관계를 종료한 것은 부당 해고에 해당한다고 판단하였다.

① ㄱ, ㄴ ② ㄱ, ㄷ ③ ㄴ, ㄷ ④ ㄴ, ㄹ ⑤ ㄷ, ㄹ

▸ 24063-0254

18 밑줄 친 ㉠~㉢에 대한 설명으로 옳은 것은?

> 모욕 행위를 형사 처벌하는 것은 국제 인권 기준에 부합하지 않는 측면이 있다. 우리나라가 당사국으로 가입한 ㉠시민적 및 정치적 권리에 관한 국제 규약 제19조는 표현의 자유를 규정하고 있다. 위 규약상 기관인 인권 이사회의 일반 논평에서는 사실적 주장이 아닌 단순한 견해 표명에 대해 법적 책임을 지울 수 없다고 선언하고 있다. 한편 의견과 표현의 자유에 대한 유엔 특별 보고관은 한국의 명예에 관한 죄가 표현의 자유에 대하여 지나친 위축 효과를 가져온다고 하면서, ㉡민법상 명예 훼손에 대하여 손해 배상 청구 소송이 가능하기 때문에 형사 처벌은 정당화될 수 없다고 지적하며 ㉢형법에서 명예에 관한 죄를 삭제할 것을 권고하였다.

① 우리나라에서 ㉠에 대한 체결·비준권은 대통령이 가진다.
② ㉠과 같은 국제법의 법원(法源)은 원칙적으로 모든 국가에 포괄적 구속력을 가진다.
③ 국내에서 ㉢은 강제적으로 집행할 기관이 없다.
④ ㉡은 ㉢과 달리 공법에 해당한다.
⑤ ㉡, ㉢은 ㉠과 달리 성문화된 형식으로 존재한다.

▸ 24063-0255

19 국제 연합의 주요 기관 A~C에 대한 설명으로 옳은 것은? [3점]

> 국제 연합 헌장 제94조에 따르면 모든 국제 연합 회원국은 자국이 당사자가 되는 어떤 사건에 있어서도 사법 기관인 A의 결정에 따르기로 약속하고 있다. 또한 만약 일방의 당사자가 A의 판결에 따라 자국이 부담해야 할 의무를 이행하지 않는 경우 타방의 당사자는 B에 제소할 수 있고 B는 필요하다고 인정되는 경우 판결에 효력을 부여하기 위하여 권고를 하거나 ㉠취하여야 할 조치를 결정할 수 있다고 규정하고 있다. 그런데 B가 조치를 취할 것인지 여부를 결정하는 과정에서 상임 이사국은 거부권을 행사할 수 있다. 실제로 니카라과 사건에서 패소한 미국은 A의 판결을 이행하지 않았고 판결 집행과 관련한 B의 논의 과정에서 거부권을 행사한 바 있다. 따라서 모든 회원국이 참여하는 최고 의사 결정 기관인 C에서는 A의 판결 이행의 한계를 극복하기 위해 다각도로 해결 방안을 모색해 볼 필요가 있다.

① A는 국제법을 위반한 개인을 재판 당사자로 하여 형사 처벌 결정을 내릴 수 있다.
② B의 의사 결정 과정에서 ㉠의 여부를 결정하는 것은 절차 사항에 해당한다.
③ C는 법적 문제에 관하여 권고적 의견을 줄 것을 A에 요청할 수 있다.
④ B는 C와 달리 A의 재판관을 선출하는 권한을 가진다.
⑤ C는 B와 달리 국제 평화와 안전의 유지를 위해 필요한 경우 군사적 조치를 취할 수 있다.

▸ 24063-0256

20 다음 자료에 대한 옳은 분석만을 〈보기〉에서 고른 것은? [3점]

- 갑국의 의회는 총 200인의 지역구 의원만으로 구성된다. 지역구 의원 선거에서 각 정당은 선거구별로 1인의 후보자만 공천하며 각 선거구별로 선출되는 지역구 의원의 수는 같다.
- 을국의 의회는 지역구 의원 100인과 비례 대표 의원 100인으로 구성되며, 지역구 의원은 100개의 선거구에서 1인씩 선출된다. 비례 대표 의석 배분은 의석 할당 정당의 득표 비율에 비례 대표 의원 정수를 곱하여 산출된 수만큼 의석을 각 의석 할당 정당에 배분한다. 단, 의석 할당 정당은 전체 투표 총수의 12% 이상을 득표한 정당을 의미하며, 의석 할당 정당 득표 비율은 각 의석 할당 정당의 득표율을 모든 의석 할당 정당의 득표율 합계로 나누어 산출한다.
- 갑국과 을국의 최근 의회 의원 선거 결과는 아래와 같다.

〈갑국〉

정당	지역구 의석수 (석)	득표율 (%)
A당	105	42
B당	60	34
C당	30	19
D당	5	5

〈을국〉

정당	지역구 의석수 (석)	득표율 (%)
a당	53	45
b당	30	27
c당	12	18
d당	5	10

* 최근 의회 의원 선거에서 갑국과 을국 모두 투표율은 100%이고 무효표는 없으며, 무소속 후보자는 없음.

보기

ㄱ. 갑국에서는 동일 선거구 내 당선자 간 유권자의 투표 가치 차등 문제가 발생할 수 있는 선거구 제도를 채택하고 있다.
ㄴ. 을국에서 d당은 비례 대표 의석수가 지역구 의석수의 2배이다.
ㄷ. 갑국 B당의 의회 의석률과 을국 b당의 의회 의석률은 같다.
ㄹ. 갑국과 을국 모두 과반 의석을 확보한 정당이 존재한다.

① ㄱ, ㄴ ② ㄱ, ㄷ ③ ㄴ, ㄷ ④ ㄴ, ㄹ ⑤ ㄷ, ㄹ

EBS

2025학년도

수능 연계교재 수능완성

한국교육과정평가원 감수

본 교재는 2025학년도 수능 연계교재로서 한국교육과정평가원이 감수하였습니다.

한 권에 수능 에너지 가득

YOU MADE IT!

5회분 실전 모의고사 수록

테마편 + 실전편

사회탐구영역

정답과 해설

정치와 법

본 교재는 대학수학능력시험을 준비하는 데 도움을 드리고자 사회과 교육과정을 토대로 제작된 교재입니다.
학교에서 선생님과 함께 교과서의 기본 개념을 충분히 익힌 후 활용하시면 더 큰 학습 효과를 얻을 수 있습니다.

EBSi 고교강의

문제를 사진 찍고 해설 강의 보기

Google Play | App Store

EBSi 사이트 무료 강의 제공

한눈에 보는 정답

01 정치와 법

수능 실전 문제 본문 5~9쪽

01 ④	02 ④	03 ②	04 ②
05 ②	06 ③	07 ④	08 ⑤
09 ①	10 ⑤		

02 헌법의 의의와 기본 원리

수능 실전 문제 본문 11~14쪽

01 ①	02 ④	03 ②	04 ①
05 ②	06 ④	07 ④	08 ⑤

03 기본권의 보장과 제한

수능 실전 문제 본문 16~20쪽

01 ①	02 ④	03 ③	04 ②
05 ①	06 ⑤	07 ③	08 ③
09 ④	10 ③		

04 정부 형태

수능 실전 문제 본문 22~26쪽

01 ①	02 ④	03 ③	04 ③
05 ⑤	06 ④	07 ②	08 ③
09 ⑤	10 ④		

05 우리나라의 국가 기관

수능 실전 문제 본문 28~33쪽

01 ⑤	02 ①	03 ③	04 ①
05 ③	06 ③	07 ⑤	08 ③
09 ⑤	10 ④	11 ①	12 ②

06 지방 자치

수능 실전 문제 본문 35~36쪽

01 ①	02 ⑤	03 ③	04 ⑤

07 선거와 선거 제도

수능 실전 문제 본문 38~43쪽

01 ①	02 ②	03 ⑤	04 ④
05 ③	06 ④	07 ④	08 ⑤
09 ①	10 ④	11 ③	12 ⑤

08 정치 과정과 정치 참여

수능 실전 문제 본문 45~49쪽

01 ③	02 ③	03 ①	04 ②
05 ⑤	06 ④	07 ③	08 ④
09 ⑤	10 ①		

09 민법의 기초

수능 실전 문제 본문 51~53쪽

01 ②	02 ⑤	03 ①	04 ①
05 ④	06 ②		

10 재산 관계와 법

수능 실전 문제 본문 55~60쪽

01 ③	02 ③	03 ③	04 ①
05 ①	06 ②	07 ④	08 ④
09 ④	10 ⑤	11 ②	12 ④

11 가족 관계와 법

수능 실전 문제 본문 62~67쪽

01 ②	02 ③	03 ④	04 ④
05 ④	06 ⑤	07 ③	08 ⑤
09 ②	10 ④	11 ④	12 ⑤

12 형법의 이해

수능 실전 문제 본문 69~74쪽

01 ②	02 ⑤	03 ③	04 ④
05 ④	06 ④	07 ⑤	08 ①
09 ⑤	10 ④	11 ⑤	12 ④

13 형사 절차와 인권 보장

수능 실전 문제 본문 76~81쪽

01 ①	02 ②	03 ⑤	04 ④
05 ①	06 ②	07 ②	08 ⑤
09 ①	10 ①	11 ④	12 ⑤

14 근로자의 권리

수능 실전 문제 본문 83~87쪽

01 ③	02 ①	03 ②	04 ②
05 ⑤	06 ②	07 ④	08 ②
09 ④	10 ⑤		

15 국제 관계와 국제법

수능 실전 문제 본문 89~92쪽

01 ②	02 ②	03 ①	04 ②
05 ④	06 ①	07 ②	08 ⑤

16 국제 문제와 국제기구

수능 실전 문제 본문 94~97쪽

01 ①	02 ②	03 ①	04 ⑤
05 ④	06 ④	07 ③	08 ②

실전 모의고사 1회

본문 100~105쪽

1 ④	2 ④	3 ③	4 ⑤	5 ①
6 ⑤	7 ⑤	8 ③	9 ③	10 ④
11 ①	12 ④	13 ⑤	14 ③	15 ②
16 ②	17 ③	18 ③	19 ⑤	20 ②

실전 모의고사 2회

본문 106~110쪽

1 ②	2 ①	3 ③	4 ⑤	5 ⑤
6 ④	7 ④	8 ②	9 ③	10 ④
11 ①	12 ①	13 ③	14 ②	15 ⑤
16 ②	17 ①	18 ④	19 ③	20 ④

실전 모의고사 3회

본문 111~116쪽

1 ②	2 ⑤	3 ⑤	4 ③	5 ②
6 ④	7 ①	8 ③	9 ①	10 ②
11 ⑤	12 ⑤	13 ②	14 ③	15 ③
16 ⑤	17 ⑤	18 ④	19 ②	20 ④

실전 모의고사 4회

본문 117~122쪽

1 ④	2 ②	3 ④	4 ③	5 ③
6 ①	7 ⑤	8 ⑤	9 ⑤	10 ③
11 ⑤	12 ③	13 ①	14 ⑤	15 ②
16 ⑤	17 ⑤	18 ④	19 ③	20 ③

실전 모의고사 5회

본문 123~128쪽

1 ①	2 ⑤	3 ③	4 ②	5 ④
6 ④	7 ④	8 ④	9 ④	10 ⑤
11 ①	12 ⑤	13 ③	14 ②	15 ②
16 ⑤	17 ⑤	18 ①	19 ③	20 ⑤

THEME 01
정치와 법

수능 실전 문제

본문 5~9쪽

01 ④	02 ④	03 ②	04 ②
05 ②	06 ③	07 ④	08 ⑤
09 ①	10 ⑤		

01 정치를 바라보는 관점의 이해

문제분석 갑은 정치가 국가의 운영과 관련한 공동의 의사를 결정하는 국가 고유의 활동이라고 보므로 갑의 관점은 좁은 의미로 정치를 바라보는 관점에 해당한다. 을은 정치가 국가뿐만 아니라 다른 사회 집단에서도 나타나는 현상이라고 보므로 을의 관점은 넓은 의미로 정치를 바라보는 관점에 해당한다.

정답찾기 ㄴ. ㉠이 '을'이라면, A는 넓은 의미로 정치를 바라보는 관점이다. 넓은 의미로 정치를 바라보는 관점은 국가 형성 이전에 나타난 정치 현상을 설명하기에 적합하다.

ㄹ. (가)에 해당 내용이 들어간다면, A는 넓은 의미로 정치를 바라보는 관점이다. 넓은 의미로 정치를 바라보는 관점은 다원화된 현대 사회의 정치 현상을 설명하는 데 적합하다.

오답피하기 ㄱ. ㉠이 '갑'이라면, A는 좁은 의미로 정치를 바라보는 관점이다. 좁은 의미로 정치를 바라보는 관점은 국회의 입법 활동을 정치로 본다.

ㄷ. ㉠이 '을'이라면, A는 넓은 의미로 정치를 바라보는 관점이다. 넓은 의미로 정치를 바라보는 관점은 국가뿐만 아니라 다른 사회 집단에서도 정치 현상이 나타난다고 보므로 넓은 의미로 정치를 바라보는 관점은 시민 단체 회원들이 정부 정책을 평가하기 위해 논의하는 것을 정치로 본다.

02 정치의 기능 이해

문제분석 ○○시의 도로 건설에 각 지역 주민들이 자신들 지역 중심으로 도로를 개설해야 한다고 주장하자 ○○시의 담당자들이 시민들의 다양한 의견을 수렴하여 결정하는 것과 대학 입시 제도를 변경할 때 다양한 사회 구성원의 의견을 듣고 대다수의 구성원이 만족할 수 있는 대학 입시 제도를 수립해야 한다는 것을 통해 정치의 기능을 찾아볼 수 있다.

정답찾기 ④ 정책을 결정할 때 당사자들의 다양한 의견을 듣고 결정함으로써 다수의 구성원이 만족할 수 있도록 해야 한다는 것을 통해 정치는 이해관계의 조정과 해결을 통하여 사회적 혼란을 방지한다는 것을 알 수 있다.

오답피하기 ① 정치권력의 남용을 막아 시민의 기본권을 보장한다는 것은 정치의 기능에 해당하지만, 제시된 사례에서는 찾아보기 어렵다.

② 반사회적 행위의 통제를 통해 사회 질서를 유지한다는 것은 정치의 기능에 해당하지만, 제시된 사례에서는 찾아보기 어렵다.

③ 최소한의 생존권 보장을 위해 사회적 조건을 개선한다는 것은 정치의 기능에 해당하지만, 제시된 사례에서는 찾아보기 어렵다.

⑤ 공동체의 장기적 목표를 설정하여 해당 분야 전문가의 정치 참여를 유도한다는 것은 제시된 사례에서 찾아보기 어렵다.

03 민주 정치 발전 과정 이해

문제분석 A는 근대 민주 정치, B는 현대 민주 정치이다.

정답찾기 ② 현대 민주 정치에서는 성별, 재산, 신분 등에 따른 참정권의 제한을 두지 않는 보통 선거 원칙이 확립되었다.

오답피하기 ① 근대 민주 정치에서는 재산, 인종, 성별에 따라 참정권을 제한하였으므로 모든 성인 남성에게 공직 참여 기회가 부여된 것은 아니다.

③ 근대 민주 정치, 현대 민주 정치 모두 권력 분립에 기반을 둔 대의제가 성립되었다.

④ 근대 민주 정치, 현대 민주 정치 모두 국민 주권론을 기반으로 한다.

⑤ 재산에 따라 참정권을 차등 부여한 것은 근대 민주 정치이다.

04 법의 이념 이해

문제분석 갑은 평균적 정의, 을은 배분적 정의의 입장에서 설명하고 있다.

정답찾기 ㄱ. 정의는 법이 실현하고자 하는 궁극적 목표로서 옳고 그름의 판단 근거로 사용된다.

ㄷ. 평균적 정의는 개인의 차이를 고려하지 않고 모든 사람을 동등하게 대우하는 것이며, 배분적 정의는 개인의 능력과 상황, 필요 등에 따른 차이를 고려하는 것이다. 따라서 해당 내용은 (가)와 달리 (나)에 들어갈 수 있다.

오답피하기 ㄴ. 갑은 평균적 정의, 을은 배분적 정의의 관점을 가지고 있다.

ㄹ. 선거 시 모든 유권자에게 동등하게 1표씩 투표하도록 하는 것은 차이를 고려하지 않고 모든 사람을 동일하게 대우하는 것이므로 평균적 정의에 해당한다.

05 법치주의의 유형 이해

문제분석 A는 합법적인 절차를 거쳐 제정된 명확한 법에 의해 통치가 이루어져야 한다는 형식적 법치주의이고, B는 합법적인 절차에 따라 제정되고 법률의 목적이나 내용도 인간의 존엄과 가치, 자유와 평등을 보장하는 헌법의 이념에 부합해야 한다는 것을 강조하는 실질적 법치주의이다.

정답찾기 ② 실질적 법치주의는 법률의 내용이 기본권 보장이라는 헌법 이념에 부합해야 한다고 본다.

오답피하기 ① 형식적 법치주의는 행정부 수반의 통치 행위가 법률에 근거하여 이루어져야 한다고 본다.

③ 실질적 법치주의는 헌법의 이념에 맞는 법률 제·개정 및 시행을 강조하는 위헌 법률 심사제의 필요성을 강조한다.

④ 법치주의는 국민의 기본권을 제한하거나 국민에게 의무를 부과할 때에는 의회에서 제정된 법률에 근거해야 한다고 보므로 형식적 법치주의, 실질적 법치주의 모두 법률에 근거해야만 기본권 제한이 가능하다고 본다.

⑤ 형식적 법치주의는 실질적 법치주의와 달리 독재 정치를 정당화하는 논리로 악용될 수 있다는 비판을 받는다.

06 정치를 바라보는 관점 이해

문제분석 갑의 관점은 넓은 의미로 정치를 바라보는 관점에 해당하며, 을의 관점은 좁은 의미로 정치를 바라보는 관점에 해당한다.

정답찾기 ③ 넓은 의미로 정치를 바라보는 관점은 정치가 모든 사회 집단에서 나타난다고 보므로 국가의 정치 현상과 국가 이외의 사회 집단의 정치 현상은 본질적으로 같다고 본다.

오답피하기 ① 넓은 의미로 정치를 바라보는 관점은 국가뿐만 아니라 다른 사회 집단에서도 정치 현상이 나타난다고 보므로 대통령의 통치 행위에 대해서 정치로 본다.

② 좁은 의미로 정치를 바라보는 관점은 정치를 정치권력의 획득, 유지, 행사와 관련된 국가 고유의 활동으로 보므로 현대 사회의 다양한 정치 현상을 설명하기에 적합하지 않다.

④ 좁은 의미로 정치를 바라보는 관점, 넓은 의미로 정치를 바라보는 관점 모두 물리적 강제력을 독점한 통치 기구가 사회적 희소가치를 권위적으로 배분하는 것을 정치로 본다.

⑤ '국무 회의에서 법률안에 대해 심의하는 것'은 좁은 의미로 정치를 바라보는 관점, 넓은 의미로 정치를 바라보는 관점 모두에서 정치로 보지만, '회사 구성원이 신제품 출시 여부를 논의하는 것'은 넓은 의미로 정치를 바라보는 관점에서만 정치로 본다. 따라서 해당 내용은 (가)가 아닌 (나)에 들어갈 수 있다.

07 법치주의의 유형 이해

문제분석 법치주의를 바라보는 갑의 관점은 실질적 법치주의이고, 을의 관점은 형식적 법치주의이다.

정답찾기 ④ 형식적 법치주의는 독재 정치를 정당화할 수 있는 논리로 악용될 수 있다.

오답피하기 ① 실질적 법치주의는 필요한 경우에 한하여 의회에서 제정한 법률에 근거하여 국민의 기본권을 제한할 수 있다고 본다.

② 형식적 법치주의는 합법적인 절차를 거쳐 제정된 명확한 법에 의해 통치가 이루어져야 한다고 보므로 법률에 근거하지 않은 국가 권력의 행사를 인정하지 않는다.

③ 형식적 법치주의, 실질적 법치주의 모두 통치자를 포함한 모든 사람이 법에 구속되어야 한다고 본다.

⑤ 형식적 법치주의는 법의 목적이나 내용에 관계없이 통치의 합법성만을 강조하며, 실질적 법치주의는 통치의 합법성과 함께 정당성도 강조한다.

08 사회 계약설 이해

문제분석 제시문에 나타난 근대 정치 사상가는 루소이다. 루소는 초기의 자연 상태가 인간의 순수하고 선한 본성에 따라 자유롭고 평등한 상태였으나 사적 소유로 인해 불평등해졌다고 보았다.

정답찾기 ⑤ 루소는 시민 모두가 공공선을 실현하기 위해 일반 의지에 따라 국가가 운영되어야 한다고 보았다.

오답피하기 ① 선거를 기반으로 한 대의 민주제를 강조한 사회 계약론자는 로크이다.

② 자연 상태를 만인에 대한 만인의 투쟁 상태로 본 사회 계약론자는 홉스이다.

③ 부당한 국가 권력의 행사에 대한 국민의 저항권을 인정한 사회 계약론자는 로크이다.

④ 사회 계약론자는 개인 간의 계약을 통해 형성된 국가가 목적이 아니라 수단이라고 보았다.

09 법치주의의 유형 이해

문제분석 법률에 근거한 합법적 독재를 정당화하는 논리로 활용되는 것은 형식적 법치주의이며, 통치 행위의 합법성뿐만 아니라 실질적 정당성까지도 중시하는 것은 실질적 법치주의이다. A가 형식적 법치주의, B가 실질적 법치주의라면, 첫 번째, 두 번째 질문에 대한 갑의 답변은 옳게 된다. 갑의 답변 중 맞은 개수는 1개이므로 A는 형식적 법치주의, B는 실질적 법치주의가 될 수 없다. 따라서 A는 실질적 법치주의, B는 형식적 법치주의이다. 갑의 답변 중 맞은 개수가 1개이므로, 갑은 세 번째 질문에 대하여 옳게 답변하였고, 을의 답변 중 맞은 개수가 2개이므로, 을은 첫 번째 질문과 세 번째 질문에 대하여 옳게 답변하였다.

정답찾기 ㄱ. 실질적 법치주의는 합법적인 절차에 따라 제정되고 법률의 목적이나 내용도 인간의 존엄과 가치, 자유와 평등을 보장하는 헌법의 이념에 부합해야 하는 것을 강조하므로, 합법적인 절차를 거쳐 제정된 법이라도 인간의 존엄성과 정의에 위반되어서는 안 된다고 본다.

ㄴ. 형식적 법치주의는 법의 목적과 내용이 정의에 부합할 때 법의 권위가 발생한다는 점을 간과한다.

오답피하기 ㄷ. 현대 사회에서 법치주의는 실질적 법치주의를 의미한다.

ㄹ. 형식적 법치주의, 실질적 법치주의 모두 국가 권력이 법률에 근거하여 행사된다고 본다. 따라서 해당 질문은 (가)에 들어갈 수 있다.

10 민주 정치 발전 과정 이해

문제분석 A는 현대 민주 정치, B는 고대 아테네 민주 정치, C는 근대 민주 정치이다.

정답찾기 ⑤ 고대 아테네 민주 정치에서는 여성, 노예, 외국인에 대하여 정치 참여에 제한을 두었으며, 근대 민주 정치에서는 재산, 인종, 성별 등에 따라 참정권에 대하여 제한을 두었다. 을은 틀리게 설명하였다고 했으므로 (가)에는 틀린 내용이 들어가야 한다. 따라서 해당 내용은 (가)에 들어갈 수 있다.

오답피하기 ① 계몽사상과 천부 인권 사상을 바탕으로 등장한 것은 근대 민주 정치이다.

② 국가의 중요 정책을 결정하기 위한 국민 투표는 현대 민주 정치에서 실시되었다.

③ 현대 민주 정치에서는 정치 참여에 제한을 두지 않았으므로 근대 민주 정치에서보다 정치 참여의 주체가 다양하다.

④ 근대 민주 정치, 현대 민주 정치는 모두 국민 주권주의를 바탕으로 한다.

THEME 02 헌법의 의의와 기본 원리

수능 실전 문제

본문 11~14쪽

01 ①	02 ④	03 ②	04 ①
05 ②	06 ④	07 ④	08 ⑤

01 헌법의 기능 이해

문제분석 법률, 명령, 조례 등과 같이 헌법의 하위에 위치하는 모든 법 규범은 헌법에 규정된 절차에 따라 제정되어야 하며, 그 내용도 헌법에 위반되어서는 안 된다.

정답찾기 ① 제시문을 통해서 헌법은 모든 법 규범의 최고 규범이라는 것을 파악할 수 있으며, 이를 토대로 국민의 기본권을 보장하고자 한다.

오답피하기 ② 정치 생활 주도를 통해 사회 문제를 해결한다는 것은 헌법의 기능에 해당하지만, 제시문을 통해서는 파악할 수 없다.
③ 다원화된 이익을 조정함으로써 사회 통합을 실현한다는 것은 헌법의 기능에 해당하지만, 제시문을 통해서는 파악할 수 없다.
④ 헌법은 국가 기관을 조직하고 각 조직에 일정한 권한을 부여하는 조직 수권 기능이 있지만, 제시문을 통해서는 파악할 수 없다.
⑤ 국가 성립에 필요한 내용을 규정함으로써 국가 창설의 토대를 마련하는 것은 헌법의 기능에 해당하지만, 제시문을 통해서는 파악할 수 없다.

02 헌법 의미의 변천 이해

문제분석 A는 고유한 의미의 헌법, B는 근대 입헌주의 헌법, C는 현대 복지 국가 헌법이다.

정답찾기 ④ 현대 복지 국가 헌법은 사회권을 보장하여 국민이 인간다운 생활을 영위할 수 있도록 하는 복지 국가의 이념을 추구하므로 근대 입헌주의 헌법에 비해 국민의 실질적 평등의 보장을 중시하고 있다.

오답피하기 ① 사회권을 헌법에 명시적으로 보장하고 있는 것은 현대 복지 국가 헌법이다.
② 현대 복지 국가 헌법에서는 국가의 적극적 역할을 강조하고 있다.
③ 근대 입헌주의 헌법에서는 권력 분립에 관한 내용이 규정되어 있다.
⑤ 고유한 의미의 헌법, 근대 입헌주의 헌법, 현대 복지 국가 헌법 모두 헌법을 국가의 통치 체제에 관한 기본 사항을 정한 국가의 최고 규범으로 보고 있다.

03 우리나라 헌법의 기본 원리 이해

문제분석 A는 자유 민주주의, B는 평화 통일 지향이다.

정답찾기 ② 평화 통일 지향은 자유 민주적 기본 질서에 입각한 평화적 통일을 추구해야 한다는 원리로서 남북 분단의 특수한 상황을 반영한 우리나라 헌법 특유의 원리이다.

오답피하기 ① 국가가 국민의 인간다운 생활을 보장하기 위한 적극적인 역할을 해야 한다는 것은 복지 국가의 원리이다.
③ 국가가 경제의 민주화를 위하여 경제에 관한 규제와 조정을 할 수 있는 근거가 되는 것은 복지 국가의 원리이다.
④ '국가는 전통문화의 계승·발전과 민족 문화의 창달에 노력하여야 한다.'라는 헌법 조항은 문화 국가의 원리에 관련된 헌법 조항이다.
⑤ '복수 정당제를 기반으로 하는 자유로운 정당 활동 보장'은 국민 주권주의와 자유 민주주의의 실현 방안에 해당한다.

04 우리나라 헌법의 기본 원리 이해

문제분석 A에 따라 헌법에서 모든 국민이 건강하고 쾌적한 환경에서 생활할 권리를 가진다고 규정하고 있으므로, A는 복지 국가의 원리이다. B에 따라 헌법에서 모든 국민이 집회의 자유를 가진다고 규정하고 있으므로, B는 자유 민주주의이다.

정답찾기 ① 복지 국가의 원리는 국민의 인간다운 생활 보장을 통한 실질적 평등 실현을 강조한다.

오답피하기 ② 우리나라에 거주하는 외국인에 대하여 지방 선거에서의 선거권을 보장하는 것은 복지 국가의 실현 방안으로 볼 수 없다.
③ 우리나라는 개인과 기업의 경제상의 자유와 창의를 존중함을 기본으로 하지만, 국가가 경제의 민주화를 위하여 경제에 관한 규제와 조정을 할 수 있다. 이에 따라 우리나라에서 복지 국가 원리는 국가가 시장에 개입할 수 있는 근거가 되는 원리이다.
④ 대통령 자문 기구인 민주 평화 통일 자문 회의를 설치하는 것은 평화 통일 지향의 실현 방안이다.
⑤ 복지 국가의 원리는 현대 복지 국가 헌법에서부터 강조된 원리이다.

05 문화 국가의 원리 이해

문제분석 제시된 법은 각각 문화재 보호법과 공예 문화 산업 진흥법으로서 문화 국가의 원리를 구체적으로 시행하기 위한 법이다. 따라서 A는 문화 국가의 원리이다.

정답찾기 ㄱ. 국가가 전통문화의 계승·발전과 민족 문화의 창달을 위하여 노력하는 것은 문화 국가의 원리를 실현하기 위한 방안이다.
ㄷ. 종교·학문·예술 활동의 자유를 보장하는 것은 문화 국가의 원리를 실현하기 위한 방안이다.

오답피하기 ㄴ. 아동 보육을 위한 국가 예산을 증대시키는 것은 복지 국가의 원리를 실현하기 위한 방안이다.
ㄹ. 보통·평등·직접·비밀 선거에 의해 대통령을 선출하는 것은 국민 주권주의를 실현하기 위한 방안이다.

06 우리나라 헌법의 기본 원리 이해

문제분석 A는 국민 주권주의, B는 국제 평화주의, C는 복지 국가의 원리이다.

정답찾기 ④ 북한과의 경제 협력을 추진하고 있는 것은 평화 통일 지향의 실현 방안이다.

오답피하기 ① 위헌 법률 심판 제도는 법률이 헌법에 위반되는 여부가 재판의 전제가 된 경우에 법원의 제청에 의해 해당 법률의 위헌 여부를 결정하는 심판이다. 따라서 위헌 법률 심판 제도는 기본권을 해석하거나 제한하는 입법 심사 기준을 실현하기 위하여 우리나라에서 실시하고 있는 제도 중 하나이다.
② 우리나라의 선거권 연령을 18세로 하향 조정한 것은 국민 주권주의를 실현하기 위한 방안 중 하나이다.
③ 국제 평화주의에 따라 우리나라는 침략적 전쟁을 부인한다.
⑤ 헌법의 기본 원리는 입법이나 정책 결정의 기본 방향을 제시한다.

07 복지 국가의 원리 이해

문제분석 최저 임금제는 복지 국가의 원리를 실현하기 위한 방안이다.
정답찾기 ㄴ. 복지 국가의 원리는 국가가 경제에 관한 규제와 조정을 할 수 있는 근거가 되는 원리이다.
ㄹ. 복지 국가의 원리는 국민에게 인간다운 생활을 할 권리를 보장하기 위하여 국가가 적극적인 역할을 해야 한다는 원리이다.
오답피하기 ㄱ. 복지 국가의 원리는 현대 복지 국가 헌법에서부터 강조된 원리이다.
ㄷ. 국가 권력이 국민의 동의와 지지를 바탕으로 형성·유지되어야 한다는 원리는 자유 민주주의와 국민 주권주의이다.

08 우리나라 헌법의 기본 원리 이해

문제분석 국가의 최고 의사를 결정하는 주권이 국민에게 있다는 원리는 국민 주권주의이며, 국가가 세계 평화와 인류 번영을 위해 노력해야 한다는 원리는 국제 평화주의이다.
정답찾기 ⑤ 국제법이 정하는 바에 의하여 외국인의 지위를 보장하는 것은 국제 평화주의의 실현 방안이다. 따라서 해당 내용이 (가)에 들어가면, A는 국민 주권주의이다. 민주적 선거 제도를 통한 국민의 참정권 보장은 국민 주권주의의 실현 방안이다.
오답피하기 ① 국민 투표제의 실시는 국민 주권주의 실현 방안 중 하나이다. 따라서 A가 국민 주권주의이면, 해당 내용은 (가)에 들어갈 수 없다.
② 국가가 국제 질서를 존중하고 침략적 전쟁을 부인한다는 원리는 국제 평화주의이다. 따라서 A가 국제 평화주의이면, 해당 내용은 (가)에 들어갈 수 없다.
③ ㉠이 '갑'이라면, A는 국민 주권주의이다. '모든 국민은 인간다운 생활을 할 권리를 가진다.'는 복지 국가의 원리와 관련된 헌법 조항이다.
④ ㉠이 '을'이라면, A는 국제 평화주의이다. '모든 국민은 언론·출판의 자유와 집회·결사의 자유를 가진다.'는 국민 주권주의와 자유 민주주의와 관련된 헌법 조항이다.

THEME 03 기본권의 보장과 제한

수능실전문제 본문 16~20쪽

01 ①	02 ④	03 ③	04 ②
05 ①	06 ⑤	07 ③	08 ③
09 ④	10 ③		

01 평등권 이해

문제분석 헌법 재판소는 심판 대상 조항이 합리적 이유 없이 표준 휠체어를 이용할 수 있는 장애인과 표준 휠체어를 이용할 수 없는 장애인을 달리 취급하여 청구인의 평등권을 침해하였다고 보았다.
정답찾기 ① 평등권은 다른 모든 기본권 보장의 전제가 되는 권리이다.
오답피하기 ② 다른 기본권 보장을 위한 수단적 성격의 권리는 청구권이다.
③ 평등권은 구체적인 내용이 헌법에 열거되지 않아도 보장되는 권리이다.
④ 국가의 정치 과정에 능동적으로 참여할 수 있는 권리는 참정권이다.
⑤ 개인의 자유로운 생활에 대하여 국가 권력에 의한 침해를 받지 않을 권리는 자유권이다.

02 기본권 유형 이해

문제분석 A는 사회권, B는 자유권이다.
정답찾기 ④ 사회권은 법률을 통해 기본권을 구체화함으로써 보장될 수 있는 권리이다.
오답피하기 ① 사회권은 국가의 개입을 통하여 실현될 수 있는 권리이다.
② 자유권은 국가가 개인의 자기 결정의 영역을 존중하고 침해하지 않음으로써 보장되는 소극적 성격의 권리이다.
③ 사회권은 자본주의 경제의 급속한 성장으로 인하여 나타난 문제점을 해결하는 과정에서 등장한 권리이다.
⑤ 국민의 모든 자유와 권리는 국가 안전 보장·질서 유지 또는 공공복리를 위하여 필요한 경우에 한하여 법률로써 제한할 수 있다.

03 기본권 유형 이해

문제분석 자유권, 사회권, 청구권 중 적극적 성격의 권리는 사회권과 청구권이다. 해당 질문에 A, B는 같은 답변을 하였기 때문에 C는 자유권이다. 따라서 ㉠은 '예', ㉡은 '아니요'이다. 기본권을 실현하기 위한 절차적 권리는 청구권이므로, B는 청구권이다. 따라서 A는 사회권이다.
정답찾기 ③ 자유권은 국가 권력에 의한 간섭이나 침해를 배제하는 방어적 권리이다.
오답피하기 ① 다른 기본권을 보장하기 위한 수단적 권리는 청구권이다.
② 모든 국민의 인간다운 생활 보장을 통해 실질적 평등을 실현하기

위한 권리는 사회권이다.
④ 사회권은 현대 복지 국가 헌법에서부터, 자유권은 근대 입헌주의 헌법에서부터 강조된 권리이다.
⑤ 청구권은 헌법에 열거되어야만 보장되는 권리이다.

04 기본권 유형 이해

문제분석 A는 청구권, B는 사회권이다. 청구권과 사회권의 공통된 특징이 아닌 사회권과 구분되는 청구권만의 특징을 파악해야 한다.
정답찾기 ㄱ. 기본권을 실현하기 위한 절차적 권리는 사회권과 구분되는 청구권만의 특징에 해당한다.
ㄷ. 다른 기본권을 보장하기 위한 수단적 권리는 사회권과 구분되는 청구권만의 특징에 해당한다.
오답피하기 ㄴ. 복지 국가와 밀접한 연관이 있는 권리는 청구권과 구분되는 사회권만의 특징에 해당한다.
ㄹ. 국가의 적극적 노력이 있어야 보장되는 권리는 사회권의 특징에 해당한다.

05 기본권 제한의 한계 이해

문제분석 기본권을 제한할 때는 목적의 정당성, 수단의 적합성, 피해의 최소성, 법익의 균형성을 갖추어야 한다.
정답찾기 ㄱ. 갑이 침해받았다고 주장한 기본권 유형은 사회권이다. 사회권은 국가의 적극적 노력이 있어야 보장되는 권리이다.
ㄴ. 헌법 재판소는 해당 심판 조항이 특수 경비원의 쟁의 행위가 제한되나 공익보다 중대한 것으로 볼 수 없다고 하였다. 따라서 기본권 제한으로 얻는 공익이 기본권 제한으로 침해되는 사익보다 크다고 보았다.
오답피하기 ㄷ. 기본권을 제한할 때는 피해의 최소성, 목적의 정당성 등을 갖추어야 하지만, 해당 사례에서 피해의 최소성을 갖추고 목적의 정당성을 갖추지 못하였다는 것은 파악할 수 없다.
ㄹ. 근로자가 근로 조건의 향상을 위하여 노동조합을 조직·운영할 수 있는 권리는 단결권이다. 헌법 재판소는 해당 심판 조항이 단결권, 단체 교섭권은 전혀 제한하지 않는다고 보았다.

06 기본권 유형 이해

문제분석 '소극적 성격의 권리인가?'라는 질문에 '예'라고 한 A는 자유권이다. B, C는 질문 (가)에 따라 각각 청구권과 참정권 중 하나이다.
정답찾기 ⑤ 기본권 실현을 위한 절차적 권리는 청구권이므로, 해당 질문이 (가)에 들어가면, B는 청구권, C는 참정권이다. 국민이 대표자를 선출할 수 있는 권리는 선거권으로서 참정권에 해당한다.
오답피하기 ① 국민의 모든 자유와 권리는 국가 안전 보장·질서 유지 또는 공공복리를 위하여 필요한 경우에 한하여 법률로써 제한할 수 있다.
② C가 청구권이면, B는 참정권이다. 국가 권력에 의한 간섭이나 침해를 배제하는 성격의 권리는 자유권이다.
③ C는 질문 (가)에 따라 청구권과 참정권 중 하나가 된다. 청구권, 참정권 모두 국가의 존재를 전제로 인정되는 권리이므로, 해당 질문은 (가)에 들어갈 수 없다.
④ 국가의 정치 과정에 능동적으로 참여할 수 있는 권리는 참정권이므로, 해당 질문이 (가)에 들어가면 B는 참정권이다. 다른 기본권을 보장하기 위한 수단적 권리는 청구권이다.

07 기본권 유형 이해

문제분석 근로의 권리는 사회권에 해당하며 A에 대한 채점 결과가 2점이므로, A는 사회권이다. 인간다운 생활을 할 권리는 사회권에 해당하므로 이는 B에 대한 틀린 내용이 된다. 국민 투표권은 참정권에 해당하며 B에 대한 채점 결과가 1점이므로, B는 참정권이다. C는 자유권이고, 고문 금지 및 진술 거부권은 자유권에 해당하며 C에 대한 채점 결과가 1점이므로, (나)에는 자유권 이외의 내용이 들어가야 한다.
정답찾기 ③ 자유권은 역사적으로 가장 오래된 권리이다.
오답피하기 ① 사회권은 자본주의 경제의 급속한 성장으로 인한 사회 불평등이 심화되어 실질적 평등을 보장해야 할 필요성이 제기되면서 등장하였다.
② 참정권은 국가의 정치 과정에 능동적으로 참여할 수 있는 권리이다.
④ 사회권과 참정권은 국가의 존재를 전제로 하는 권리이다.
⑤ (가)에는 사회권의 내용이 들어가야 하고, (나)에는 자유권 이외의 내용이 들어가야 한다. '환경권'은 사회권에 해당하므로 (가)에 들어갈 수 있고, '선거권'은 참정권에 해당하므로 (나)에 들어갈 수 있다.

08 자유권 이해

문제분석 갑은 신체의 자유, 을은 종교의 자유를 침해받았다. 신체의 자유, 종교의 자유는 모두 자유권에 해당한다.
정답찾기 ③ 자유권은 개인의 자유 영역에 대한 국가의 부당한 침해를 배제하는 권리이다.
오답피하기 ① 국민이 국가 의사 형성 과정에 참여하는 권리는 참정권이다.
② 자본주의 문제점을 해결하는 과정에서 등장한 권리는 사회권이다.
④ 모든 국민에 대하여 최소한의 인간다운 생활을 보장하기 위한 권리는 사회권이다.
⑤ 권리의 보장을 위하여 국가에 일정한 행위를 적극적으로 요청할 수 있는 권리는 청구권이다.

09 기본권 유형 이해

문제분석 국가가 개입하는 것을 배제하는 방어적 성격의 권리는 자유권이다. 해당 질문에 대해 '아니요'라고 응답을 하였는데, 채점 결과는 0점이므로 A는 자유권이다. 가장 최근에 등장한 현대적 권리는 사회권이다. 해당 질문에 대해 '아니요'라고 응답을 하였는데, 채점 결과는 0점이므로 B는 사회권이다.
정답찾기 ④ 국가의 정치 과정에 능동적으로 참여할 수 있는 권리는 참정권이다. 질문 (가)에 대해 '아니요'라고 응답을 하였는데, 채점 결과가 1점이므로, 해당 질문은 (가)에 들어갈 수 있다.
오답피하기 ① 국민이 국가에 인간다운 생활의 보장을 요구할 수 있는 권리는 사회권이다.
② 사회권은 구체적 내용이 헌법에 명시되어야만 보장되는 권리이다.

③ 자유권은 소극적 성격의 권리, 사회권은 적극적 성격의 권리이다.
⑤ 복지 국가의 원리를 실현하기 위한 권리는 사회권이다. 질문 (나)에 대해 '예'라고 응답을 하였는데, 채점 결과가 1점이므로, 해당 질문은 (나)에 들어갈 수 있다.

10 기본권 유형 이해

문제분석 A는 사회권, B는 자유권이다.

정답찾기 ③ 사회권은 국가에 대해 인간다운 생활의 보장을 요구할 수 있는 권리이다.

오답피하기 ① 다른 모든 기본권 보장의 전제가 되는 권리는 평등권이다.
② 자본주의 문제점을 해결하는 과정에서 등장한 권리는 사회권이다.
④ 자유권은 구체적 내용이 헌법에 열거되지 않아도 보장되는 포괄적 성격의 권리로서 기본권을 행사하기 위해서 입법자에 의한 구체적인 형성을 필요로 하지는 않는다.
⑤ 법원은 ○○회사의 아파트 공사 진행으로 인하여 학교에서 일조가 방해되고 소음 침해가 심하다고 보았으므로, 사회권이 침해된다고 보았다.

THEME 04 정부 형태

수능실전문제 본문 22~26쪽

01 ①	02 ④	03 ③	04 ③
05 ⑤	06 ④	07 ②	08 ③
09 ⑤	10 ④		

01 정부 형태의 이해

문제분석 (가)는 국민이 선거를 통해 입법부를 구성하면 입법부가 행정부 수반을 선출하여 행정부를 구성하는 정부 형태이므로 의원 내각제이다. (나)는 입법부와 행정부가 국민의 선거에 의해 별도로 구성되는 정부 형태이므로 대통령제이다.

정답찾기 ① 의원 내각제에서 의회는 내각이 국민의 의사를 충실히 따르지 않는 경우 내각 불신임을 의결할 수 있다.

오답피하기 ② 대통령제에서는 입법부와 행정부가 엄격히 분립되어 있기 때문에 행정부는 법률안을 제출할 수 없다.
③ 의원 내각제에서는 대통령제에서와 달리 내각의 존속이 의회의 신임 여부에 달려 있기 때문에 행정부 수반의 임기가 엄격히 보장되지 않는다.
④ 사법부의 독립 보장은 정부 형태와 관련이 없다. 즉, 의원 내각제이든 대통령제이든 사법부의 독립은 보장된다.
⑤ 의회 제1당이 과반수가 되지 않을 경우 연립 내각이 구성되는 것은 의원 내각제이다.

02 정부 형태의 이해

문제분석 법률안 거부권은 대통령제에서, 연립 내각은 의원 내각제에서 나타날 수 있다. 따라서 갑국은 대통령제, 을국은 의원 내각제를 채택하고 있다.

정답찾기 ④ 의원 내각제에서는 의회가 내각 불신임권을 행사할 경우 내각은 이에 대응하여 의회를 해산할 수 있다. 그러나 대통령제는 입법부와 행정부가 엄격히 분립되어 있으므로 내각의 의회 해산권이 인정되지 않는다.

오답피하기 ① 의회 의원의 각료 겸직이 가능한 것은 의원 내각제이다.
② 국민이 선거로 행정부 수반을 선출하는 것은 대통령제이다.
③ 입법부와 행정부의 권력이 융합된 정부 형태는 의원 내각제이다.
⑤ 대통령제에서는 대통령이 국가 원수와 행정부 수반의 지위를 동시에 가진다. 즉, 국가 원수와 행정부 수반이 동일인이다. 그러나 의원 내각제에서는 국가 원수와 행정부 수반이 동일인이 아니다.

03 정부 형태의 이해

문제분석 행정부의 법률안 제출권이 인정되는 것은 의원 내각제이다. (가)에서는 갑과 을이 모두 같은 선택을 하였고, (나)에서는 서로 다른 선택을 하였다. 선택 내용에 따라 A, B가 어떤 정부 형태인지 그리고 모든 내용에 대하여 옳은 선택을 한 사람이 누구인지를 알 수 있다.

정답찾기 ㄴ. 대통령제에서는 입법부와 행정부가 엄격히 분립되어 있으므로 의회 의원은 각료를 겸직할 수 없다. (가)에 '의회 의원은 각료를 겸직할 수 없다.'가 들어가면, A는 의원 내각제, B는 대통령제이다. 행정부의 법률안 제출권이 인정되는 것은 의원 내각제이므로 모든 내용에 대해 옳은 선택을 한 사람은 을이다.

ㄷ. 모든 내용에 대해 옳은 선택을 한 사람이 갑이면, A는 대통령제, B는 의원 내각제이다. (가)에는 의원 내각제의 특징이 들어가야 한다. 의회의 내각 불신임권이 인정되는 것은 의원 내각제이므로 주어진 내용은 (가)에 들어갈 수 있다.

오답피하기 ㄱ. 연립 내각은 의원 내각제에서 구성될 수 있다. 따라서 A는 의원 내각제, B는 대통령제이다. 행정부의 법률안 제출권이 인정되는 것은 의원 내각제인데, 갑은 대통령제를 선택했으므로 모든 내용에 대하여 옳은 선택을 한 사람은 갑이 될 수 없다.

ㄹ. 모든 내용에 대해 옳은 선택을 한 사람이 을이면, A는 의원 내각제, B는 대통령제이다. (나)에는 대통령제의 특징이 들어가야 한다. 대통령제에서는 행정부 수반이 국가 원수의 지위를 동시에 가지므로 주어진 내용은 (나)에 들어갈 수 있다.

04 정부 형태의 이해

문제분석 10대~13대 의회 중 행정부 수반의 소속 정당이 의회 제1당이 아닌 경우는 12대이다. 12대의 경우 의회 제1당이 과반 의석을 차지하였음에도 행정부 수반이 다른 정당 소속인 것으로 보아 대통령제임을 알 수 있다. 갑국의 정부 형태는 10대~13대 중 한 번만 바뀌었고, 연립 내각은 한 번만 구성되었으므로 의회 제1당이 과반수를 차지하지 못한 11대에서 연립 내각을 구성한 의원 내각제를 실시했음을 알 수 있다.

정답찾기 ③ 10대와 11대는 의원 내각제 정부 형태이다. 의원 내각제에서는 의회 의원의 선거에 의해 의회가 구성되며, 의회에서 행정부 수반을 선출한다.

오답피하기 ① 행정부 수반의 법률안 거부권 행사는 대통령제에서 가능하므로 의원 내각제인 11대 의회에서는 행사가 불가능하였다.

② 의회가 내각에 대한 불신임권을 행사할 수 있는 것은 의원 내각제이다. 13대는 대통령제이므로 의회의 내각 불신임권이 없었다.

④ 여소야대 현상은 대통령제에서만 나타날 수 있다. 11대의 경우 의원 내각제 정부 형태이므로 의회 제1당이 과반 의석을 차지하지 못했어도 다른 정당과 연합하여 연립 내각을 구성했으므로 여대야소 정국이다.

⑤ 의원 내각제에서는 내각의 존속이 의회의 신임 여부에 달려 있으므로 행정부 수반은 의회의 요구에 민감할 수밖에 없다. 그러나 대통령제에서는 의회와 행정부가 각각 독립적으로 구성되므로 의원 내각제에 비해 행정부 수반은 의회의 요구에 민감하지 못할 것이다.

05 우리나라 정부 형태의 이해

문제분석 우리나라는 기본적으로 대통령제를 채택하고 있지만 의원 내각제의 요소도 갖고 있다.

정답찾기 ⑤ 법관의 독립은 사법부의 독립을 위한 요소로서 정부 형태와 관계없이 강조된다. 즉, 대통령제와 의원 내각제 모두 사법부의 독립을 강조한다.

오답피하기 ① 우리나라는 행정부의 법률안 제출권이 인정되는데, 이것은 전형적인 의원 내각제의 특징이다. 의원 내각제는 행정부와 입법부의 권력이 융합된 특징을 가진 정부 형태이다.

② 대통령의 법률안 거부권은 대통령제의 특징으로서 행정부가 입법부를 견제하는 수단이다.

③ 국회의 국정 감사권과 국정 조사권은 입법부가 행정부를 견제하는 수단으로 국가 기관 간 견제와 균형을 위한 것이다.

④ 대통령제에서는 행정부 수반인 대통령을 국민이 선거를 통해 선출한다.

06 우리나라 정부 형태의 이해

문제분석 우리나라에서 대통령은 국회를 해산할 수 없고, 국회도 내각 불신임권을 행사할 수 없다. 행정부의 법률안 제출권, 국회 의원의 국무 위원 겸직 가능, 국회의 국무총리 및 국무 위원 해임 건의권 등은 우리나라에서 시행하는 의원 내각제의 요소이다. 국회의 탄핵 소추권과 대통령의 법률안 거부권은 우리나라에서 시행하는 대통령제 요소이다. 따라서 카드별 점수는 다음과 같다.

카드 A	카드 B	카드 C	카드 D	카드 E	카드 F	카드 G
0점	1점	1점	0점	1점	2점	2점

정답찾기 ④ 갑이 카드 B, 카드 C, 카드 F를 뽑았다면 갑은 총점 4점을 얻는다. 을은 갑보다 1점이 많으므로 을이 뽑을 수 있는 카드의 조합은 3개(카드 B+카드 F+카드 G, 카드 C+카드 F+카드 G, 카드 E+카드 F+카드 G)이다.

오답피하기 ① 카드 A는 0점, 카드 C는 1점으로서 다르다.

② 카드 3장의 조합으로 획득할 수 있는 최대 점수는 5점(카드 B+카드 F+카드 G, 카드 C+카드 F+카드 G, 카드 E+카드 F+카드 G)이다.

③ 카드 3장의 조합으로 획득할 수 있는 최소 점수는 1점(카드 A+카드 B+카드 D, 카드 A+카드 C+카드 D, 카드 A+카드 D+카드 E)이다.

⑤ 우리나라에서 시행하고 있는 대통령제 요소에 해당하는 카드는 카드 F, 카드 G이고, 우리나라에서 시행하고 있는 의원 내각제 요소에 해당하는 카드는 카드 B, 카드 C, 카드 E이다.

07 우리나라 정부 형태의 이해

문제분석 우리나라는 대통령제를 기본으로 하면서 의원 내각제의 요소를 일부 도입하고 있다.

정답찾기 갑: 의원 내각제에서는 의회의 내각 불신임권에 대응하여 행정부 수반의 의회 해산권이 인정된다. 그러나 우리나라에서는 대통령이 국회를 해산할 수 없다.

정: 의회가 의결한 법률안에 대해 대통령이 재의를 요구하는 법률안 거부권은 대통령제의 요소이다.

오답피하기 을: 국회 의원이 국무총리나 국무 위원을 겸직할 수 있는 것은 의원 내각제의 요소이다.

병: 의원 내각제에서는 의회 의원과 내각 모두 법률안 제출권을 갖는다. 우리나라도 국회 의원뿐만 아니라 정부도 법률안을 제출할 수

있다.
무: 국회가 국무총리나 국무 위원의 해임을 대통령에게 건의할 수 있는 것은 의원 내각제의 요소이다.

08 정부 형태의 이해

문제분석 A, B는 각각 전형적인 대통령제 또는 의원 내각제 중 하나이다. (가)와 (나)에 들어갈 내용에 따라 A, B가 전형적인 대통령제인지 의원 내각제인지를 구분할 수 있다.

정답찾기 ㄴ. 대통령제에서는 원칙적으로 대통령의 임기가 보장되기 때문에 대통령은 의원 내각제의 총리에 비해 국가 정책을 지속해서 추진할 수 있다. (나)가 '정책의 지속 가능성'이면, A는 의원 내각제, B는 대통령제이다. 의원 내각제에서는 의회 의원이 내각의 각료를 겸직할 수 있다.
ㄷ. 대통령제에서는 법률안 거부권 행사를 통해 의회 다수당의 횡포를 견제할 수 있다. 따라서 A가 대통령제라면 (가)에 주어진 진술이 들어갈 수 있다.

오답피하기 ㄱ. 의원 내각제는 입법부와 행정부의 권력이 융합된 형태이므로 (가)가 '권력의 융합 정도'이면, A는 의원 내각제, B는 대통령제이다. 행정부의 법률안 제출권이 인정되는 것은 의원 내각제이다.
ㄹ. 사법부의 독립은 정부 형태와 관계없이 보장된다.

09 정부 형태의 이해

문제분석 갑국은 의회 의원 선거 결과 과반 의석을 획득한 제1당이 A당에서 B당으로 바뀌었지만 행정부 수반의 소속 정당은 A당으로 변함이 없으므로 대통령제를 채택하고 있음을 알 수 있다. 을국은 의회 의원 선거 전과 후 모두 제1당이 과반 의석을 획득했으며, 선거 후에는 행정부 수반의 소속 정당이 (가)당에서 (나)당으로 바뀌었다. 이를 통해 을국은 과반 의석을 차지한 제1당이 행정부를 구성하는 의원 내각제임을 알 수 있다.

정답찾기 ㄴ. 대통령제인 갑국은 의회 의원 선거 후에 여소야대 정국이 되어 대통령의 법률안 거부권 행사 가능성이 커졌다.
ㄷ. 을국은 의원 내각제이므로 행정부는 법률안 제출권을 가지고 있다.
ㄹ. 을국은 의원 내각제이므로 의회 의원 선거 후 의회 제1당인 (나)당 소속의 의원이 행정부의 각료가 될 수 있다.

오답피하기 ㄱ. 갑국은 대통령제이므로 의회 의원 선거 후 여소야대 상황이라도 연립 내각을 구성하지 않는다.

10 의원 내각제의 이해

문제분석 국민이 의회 의원을 선출하면 입법부가 행정부를 구성하는 정부 형태는 의원 내각제이다. 따라서 갑국은 의원 내각제를 채택하고 있다.

정답찾기 ④ t대 의회에서는 제1당이 과반 의석을 획득하지 못했으므로 연립 내각을 수립해야 한다. 제1당인 B당과 제2당인 A당의 의석을 합해도 과반에 미치지 못하므로 최소 3개 이상의 정당이 연합하여 행정부 구성에 참여했을 것이다.

오답피하기 ① 의원 내각제에서는 의회의 내각 불신임권이 있으므로 행정부 수반의 임기가 엄격히 보장되지 않는다.
② t+1대에는 과반 의석을 차지한 A당이 정국을 책임지고 이끌어갔기 때문에 정치적 책임 소재가 분명했다. 반면 t대에는 과반 의석을 차지한 정당이 없어 연립 내각이 구성되었을 가능성이 높아 정치적 책임 소재가 불분명했을 것이다.
③ t대에서는 연립 내각이 구성되었으므로 행정부 수반의 소속 정당이 어느 당인지 특정할 수 없다. 그러나 t+1대에서는 제1당이 과반 의석을 획득하였으므로 행정부 수반은 A당 소속이 분명하다.
⑤ 행정부 수반의 법률안 거부권 행사는 대통령제의 특징이므로 갑국에서는 나타날 수 없다.

THEME 05 우리나라의 국가 기관

수능 실전 문제

본문 28~33쪽

01 ⑤	02 ①	03 ③	04 ①
05 ③	06 ③	07 ⑤	08 ③
09 ⑤	10 ④	11 ①	12 ②

01 국회의 권한 이해

문제분석 (가)는 국무 위원 해임 건의권, (나)는 국정 조사권, (다)는 조약 비준 동의권, (라)는 대정부 질의권, (마)는 법률안 의결권이다.

정답찾기 ⑤ 국회는 법률의 제정 및 개정권 등 법률안 의결권을 가진다. 조약은 국제법의 법원(法源)으로서 국가 안전 보장에 관한 조약 및 국가나 국민에게 중대한 재정적 부담을 지우는 등의 조약을 체결·비준하기 위해서는 국회의 동의를 받아야 하며, 이러한 조약은 동의 절차를 거치면 국회에서 제정한 법률과 같은 효력을 가진다. 따라서 법률안 의결권과 조약 비준 동의권은 모두 국회의 입법 권한을 행사한 것이다.

오답피하기 ① 대통령은 국회의 국무 위원 해임 건의에 구속되지 않는다. 즉, 대통령은 갑을 반드시 해임시켜야 하는 것은 아니다.
② 국정 조사는 특정한 사안이 있을 때에만 비정기적으로 실시된다.
③ 국회가 국무총리와 관계 국무 위원을 출석시켜 국정 사안에 대해 질의하는 것은 의원 내각제의 요소에 해당한다.
④ 법률안이 국회에서 의결되었다고 해서 바로 법률로서 확정되는 것은 아니다. 국무 회의의 의결을 거쳐 대통령이 공포해야 한다. 만일 대통령이 거부권을 행사하면 국회의 재의결 과정을 거쳐야 하고 재의결 정족수에 미달하면 부결된다.

02 국회의 권한 이해

문제분석 국회 의원 갑의 일주일간의 주요 일정을 통해 국회의 권한을 알 수 있다.

정답찾기 ① 국회의 임시회는 대통령 또는 국회 재적 의원 1/4 이상의 요구에 의해 집회된다.

오답피하기 ② 교섭 단체는 일반적으로 20인 이상의 소속 의원을 가진 정당이 구성하는 원내 단체로, 국회의 의사 진행에 필요한 주요 안건을 협의한다. 효율적이고 전문적인 안건 심의가 주된 역할인 것은 위원회이다.
③ 헌법 개정은 국회 재적 의원 과반수 또는 대통령의 발의로 제안된다.
④ ○○법률안이 국회 상임 위원회에서 의결되었다고 해서 대통령이 거부권을 행사할 수 있는 것은 아니다. 대통령은 국회 본회의에서 ○○법률안이 의결되었을 경우 재의를 요구할 수 있다.
⑤ 대통령이 ◇◇법률안에 대해 거부권을 행사했지만 국회 본회의에서 ◇◇법률안이 재의결되었을 경우에는 대통령의 공포와 관계없이 ◇◇법률안은 법률로서 확정된다.

03 국회의 권한 이해

문제분석 국회의 의석 분포를 가상으로 나타낸 표로서 A~E당의 5개 정당 소속 의원 300명으로 구성되어 있다. 이 표를 통해 법률안 의결 및 재의결, 헌법 개정안 의결, 교섭 단체 구성 등 국회의 권한을 파악할 수 있다.

정답찾기 ③ 법률안은 국회 재적 의원 과반수의 출석과 출석 의원 과반수의 찬성으로 의결된다. C당, D당, E당이 반대하더라도 A당과 B당 소속 의원이 과반수이므로 법률안 의결이 가능하다.

오답피하기 ① 20명 이상의 소속 의원을 가진 정당이 4개이므로 교섭 단체는 4개까지 구성될 수 있다.
② 우리나라는 대통령제를 채택하고 있기 때문에 대통령은 의회 의석 분포와 관계없이 별도의 선거에 의해 선출된다. 제시된 자료만으로는 대통령이 어느 당 소속인지 알 수 없다.
④ 헌법 개정안은 국회 재적 의원 3분의 2 이상의 찬성으로 의결된다. B당, C당, D당이 연합하더라도 다른 정당이 반대할 경우 국회 재적 의원 3분의 2 이상이 되지 않으므로 헌법 개정안을 의결할 수 없다.
⑤ 국회에서 의결한 법률안에 대해 대통령이 거부권을 행사할 경우, 법률안을 재의결하기 위해서는 국회 재적 의원 과반수의 출석과 출석 의원 3분의 2 이상의 찬성이 필요하다. A당을 제외한 다른 정당이 모두 연합할 경우 202석으로서 국회 재적 의원 3분의 2를 넘기 때문에 법률안의 재의결이 가능하다.

04 우리나라 국가 기관의 이해

문제분석 A는 국회, B는 대통령, C는 대법원, D는 헌법 재판소이다.

정답찾기 ① 국회는 대통령의 외국과의 조약 체결 및 비준에 대한 동의권을 가진다.

오답피하기 ② 대통령의 모든 권한 행사에 대해 국무 회의의 심의가 필요한 것은 아니다. 국무 회의는 행정부의 중요한 정책을 심의하는 기관으로서 헌법에 정해진 일정한 내용에 대해서만 심의한다.
③ 대통령에 대한 탄핵 소추권은 국회가 가진다.
④ 헌법 재판소의 위헌 법률 심판 결정에 불복할 경우 대법원에 재항고할 수 없다.
⑤ 헌법 재판소의 재판관 9명은 대통령이 임명하지만 국회의 동의를 얻어야 하는 것은 아니다. 다만, 헌법 재판소장은 국회의 동의를 얻어 임명한다.

05 우리나라 국가 기관의 이해

문제분석 행정 기관 및 공무원에 대한 직무 감찰권은 감사원이 가진다. 주요 고위 공무원에 대한 탄핵 소추권은 국회가 가진다. 법원의 제청에 의한 법률의 위헌 여부 심판은 헌법 재판소가 담당한다. 따라서 A는 감사원, B는 국회, C는 대통령, D는 헌법 재판소이다.

정답찾기 ③ 대통령은 국회의 동의를 얻어 헌법 재판소장을 임명한다.

오답피하기 ① 국정 감사는 국회의 권한이다.
② 헌법 개정안은 국민 투표에 의해 최종 확정된다.
④ 위헌·위법한 명령, 규칙, 처분에 대한 최종 심사권은 대법원이 가진다.

⑤ 국가의 세입·세출의 결산 검사권은 감사원이 가진다. 국회는 국가의 세입·세출의 결산 심사권을 가진다.

06 헌법 재판소의 권한 이해

문제분석 법원은 헌법 재판소에 위헌 법률 심판을 제청할 수 있으며, 헌법 재판소는 위헌 법률 심판권을 가진다. 갑은 ○○법 제10조의 위헌 여부가 재판의 전제가 된다고 판단하여 법원에 위헌 법률 심판 제청 신청을 했으나 기각되자 헌법 재판소에 직접 헌법 소원 심판을 청구하였다. 따라서 ㉠은 위헌 법률 심판, ㉡은 헌법 소원 심판이다.

정답찾기 ③ 갑은 ○○법 제10조의 위헌 여부가 재판의 전제가 된다고 판단하여 법원에 위헌 법률 심판 제청 신청을 했으나 기각되자 헌법 재판소에 헌법 소원 심판을 청구하였다. 이런 경우에 청구하는 헌법 소원 심판의 유형은 권리 구제형이 아니라 위헌 심사형에 해당한다.

오답피하기 ① 갑은 ○○법 제10조 위반으로 1심 법원에서 벌금형을 선고받았으므로 형사 사건으로 재판을 받고 있음을 알 수 있다.
② 위헌 법률 심판 제청은 사법부가 입법부를 견제하는 수단이다.
④ 항소심 법원은 갑의 신청을 기각하였으므로 ○○법 제10조가 위헌이 아니라고 본 것이다.
⑤ 법원은 재판 당사자의 위헌 법률 심판 제청 신청이 없더라도 직권으로 헌법 재판소에 위헌 법률 심판을 제청할 수 있다.

07 우리나라 국가 기관 간의 관계 이해

문제분석 대통령은 국회가 의결한 법률안에 대해 거부권을 행사할 수 있다. 헌법 재판소는 대통령을 포함한 주요 고위 공무원에 대한 탄핵 심판권을 행사할 수 있다. 따라서 A는 국회, B는 대법원, C는 헌법 재판소이다.

정답찾기 ⑤ 법원은 법률의 위헌 여부에 대한 심판을 헌법 재판소에 제청할 수 있다. 법률은 국회가 제정 또는 개정하므로 법률의 위헌 여부 심판을 제청하는 것은 법원이 국회를 견제하는 권한이다. 헌법 재판소가 가진 위헌 법률 심판권은 법률의 위헌 여부를 심판하는 것이므로 헌법 재판소가 국회를 견제하는 권한이다.

오답피하기 ① 국회는 헌법 개정안의 제안 및 의결권을 가진다. 헌법 개정안의 확정은 국민 투표에 의해 이루어진다.
② 주요 고위 공무원에 대한 탄핵 소추권은 국회가 가진다.
③ 국정을 감사하거나 특정한 국정 사안에 대하여 조사하는 권한은 국회가 가진다.
④ 대통령은 국회의 동의를 얻어 대법원장과 헌법 재판소장을 임명한다. 국회 의장은 국회에서 자체적으로 선출된다.

08 우리나라 국가 기관의 이해

문제분석 A는 대통령, B는 국회, C는 국무 회의, D는 헌법 재판소, E는 대법원이다.

정답찾기 ③ 국무 회의는 행정부의 중요 정책을 심의하는 행정부 내 최고 심의 기관으로서, 국무 회의의 심의는 대통령의 권한 행사를 통제하는 역할을 하지만 심의 결과가 대통령을 구속하지는 않는다.

오답피하기 ① 대통령이 거부권을 행사하여 국회가 재의결한 법률안은 법률로서 확정되므로 대통령은 재의결한 법률안에 대해 재의를 요구할 수 없다.
② 외국과의 조약 체결에 대한 비준권은 대통령이 가진다. 국회는 조약 체결 및 비준에 대한 동의권을 가진다.
④ 대통령, 대법원장, 헌법 재판소장은 헌법 재판소의 탄핵 심판 대상이지만, 국회 의장은 헌법 재판소의 탄핵 심판 대상이 아니다.
⑤ 헌법 재판소의 결정에 대해서는 대법원에 재항고할 수 없다.

09 우리나라 국가 기관의 이해

문제분석 A는 감사원, B는 헌법 재판소, C는 대법원이다.

정답찾기 ⑤ 감사원장, 헌법 재판소장, 대법원장은 모두 국회의 동의를 얻어 대통령이 임명한다.

오답피하기 ① 감사원은 조직상으로는 대통령에 소속되어 있지만 직무에 관하여는 독립된 지위를 가진다. 따라서 직무 수행에 있어서 대통령의 지휘·감독을 받지 않는다.
② 국가 및 법률이 정한 단체의 회계를 검사하는 기관은 감사원이다.
③ 정부가 청구한 위헌 정당에 대한 해산 심판권은 헌법 재판소가 가진다.
④ 국정 감사권은 국회가 행사한다. 감사원은 국가 세입·세출의 결산 검사, 국가 및 법률이 정한 단체의 회계 검사와 행정 기관 및 공무원의 직무에 관한 감찰 등을 담당한다.

10 법원의 권한 이해

문제분석 A는 대법원, B는 고등 법원, C는 지방 법원 합의부이다.

정답찾기 ④ 병은 항소심 법원인 지방 법원 합의부의 판결에 불복할 경우 대법원에 상고할 수 있다.

오답피하기 ① 법률이 헌법에 위배되는지 여부를 심판하는 기관은 헌법 재판소이다.
② 국회 의원 선거의 당선 무효 소송은 대법원이 담당한다.
③ 법원의 판결에 대해서는 헌법 소원 심판을 청구할 수 없다.
⑤ 위헌 법률 심판 제청권은 대법원뿐만 아니라 모든 법원이 가진다.

11 헌법 재판소의 권한 이해

문제분석 A는 법원, B는 국가 기관 또는 지방 자치 단체, (가)는 정당 해산 심판, (나)는 탄핵 심판, (다)는 헌법 소원 심판이다.

정답찾기 ① 위헌 법률 심판은 법원의 제청에 따라 재판의 전제가 되는 법률이 헌법에 위반되는지를 판단하는 심판이다. 이때 법원은 재판 당사자의 신청을 인용하여 제청하는 것이 일반적이지만, 재판 당사자의 신청이 없어도 직권으로 위헌 법률 심판을 제청할 수 있다.

오답피하기 ② 권한 쟁의 심판의 청구는 국가 기관뿐만 아니라 지방 자치 단체도 가능하다. 권한 쟁의 심판은 국가 기관 상호 간이나 국가 기관과 지방 자치 단체 간, 지방 자치 단체 상호 간의 권한과 의무에 대한 다툼을 심판하는 것을 말한다.
③ 정당 해산 심판은 정부의 청구에 의해 정당의 목적이나 활동이 민주적 기본 질서에 어긋나는지를 판단하여 정당의 해산을 결정하는 심판이다. 정당의 목적이 복지 국가 실현에 있는지를 판단하지는 않는다.

④ 국회 의장은 탄핵 심판의 대상에 포함되지 않는다.
⑤ 헌법 소원 심판은 헌법에 보장된 국민의 기본권이 공권력에 의하여 침해되었을 때 이를 구제하기 위한 심판이다. 이때 '공권력에 의해 기본권이 침해된 경우'에는 공권력의 행사뿐만 아니라 불행사도 포함된다.

12 헌법 재판소의 권한 이해

문제분석 제시된 자료는 헌법 재판소가 ○○법 제4조 제1항에 대해 위헌 결정을 내린 사례이다. 갑은 □□ 지방 법원에서 재판을 받던 중 ○○법 제4조 제1항에 대해 □□ 지방 법원에 위헌 법률 심판 제청을 신청하였고, 법원이 갑의 신청을 인용하여 헌법 재판소에 위헌 법률 심판을 제청하였다.

정답찾기 ㄱ. 갑은 □□ 지방 법원에서 재판을 받고 있었고, ○○법 제4조 제1항은 갑에 대한 재판의 전제가 되었기 때문에 갑이 위헌 법률 심판 제청을 신청한 것이다.
ㄹ. 법원은 재판 당사자의 신청이 없더라도 직권으로 위헌 법률 심판을 제청할 수 있다. 따라서 갑의 신청이 없었더라도 □□ 지방 법원은 ㉠의 위헌 여부에 대한 심판을 제청할 수 있었다.

오답피하기 ㄴ. 자료에서 제청 법원이 □□ 지방 법원으로 되어 있고, 갑이 제청 신청인이다. 즉, 갑은 □□ 지방 법원에 ○○법 제4조 제1항에 대해 위헌 법률 심판 제청 신청을 하였고, 법원은 갑의 신청을 인용하여 헌법 재판소에 위헌 법률 심판을 제청하였다.
ㄷ. □□ 지방 법원은 ○○법 제4조 제1항이 헌법에 위반될 수 있다고 판단하였기 때문에 갑의 신청을 인용하여 헌법 재판소에 해당 조항의 위헌 법률 심판을 제청한 것이다. 이에 헌법 재판소는 해당 조항이 헌법에 위반된다고 결정하였다. 결국 □□ 지방 법원과 헌법 재판소는 ○○법 제4조 제1항의 위헌 여부에 대한 입장이 같았다.

THEME 06 지방 자치

수능실전문제 본문 35~36쪽

01 ①　02 ⑤　03 ③　04 ⑤

01 우리나라 지방 자치의 이해

문제분석 (가)와 (나)는 광역 지방 자치 단체에 속하는 기관이고, (다)와 (라)는 기초 지방 자치 단체에 속하는 기관이다. (가)와 (다)는 의결 기관인 지방 의회, (나)와 (라)는 집행 기관인 지방 자치 단체의 장이다.

정답찾기 ① 지방 의회는 의결 기관으로서 법령의 범위 내에서 지방 자치의 근거가 되는 조례를 제정한다.

오답피하기 ② 집행 기관인 지방 자치 단체의 장은 지방 행정 사무를 총괄한다. 지방 행정 사무에 대한 감사권은 지방 의회가 가진다.
③ 지방 자치 단체에서 지방 의회와 지방 자치 단체의 장은 수평적 권력 분립 관계에 있다. 지방 자치 단체와 중앙 정부 간에는 서로 수직적인 권력 분립의 관계가 존재한다.
④ 지방 자치 단체의 장은 지방 의회가 의결한 조례안에 대한 재의 요구권을 행사함으로써 지방 의회를 견제할 수 있다. 그러나 광역 자치 단체와 기초 자치 단체는 서로 별개의 자치 단체이기 때문에 광역 지방 자치 단체의 장은 기초 지방 의회가 의결한 조례안에 대한 재의 요구권을 행사할 수 없다.
⑤ 지방 자치 단체의 예산을 심의하고 확정하는 것은 의결 기관인 지방 의회이다.

02 우리나라 지방 자치의 이해

문제분석 제시된 자료는 ○○광역시 ◇◇구 통장 및 반장 임명 등에 관한 규칙을 개정함에 있어 주민의 의견을 듣고자 일정 기간 입법 예고한 경우이다.

정답찾기 ⑤ 지역 주민은 조례의 개정을 지방 의회에 직접 청구할 수 있다. 따라서 ○○광역시 ◇◇구 주민은 ○○광역시 ◇◇구의 조례 개정을 ○○광역시 ◇◇구 의회에 직접 청구할 수 있다.

오답피하기 ① 입법 예고는 국민의 일상생활이나 권리와 직결되는 법령 등을 만들거나 수정할 때 입법안의 내용을 미리 알려 국민의 의사를 반영하기 위해 마련한 제도이다. 이 제도는 전문가에 의한 행정 업무 처리를 촉진하기 위한 것이 아니라 주민의 능동적인 정치 참여를 촉진하기 위한 것이다.
② 지방 자치 단체의 규칙은 지방 자치 단체의 장이 제정하고, 지방 자치 단체의 조례는 지방 의회가 의결하여 확정한다. 별도로 주민 투표를 거쳐야 하는 것은 아니다.
③ ○○광역시 ◇◇구 통장 및 반장 임명 등에 관한 규칙은 ○○광역시 ◇◇구청장이 제정한 자치 법규이다. ○○광역시 ◇◇구 자치 법규의 입법에 관한 조례는 ○○광역시 ◇◇구 의회가 제정한 자치 법규이다.

④ ○○광역시는 광역 자치 단체, ◇◇구는 기초 자치 단체이다. 광역 자치 단체와 기초 자치 단체는 서로 별개의 자치 단체이므로 광역 지방 의회가 기초 지방 자치 단체의 장에 대한 사무 감사권을 갖고 있지 않다. ○○광역시 ◇◇구의 사무 전반에 대한 감사권은 ○○광역시 ◇◇구 의회가 가진다.

03 주민 참여 제도의 이해

문제분석 우리나라의 지방 자치에서는 주민의 참여를 확대하고, 지방 행정의 민주성과 책임성을 높이기 위해 다양한 주민 참여 제도를 두고 있다. (가)는 주민 감사 청구 제도, (나)는 주민 소송 제도, (다)는 주민 참여 예산 제도이다.

정답찾기 ③ 주민 감사 청구 제도, 주민 소송 제도, 주민 참여 예산 제도 등과 같은 주민 참여 방식은 지방 행정의 민주성과 책임성을 높일 것이다.

오답피하기 ① 제시된 주민 참여 제도는 정책 결정의 전문성보다는 지역 주민의 자치 행정 참여를 확대하는 측면이 강하다.

② 지역 주민들이 지역 정책에 대해 감사를 청구하거나 소송을 제기하고 예산 편성 과정에 참여할 경우 정책 결정 과정의 신속성은 떨어질 수 있다.

④ 주민 참여 제도가 활성화된다고 해서 국가 정책의 일관성이 유지되고 효율성이 높아진다고 보기는 어렵다.

⑤ 지방 행정에 대해 주민이 감사를 청구하거나 소송을 제기하고 예산 편성 과정에 참여하다 보면 정책 수행 과정에서 지방 자치 단체의 장의 재량권은 위축될 가능성이 있다.

04 우리나라 지방 자치 과제의 이해

문제분석 화장장 설치 사례의 경우 지역의 이미지가 나빠진다는 이유로 지역 주민들이 반대하고 있고, 고속도로 진출입로 설치 사례의 경우 지역 경제 발전을 위해 서로 자기 지역으로 끌어오려고 하기 때문에 갈등이 나타난다. 두 사례 모두 지나친 지역 이기주의의 태도에서 비롯된 갈등이다.

정답찾기 ⑤ 제시된 두 사례에서는 공통적으로 지역 주민이 사회 전체의 이익을 고려하지 않고 자기 지역의 이익만을 우선시하는 지역 이기주의로 인해 갈등이 발생하는 현상을 보여 주고 있다. 지나친 지역 이기주의의 태도를 극복하고 사회 전체의 이익을 고려하는 자세가 필요하다.

오답피하기 ① 제시된 사례에서 지방 정부의 재정 자립도에 관한 내용은 찾아보기 어렵다.

② 제시된 사례에서 지방 정부가 중앙 정부에 지나치게 의존해서 갈등이 발생한다는 내용은 찾기 어렵다.

③ 제시된 사례에서 지방 자치 단체의 장의 권력 남용 우려가 높다는 내용은 찾아보기 어렵다.

④ 제시된 사례에서 지역 주민의 정치 참여가 부족하다는 내용은 찾아보기 어렵다.

THEME 07 선거와 선거 제도

수능실전문제

본문 38~43쪽

01 ①	02 ②	03 ⑤	04 ④
05 ③	06 ④	07 ④	08 ⑤
09 ①	10 ④	11 ③	12 ⑤

01 선거의 기능 이해

문제분석 제시문은 정부의 국정 운영을 부정적으로 평가하는 유권자는 집권당에 대한 지지를 철회하면서 정부에게 정책에 대하여 문책의 기회를 가진다는 점을 통해 선거가 갖는 기능을 설명하고 있다.

정답찾기 ① 정부에게 정책에 대하여 문책의 기회를 가진다는 점에서 정부에게 책임을 물어 정치권력을 통제하는 선거의 기능을 파악할 수 있다.

오답피하기 ② 선출된 대표자의 정치권력에 정당성을 부여하는 것은 선거의 기능에 해당하지만, 제시문에서 강조하는 선거의 기능으로 보기 어렵다.

③ 개인과 집단 차원의 활발한 정치 참여를 촉진하는 것은 선거의 기능에 해당하지만, 제시문에서 강조하는 선거의 기능으로 보기 어렵다.

④ 선거 과정에서 국민이 정치 제도를 배울 수 있게 하는 것은 선거의 기능에 해당하지만, 제시문에서 강조하는 선거의 기능으로 보기 어렵다.

⑤ 사회적 쟁점에 대한 다양한 의견 표출 기회를 제공하는 것은 선거의 기능에 해당하지만, 제시문에서 강조하는 선거의 기능으로 보기 어렵다.

02 민주 선거의 원칙 이해

문제분석 일정 연령에 도달하는 모든 국민의 선거권을 인정한다는 민주 선거 원칙은 보통 선거이므로 A 원칙은 보통 선거이다.

정답찾기 ② 교육 수준에 따라 자격 요건을 부여하여 선거권을 제한하는 것은 보통 선거에 위반된 사례이다.

오답피하기 ① 몸이 불편하여 법정 대리인이 대신하여 투표하는 것은 직접 선거에 위반된 사례이다.

③ 선거의 투명성을 보장하기 위해 기표소 안에 CCTV를 설치하는 것은 비밀 선거에 위반된 사례이다.

④ 투표 여부를 확인하기 위하여 투표용지에 유권자의 이름을 쓰게 하는 것은 비밀 선거에 위반된 사례이다.

⑤ 투표소에서 유권자의 소득 수준에 따라 투표용지의 수를 달리하여 유권자에게 배부하는 것은 평등 선거에 위반된 사례이다.

03 지역구 의회 의원 선거 결과 분석

문제분석 갑국은 지역구 의회 의원만으로 구성되어 있고 선거구마다 1명씩 단순 다수 대표제로 선출하는 소선거구제를 채택하고 있다. 주어진 조건을 토대로 한 최근 의회 의원 선거 결과는 다음과 같다.

구분	A당	B당	C당	D당	E당
의석수(석)	0	1	4	1	0

정답찾기 ⑤ A~E당 중에서 의석을 확보하지 못한 정당은 A당과 E당이다.

오답피하기 ① 사표는 '가' 지역 선거구 1에서 330표, '가' 지역 선거구 2에서 360표, '나' 지역 선거구 1에서 340표, '나' 지역 선거구 2에서 330표, '다' 지역 선거구 1에서 360표, '다' 지역 선거구 2에서 370표로 총 2,090표이다.

② C당은 총 6석 중 4석으로 과반 의석을 차지하였다.

③ 현행 선거구제는 선거구마다 1명씩 선출하는 소선거구제이다.

④ 현행 선거에서 대표 결정 방식은 선거구마다 당선에 필요한 득표 기준 없이 다른 후보자에 비해 상대적으로 많은 표를 얻은 후보자가 당선되는 단순 다수 대표제이다.

04 지역구 의회 의원 선거 결과 분석

문제분석 개편안에서는 '가' 지역 선거구 1과 '가' 지역 선거구 2를 통합, '나' 지역 선거구 1과 '나' 지역 선거구 2를 통합, '다' 지역 선거구 1과 '다' 지역 선거구 2를 통합하여 선거구를 총 3개로 재획정한다. 그리고 통합한 선거구마다 2명씩 단순 다수 대표제로 선출하는 중·대선거구제를 채택하고 있다. 주어진 조건을 토대로 한 개편안 선거 결과는 다음과 같다.

구분	A당	B당	C당	D당	E당
의석수(석)	1	1	1	1	2

정답찾기 ㄱ. 개편안에서 사표는 '가' 지역 선거구 1과 '가' 지역 선거구 2가 통합한 선거구에서 500표, '나' 지역 선거구 1과 '나' 지역 선거구 2가 통합한 선거구에서 380표, '다' 지역 선거구 1과 '다' 지역 선거구 2가 통합한 선거구에서 510표로 총 1,390표이다. 따라서 개편안에서의 사표가 현행 선거에서의 사표 2,090표에 비해 적게 발생할 것이다.

ㄴ. 한 선거구에서 후보자 여러 명이 당선되었을 경우, 상대적으로 많은 득표수로 당선된 후보자에게 투표한 유권자의 한 표에 비해 적은 득표수로 당선된 후보자에게 투표한 유권자의 한 표가 더 높은 가치를 갖게 되어 당선자 간 유권자의 투표 가치 차등 문제가 발생할 수 있다.

ㄹ. 현행에서 A당은 0석, B당은 1석, C당은 4석, D당은 1석, E당은 0석이다. 개편안에서 A당은 1석, B당은 1석, C당은 1석, D당은 1석, E당은 2석이다. 따라서 A당, C당, E당과 달리 B당, D당은 확보한 의석수가 현행과 같을 것이다.

오답피하기 ㄷ. 개편안에서 A당은 1석, B당은 1석, C당은 1석, D당은 1석, E당은 2석으로 A~E당 모두 의석을 확보할 것이다.

05 선거 제도 이해

문제분석 자료는 선거 기간에 일정 요건 해당자가 신고를 통해 병원·자택 등 자신이 머무르는 곳에서 우편으로 하는 투표인 거소 투표를 설명하고 있다.

정답찾기 ③ 거소 투표는 유권자가 투표소에 방문하지 않고 투표를 할 수 있도록 공간 제약을 완화하여 선거권 행사를 보장할 수 있다.

오답피하기 ① 대리인을 통한 간접 선거를 실현할 수 있는지에 대한 내용은 제시문에서 파악할 수 없다.

② 선거 과정에서 선거 운영 비용을 절약할 수 있는지에 대한 내용은 제시문에서 파악할 수 없다.

④ 인구 편차에 따른 선거구 간 투표 가치의 불평등을 해소할 수 있는지에 대한 내용은 제시문에서 파악할 수 없다.

⑤ 사표 발생을 줄이고 정당의 득표율과 의석률 간 차이를 줄일 수 있는지에 대한 내용은 제시문에서 파악할 수 없다.

06 대표 결정 방식 이해

문제분석 (가)는 절대다수 대표제인 결선 투표제, (나)는 단순 다수 대표제, (다)는 절대다수 대표제인 선호 투표제이다.

정답찾기 ④ 절대다수 대표제인 결선 투표제, 선호 투표제와 달리 단순 다수 대표제는 당선에 필요한 일정 비율 이상의 득표 기준이 없다.

오답피하기 ① 절대다수 대표제인 결선 투표제에 비해 단순 다수 대표제는 당선자의 대표성이 낮을 수 있다.

② 단순 다수 대표제에 비해 절대다수 대표제인 선호 투표제는 당선자 결정 과정에서 시간이 많이 소요될 수 있다.

③ 절대다수 대표제인 선호 투표제에 비해 결선 투표제는 투표 횟수가 늘어날 가능성이 높다.

⑤ (가), (다)는 절대다수 대표제, (나)는 단순 다수 대표제에 해당된다.

07 비례 대표 의회 의원 선거 결과 분석

문제분석 갑국은 비례 대표 의원 10명으로만 구성되어 있고 주어진 조건을 토대로 한 최근 의회 의원 선거 결과는 다음과 같다.

구분	A당	B당	C당	D당	E당
득표율(%)	20	16	12	44	8
의석률(%)	20	20	10	40	10
의석수(석)	2	2	1	4	1

정답찾기 ④ A당은 득표율 20%, 의석률 20%로 득표율과 의석률이 일치한다.

오답피하기 ① 권역을 나누지 않고 전국 단위의 투표로 비례 대표 의회 의원을 선출하였다.

② A당은 2석을 확보하여 A−1, A−2 후보자가 당선되었으며, B당도 2석을 확보하여 B−1, B−2 후보자가 당선되었다.

③ C당은 1석을 확보하여 C−1 후보자만 당선되었으며, D당은 4석을 확보하여 D−1, D−2, D−3, D−4 후보자가 당선되었다.

⑤ 득표율은 B당 16%, C당 12%, D당 44%, E당 8%이며, 의석률은 B당 20%, C당 10%, D당 40%, E당 10%이다. B당, E당은 득표율이 의석률보다 낮고, C당, D당은 득표율이 의석률보다 높다.

08 비례 대표 의회 의원 선거 결과 분석

문제분석 개편안에서 갑국의 의회 의원은 기존 10명에서 15명으로 늘었고 의회 의석 할당 방식은 동일하다. 단, 의석 할당 정당은 전체 투표 총수의 15% 이상을 득표해야 한다. 주어진 조건을 토대로 한 최근 의회 의원 선거 결과는 다음과 같다.

구분	A당	B당	C당	D당	E당
정당 득표율	20%	16%	12%	44%	8%
의석 할당 정당 득표율	25%	20%	0%	55%	0%
의석률	약 26.7%	20%	0%	약 53.3%	0%
의석수	4석	3석	0석	8석	0석

정답찾기 ㄷ. D당은 15석 중에서 8석으로 과반 의석을 확보할 것이다.
ㄹ. C당의 득표율은 12%, E당의 득표율은 8%로 15% 이상을 득표하지 못하였으므로 C당, E당은 의석을 확보하지 못할 것이다.
오답피하기 ㄱ. A당은 정당 득표율 20%, 의석률 약 26.7%로 정당 득표율이 의석률보다 낮다.
ㄴ. B당은 3석을 확보하여 B-1, B-2, B-3 후보자가 당선될 것이다.

09 선거 제도 사례 분석

문제분석 갑국은 지역구 의원 12명만으로 구성되어 있고 선거구마다 2명씩 단순 다수 대표제로 선출하는 중·대선거구제를 채택하고 있다. 주어진 조건을 토대로 한 선거 결과는 다음과 같다.

구분	A당	B당	C당	D당	E당
정당 득표율	26%	22%	14%	13%	25%
의석률	약 33.3%	약 16.7%	약 8.3%	약 16.7%	25%
의석수	4석	2석	1석	2석	3석

개편안에서 통합하는 방법은 다음과 같다.

1안	선거구 1, 2 (통합)	선거구 3 (기존)	선거구 4, 5 (통합)	선거구 6 (기존)
2안	선거구 1, 2 (통합)	선거구 3 (기존)	선거구 4 (기존)	선거구 5, 6 (통합)
3안	선거구 1 (기존)	선거구 2, 3 (통합)	선거구 4, 5 (통합)	선거구 6 (기존)
4안	선거구 1 (기존)	선거구 2, 3 (통합)	선거구 4 (기존)	선거구 5, 6 (통합)

정답찾기 ① 현행 선거에서 E당은 의석률 25%, 득표율 25%로 의석률과 득표율이 같다.
오답피하기 ② 현행 선거에서 의석률은 A당은 약 33.3%, B당은 약 16.7%, C당은 약 8.3%, D당은 약 16.7%이며, 정당 득표율은 A당은 26%, B당은 22%, C당은 14%, D당은 13%이다. 따라서 현행 선거에서 A당, D당은 의석률이 득표율보다 높으므로 과대 대표되었고, B당, C당은 의석률이 득표율보다 낮으므로 과소 대표되었다.
③ 개편안 적용 시 선거구를 통합하는 방안은 총 4가지이다.
④ 현행은 선거구마다 2명씩, 개편안은 선거구마다 3명씩 단순 다수 대표제로 선출하는 중·대선거구제가 적용된다.
⑤ 현행 선거와 개편안 모두 선거구 간 인구 편차에 따른 투표 가치의 불평등이 발생한다.

10 공정한 선거를 위한 제도 이해

문제분석 (가)는 선거 관리 위원회, (나)는 선거 공영제이다.
정답찾기 ㄴ. 선거 관리 위원회는 선거 외에도 국민 투표, 정당에 관한 사무를 처리한다.
ㄹ. 선거 공영제는 입후보의 기회 보장과 선거 운동의 기회 균등에 기여하고 있다.
오답피하기 ㄱ. 선거 관리 위원회는 독립된 헌법 기관이다.
ㄷ. 임의로 선거구를 획정하는 것을 방지하기 위한 제도는 선거구 법정주의이다.

11 선거 제도 사례 분석

문제분석 갑국은 전형적인 의원 내각제 국가로, 단순 다수 대표제로 대표자를 선출하고 있으며, 지역구 의원은 선거구마다 1명씩 선출하는 소선거구제를 채택하고 있다. 비례 대표 의원은 전국을 하나의 선거구로 하여 9명을 선출하고 있다. 주어진 조건을 토대로 한 최근 의회 의원 선거 결과는 다음과 같다.

구분	A당	B당	C당	D당	E당
지역구 의석수(석)	1	0	4	0	1
비례 대표 의석수(석)	1 (5/100)×9 =0.45	1 (15/100)×9 =1.35	3 (35/100)×9 =3.15	2 (20/100)×9 =1.8	2 (25/100)×9 =2.25
합계(석)	2	1	7	2	3

정답찾기 ③ 현행 선거에서 C당은 지역구 의석수 4석, 비례 대표 의석수 3석 총 7석으로 과반 의석을 확보하지 못하였으므로 단독으로 내각을 구성할 수 없다.
오답피하기 ① 지역구별로 상대적으로 많은 표를 얻은 후보자 1인을 의원으로 선출하는 대표 결정 방식, 지역구를 3개로 통합하고 지역구별로 득표순으로 2인의 후보자를 의원으로 선출하는 대표 결정 방식 모두 다른 후보자에 비해 상대적으로 많은 표를 얻은 후보자가 대표자로 당선되는 방식인 단순 다수 대표제이다.
② 선거구를 통합하는 과정에서 선거구 간의 인구 편차는 2 : 1이 되거나 넘을 수 없도록 하는 것은 민주 선거의 원칙인 평등 선거를 실현하기 위함이다.
④ 현행 선거에서 비례 대표 의석수는 A당, B당은 1석, D당, E당은 2석을 확보하였다.
⑤ 개편안에서 선거구를 통합하는 방안은 선거구 1과 선거구 2 통합, 선거구 3과 선거구 4 통합, 선거구 5와 선거구 6 통합으로 1가지 밖에 없다.

12 선거 제도 사례 분석

문제분석 선거구 1과 선거구 2 통합, 선거구 3과 선거구 4, 선거구 5와 선거구 6을 통합한 개편안을 적용할 때 주어진 조건을 토대로 하면 선거 결과는 다음과 같다.

구분	A당	C당	D당	E당
지역구 의석수(석)	2	3	1	0
비례 대표 의석수(석)	0 (5/100)×9 =0.45	5 (50/100)×9 =4.5	2 (20/100)×9 =1.8	2 (25/100)×9 =2.25
합계(석)	2	8	3	2

정답찾기 ㄴ. B당을 흡수한 C당은 지역구 의석수 3석, 비례 대표 의석수 5석, 총 8석으로 과반수 의석을 확보할 것이다.

ㄷ. 현행 선거에서 비례 대표 의석수는 D당 2석, E당 2석이며, 개편안에서 비례 대표 의석수는 D당 2석, E당 2석으로 D당, E당 모두 현행 선거와 개편안에서 비례 대표 의석수가 같다.
ㄹ. 현행 선거에서 A당의 총의석수는 2석(지역구 의석수 1석, 비례 대표 의석수 1석), 개편안에서 A당의 총의석수는 2석(지역구 의석수 2석, 비례 대표 의석수 0석)으로 A당의 총의석수는 현행 선거와 개편안에서 같다.

오답피하기 ㄱ. 현행 선거에서 지역구 의석수는 A당은 1석, C당은 4석, D당은 0석, E당은 1석이며, 개편안에서 지역구 의석수는 A당은 2석, C당(B당과 C당 통합)은 3석, D당은 1석, E당은 0석이다. 따라서 현행 선거에 비해 개편안에서 C당, E당은 A당, D당과 달리 지역구 의석수가 줄었다.

THEME 08

정치 과정과 정치 참여

수능실전문제

본문 45~49쪽

01 ③	02 ③	03 ①	04 ②
05 ⑤	06 ④	07 ③	08 ④
09 ⑤	10 ①		

01 정치 과정의 사례 분석

문제분석 ○○법 개정에 대한 입법 청원, 정당에서 ○○법을 개정할 것을 국회에 제안, ○○법 개정안 시행, ○○법 개정에 대한 시민 단체의 평가 등을 통해 정치 과정을 이해할 수 있다.

정답찾기 ③ 정치 과정에서 정당은 정책 결정 기구에 해당하지 않으며, 국회는 입법 기관으로 정책 결정 기구에 해당한다.

오답피하기 ① 입법 청원은 정치 과정에서 투입에 해당하며, 정책 결정을 통해 정책 집행을 하는 것은 산출에 해당한다.
② 입법 청원은 개인적인 정치 참여로 대의제의 한계를 보완하는 기능을 한다.
④ 국회에서 표결 결과 가결된 ○○법 개정안이 시행되는 것은 정치 과정에서 산출에 해당한다.
⑤ 시민 단체가 ○○법 개정에 대하여 평가를 하는 것은 정치 과정에서 환류에 해당한다.

02 정치 과정의 이해

문제분석 정치 과정에 대한 설명으로 A는 투입, B는 산출, C는 환류이며, (가)는 정책 결정 기구이다.

정답찾기 ③ 환류의 주체는 개인, 집단 모두가 될 수 있다.

오답피하기 ① 정부에서 새로운 정책을 수립하여 집행하는 것은 산출에 해당한다.
② 국민의 대표자를 선출하는 투표에 참여하는 행위는 투입과 환류에 해당한다.
④ A는 '투입', B는 '산출', C는 '환류'이다.
⑤ 입법부, 행정부, 사법부는 공공 문제에 대한 정책을 결정하고 집행할 수 있는 기관으로 정책 결정 기구에 해당한다.

03 정치 참여의 이해

문제분석 제시문은 국가 정책이 힘 있게 추진되려면 시민의 정치 참여를 통해 형성된 정당성이 확보되어야 한다는 점을 강조하고 있다.

정답찾기 ① 시민의 요구와 지지를 통해 정책이 수립되고 집행되면 국가는 정책을 집행하는 데 있어서 힘을 가질 수 있다는 점에서 정치 참여는 국가 기관의 정책에 대해 정당성을 부여한다는 것을 알 수 있다.

오답피하기 ② 정치적 의견의 반영으로 정치적 효능감을 높인다는 내용은 정치 참여의 의의에 해당하지만, 제시문에서 강조하는 정치 참여의 의의로 보기 어렵다.
③ 정치권력을 통제하여 정치권력의 남용을 방지한다는 내용은 정치

참여의 의의에 해당하지만, 제시문에서 강조하는 정치 참여의 의의로 보기 어렵다.
④ 효율적이고 체계적인 정책 결정 시스템을 구축한다는 내용은 정치 참여의 의의에 해당하지만, 제시문에서 강조하는 정치 참여의 의의로 보기 어렵다.
⑤ 개인 간, 집단 간 대립을 조정하고 갈등을 해결한다는 내용은 정치 참여의 의의에 해당하지만, 제시문에서 강조하는 정치 참여의 의의로 보기 어렵다.

04 정치 참여 방법 이해

문제분석 정부의 ◇◇ 관련 환경 정책에 대한 정치 참여 방법에 국민 청원, 독자 투고, 시민 단체 활동, 온라인상에서 정책과 의견 제시, 투표, 공무 담임권 행사 등이 있다.
정답찾기 ② 무가 제시한 정치 참여 방법은 국회 의원 선거에서 후보자가 되어 선거에 출마함으로써 공무 담임권 중 피선거권을 행사하는 방법이다.
오답피하기 ① 국민 청원 또는 독자 투고는 개인적으로 정치에 참여할 수 있는 방법이다.
③ 갑과 을이 제시한 정치 참여 방법 모두 정치권력을 감시하는 기능을 가진다.
④ 병이 제시한 정치 참여 방법은 인터넷을 활용하여 온라인상에서 정책과 의견을 제시하는 정치 참여 방법으로 시·공간적 제약을 보완하는 방법이다.
⑤ 정이 제시한 정치 참여 방법인 투표는 대의제에서 활용할 수 있는 대표적인 방법이다.

05 정당의 기능 이해

문제분석 정당은 정부 조직자이며, 여러 정치 지도자를 양성하고 선택한다는 기능을 설명하고 있다.
정답찾기 ⑤ 정당은 국민에게 정치 지도자를 제공해 주는 임무를 담당하고 있다는 내용을 통해 대표자 배출을 통한 정치적 충원 기능을 설명하고 있음을 알 수 있다.
오답피하기 ① 정부와 의회를 매개하는 기능은 정당의 기능에 해당하지만, 제시문에서 파악할 수 없다.
② 국민의 정치 참여를 높이는 기능은 정당의 기능에 해당하지만, 제시문에서 파악할 수 없다.
③ 여론을 통하여 의견을 집약하는 기능은 정당의 기능에 해당하지만, 제시문에서 파악할 수 없다.
④ 정부 정책을 비판하고 감시하는 기능은 정당의 기능에 해당하지만, 제시문에서 파악할 수 없다.

06 정당 제도의 이해

문제분석 복수 정당제는 정권 교체가 가능한 대표적인 두 정당이 경쟁하는 양당제와 경쟁할 수 있는 정당이 3개 이상 존재하는 다당제로 나눌 수 있다. 따라서 A는 양당제, B는 다당제이다.
정답찾기 ㄱ. 양당제에 비해 다당제는 유권자의 정당 선택 범위가 넓다.
ㄴ. 양당제에 비해 다당제는 정당 간 대립 시 중재가 용이하다.
ㄷ. 다당제에 비해 양당제는 정치적 책임 소재가 명확하다.
오답피하기 ㄹ. 양당제에 비해 다당제는 강력한 정책 수행 곤란 정도가 크다.

07 정치 참여 집단 이해

문제분석 A는 시민 단체, B는 이익 집단이다.
정답찾기 ㄴ. 이익 집단은 집단의 행동을 통해 정부에 압력을 행사한다.
ㄹ. 시민 단체, 이익 집단 모두 정치 사회화 기능을 수행한다.
오답피하기 ㄱ. 시민 단체는 공익을 우선하며, 비영리성을 특징으로 한다.
ㄷ. 정책 결정 기구는 국가 기관으로 시민 단체와 이익 집단 모두 정책 결정 기구에 해당하지 않는다.

08 언론의 기능 이해

문제분석 제시문에서 뉴스를 다루는 대중 매체는 국민을 대신해 법을 만드는 입법부, 그 법에 근거해 각종 정책을 집행하는 행정부, 법 준수 여부를 판단해 사회 질서를 유지하는 사법부에 대한 취재를 통하여 국가 기관을 견제하고 있음을 알 수 있다.
정답찾기 ④ 언론은 입법, 사법, 행정에 이어 제4부의 권력이라고 일컬어지며, 입법부, 행정부, 사법부에 대한 취재를 통하여 감시한다는 점에서 언론은 국가 기관의 권력 남용에 대하여 견제하는 기능을 한다는 점을 알 수 있다.
오답피하기 ① 국민의 알 권리를 보장하는 기능은 언론의 기능에 해당하지만, 제시문과 거리가 멀다.
② 의제 설정 및 여론을 형성하는 기능은 언론의 기능에 해당하지만, 제시문과 거리가 멀다.
③ 사회적 쟁점에 대한 논평을 제공하는 기능은 언론의 기능에 해당하지만, 제시문과 거리가 멀다.
⑤ 사회 구성원들이 소통할 수 있는 공간을 마련해 주는 기능은 언론의 기능에 해당하지만, 제시문과 거리가 멀다.

09 정치 참여 집단 이해

문제분석 A는 정당, B는 이익 집단, C는 시민 단체이다.
정답찾기 ⑤ 정당은 시민 단체와 달리 자신의 행위에 대해 정치적 책임을 진다.
오답피하기 ① 공익보다 집단 구성원의 이익을 우선시하는 집단은 이익 집단이다.
② 정권 획득을 통해 정강을 실현하고자 하는 집단은 정당이다.
③ 행정부와 의회를 매개하는 역할을 하는 집단은 정당이다.
④ 정당, 이익 집단 모두 정치 사회화 기능을 수행한다.

10 정치 참여의 이해

문제분석 누리 소통망에서 사람들이 실시간으로 멀리 떨어진 거리에서도 서로 정보와 대화를 나누고 새로운 지식을 창출해 나갈 뿐만 아니라, 사회의 폭넓은 의제가 다양한 시각으로 다뤄질 수 있게 정치 참여가 촉진되고 있음을 소개하고 있다.

정답찾기 ① 누리 소통망에서 사람들이 실시간으로 멀리 떨어진 거리에서도 서로 정보와 대화를 나눌 수 있는 점을 통하여 정치 참여 과정에서 시간과 공간의 제약이 완화되었다는 것을 알 수 있다.

오답피하기 ② 정치 참여 방법에서 선거 참여의 중요성이 높아지고 있다는 내용은 제시문과 거리가 멀다.

③ 개별적인 정치 참여보다 집단적인 정치 참여가 활발해지고 있다는 내용은 제시문과 거리가 멀다.

④ 지속적인 정치 참여에서 일시적인 정치 참여로 점차 변화되고 있다는 내용은 제시문과 거리가 멀다.

⑤ 다양한 정보의 양이 계속해서 늘어남에 따라 수용적인 태도가 강조되고 있다는 내용은 제시문과 거리가 멀다.

THEME 09 민법의 기초

수능 실전 문제

본문 51~53쪽

01 ② 02 ⑤ 03 ① 04 ①
05 ④ 06 ②

01 공법과 사법의 특징 이해

문제분석 손해에 대한 배상을 청구할 수 있는 근거가 되는 법인 A법은 사법인 민법이고, 형벌이 규정된 법인 B법은 공법인 형법이다.

정답찾기 ㄱ, ㄷ. 민법은 개인과 개인 간의 법률관계를 규율하는 사법이고, 형법은 개인과 국가 기관 또는 국가 기관 간의 법률관계를 규율하는 공법이다.

오답피하기 ㄴ. 민법과 형법은 모두 법원에서 판결을 하기 위한 근거가 될 수 있다.

ㄹ. 재산 관계와 가족 관계를 규율 대상으로 하는 것은 민법이다.

02 무과실 책임의 원칙에 대한 이해

문제분석 법원은 법적 규제 기준을 위반하지 않았더라도 오염 물질 배출로 피해를 줬다면 손해 배상을 해야 한다고 판결하였는데, 이는 민법의 기본 원칙 중 무과실 책임의 원칙에 따른 것이다.

정답찾기 ⑤ 무과실 책임의 원칙에 따르면 타인의 손해에 대하여 가해자는 고의나 과실이 없더라도 일정한 요건에 따라 법적 책임을 질 수 있다.

오답피하기 ① 계약 자유의 원칙에 따르면 개인은 각자의 자율적인 판단에 기초하여 법률관계를 형성할 수 있다.

② 소유권 공공복리의 원칙에 따르면 개인은 자신이 소유하는 재산을 공공의 이익에 부합하도록 사용하여야 한다.

③ 소유권 절대의 원칙에 따르면 개인은 자신이 소유하는 재산을 배타적으로 사용, 수익, 처분할 권리를 가진다.

④ 계약 공정의 원칙에 따르면 계약 내용이 사회 질서에 반하거나 현저하게 공정성을 잃으면 법적 효력이 인정되지 않는다.

03 소유권 절대의 원칙, 소유권 공공복리의 원칙에 대한 이해

문제분석 개인은 자신이 소유한 사유 재산에 대해 자유롭게 사용하고 처분할 수 있고, 국가나 타인에 의한 소유권 침해나 간섭을 배제할 수 있다는 A는 소유권 절대의 원칙이고, A를 수정·보완한 B는 소유권 공공복리의 원칙이다.

정답찾기 ㄱ. 소유권 절대의 원칙과 같은 근대 민법의 기본 원칙은 모두 개인주의, 자유주의를 사상적 기반으로 한다.

ㄴ. 소유권 공공복리의 원칙에 따르면 개인의 소유권도 공공복리를 위하여 필요한 경우에 한하여 법률로써 제한될 수 있는 상대적 권리이다.

오답피하기 ㄷ. 소유권 절대의 원칙과 소유권 공공복리의 원칙은 모두 현대 사회에서도 적용된다. 다만 소유권 절대의 원칙이 소유권 공공복리의 원칙으로 수정·보완된 것이다.
ㄹ. 계약 공정의 원칙에 따르면 계약 내용이 사회 질서에 반하거나 현저히 공정성을 잃은 경우에는 그 법적 효력이 발생하지 않는다.

04 권리 남용 금지의 원칙에 대한 이해

문제분석 대법원이 "소유권의 행사에 따른 실질적 이익도 없이 단지 상대방의 통행의 자유에 대한 침해라는 고통과 손해만을 가하는 것은 법 질서상 원칙적으로 허용될 수 없다."라고 판단한 것은 권리 남용 금지의 원칙을 근거로 한 것이다.

정답찾기 ㄱ. 우리 민법에 '권리는 남용하지 못한다.'라고 규정되어 있으며, 이는 권리 남용 금지의 원칙을 나타낸 것이다.

오답피하기 ㄴ. 권리 남용에 해당하면 권리 행사의 효과가 발생하지 않는 것이지 권리 자체가 소멸되는 것은 아니다.
ㄷ. 대법원의 판결은 개인의 소유권이 절대적 권리가 아니라 상대적 권리라는 인식을 근거로 한 것이다.

05 계약 공정의 원칙에 대한 이해

문제분석 ○○위원회가 온라인 명품 플랫폼 회사들이 해외 구매·해외 배송이라는 이유로 '전자 상거래법'상의 청약 철회권을 인정하지 않거나, 청약 철회가 제한되는 사유를 '전자 상거래법'보다 광범위하고 불명확하게 규정하고 있어 시정을 요구한 것은 계약 공정의 원칙에 따른 것이다.

정답찾기 ④ 계약 공정의 원칙에 따르면 계약의 내용이 사회 질서에 반하거나 현저하게 공정하지 못한 경우에는 법적 효력이 발생하지 않는다.

오답피하기 ① 소유권 절대의 원칙에 따르면 국가는 개인 소유의 재산에 함부로 간섭하지 못한다.
② 계약 자유의 원칙에 따르면 국가는 개인의 자유로운 의사에 의한 법률관계 형성에 개입할 수 없다.
③ 과실 책임의 원칙에 따르면 개인은 자신의 고의나 과실로 타인에게 손해를 야기한 경우에 한하여 손해 배상 책임을 진다.
⑤ 무과실 책임의 원칙에 따르면 고의나 과실이 없어도 타인에게 피해를 준 경우에는 일정한 요건에 따라 손해 배상 책임을 져야 한다.

06 민법의 기본 원칙에 대한 이해

문제분석 근대 민법의 기본 원칙에는 계약 자유의 원칙, 소유권 절대의 원칙, 과실 책임의 원칙이 있고, 이를 수정 및 보완한 원칙에는 계약 공정의 원칙, 소유권 공공복리의 원칙, 무과실 책임의 원칙이 있다. 따라서 A는 계약 공정의 원칙, B는 소유권 절대의 원칙, C는 과실 책임의 원칙이다.

정답찾기 ② '신의 성실의 원칙을 위반하여 소비자에게 부당하게 불리한 약관 조항을 무효로 하는 것'은 계약 공정의 원칙이 적용된 사례이다.

오답피하기 ① 계약 자유의 원칙은 경제적 약자에 대한 경제적 강자의 부당한 대우를 정당화한다는 비판을 받는다.
③ '정부가 신도시 개발을 위해 □□지역에 살고 있는 사람들에게 토지 보상금을 지급하고 해당 토지를 수용한 것'은 소유권 공공복리의 원칙이 적용된 사례이다.
④ 현대 사회에서는 경제적 강자의 책임 회피 수단으로 과실 책임의 원칙이 악용되는 것을 방지하기 위해 무과실 책임의 원칙이 인정되는 부분이 존재한다. 과실 책임의 원칙도 여전히 민법의 기본 원칙으로 적용되므로 과실 책임의 원칙이 무과실 책임의 원칙으로 대체된 것은 아니다.
⑤ '공작물의 설치 또는 보존의 하자로 인해 타인에게 발생한 손해에 대해 공작물의 소유자가 지는 책임'은 무과실 책임의 원칙이 적용된다.

THEME 10
재산 관계와 법

수능 실전 문제

본문 55~60쪽

01 ③	02 ③	03 ③	04 ①
05 ①	06 ②	07 ④	08 ④
09 ④	10 ⑤	11 ②	12 ④

01 미성년자의 계약에 대한 이해

문제분석 미성년자는 제한 능력자이므로 원칙적으로 법정 대리인의 동의를 얻어 계약을 체결해야 한다. 법정 대리인의 동의 없이 미성년자가 단독으로 계약을 체결하면, 미성년자 본인 또는 법정 대리인은 계약을 취소할 수 있다. 그러나 신분증 위조, 동의서 위조 등과 같은 속임수로써 자기를 능력자로 믿게 한 경우에는 미성년자 본인 또는 법정 대리인이 취소할 수 없다.

정답찾기 ③ 갑은 신분증을 위조하여 판매업자가 자신을 성인으로 믿게 하여 계약을 체결하였다. 따라서 갑 또는 갑의 법정 대리인은 계약을 취소할 수 없다. 을은 18세로 미성년자이지만 법률혼을 하였으므로 성년 의제가 된다. 따라서 을은 성년 의제가 되었으므로 단독으로 유효하게 계약을 체결할 수 있다.

오답피하기 ① 갑과 을은 모두 계약을 취소할 수 없다.
② 갑의 부모와 을의 부모는 모두 계약을 취소할 수 없다.
④ 판매업자는 갑의 부모, 을의 부모 모두에게 확답을 촉구할 권리를 행사할 수 없다.
⑤ 판매업자는 을과 체결한 계약에 대해 철회권을 행사할 수 없다.

02 불법 행위, 채무 불이행에 대한 이해

문제분석 갑과 A는 계약을 체결하였고, 이 계약에 대한 채무를 이행하기 위해 갑은 종업원 을에게 배달 업무를 지시하였다. 그러나 을의 사고로 서류가 B에게 전달되지 못하였고, 업무 중이었던 을은 C를 다치게 하였다. 이로 인해 채무 불이행 책임과 사용자의 배상 책임 문제가 나타나게 된다.

정답찾기 ③ 을의 과실이 있는 경우에는 을의 행위가 불법 행위로 성립한다. 따라서 C는 사용자인 갑에게 특수 불법 행위 책임을 물을 수 있고, 가해자인 을에게 일반 불법 행위 책임을 물을 수 있다.

오답피하기 ① 채무 불이행은 계약 당사자인 갑이 한 것이지 을이 한 것이 아니다. 따라서 A는 을에게 채무 불이행 책임을 물을 수 없다.
② 을의 고의 또는 과실이 없는 경우에는 을의 행위가 불법 행위로 성립하지 않는다. 따라서 C는 갑에게 사용자의 배상 책임을 물을 수 없다.
④ 을의 과실이 있는 경우에는 을의 행위가 불법 행위로 성립한다. 따라서 C는 갑에게 일반 불법 행위 책임이 아닌 사용자의 배상 책임을 물을 수 있다. 사용자의 배상 책임은 특수 불법 행위 책임에 해당한다.
⑤ 채무 불이행은 계약 당사자인 갑이 한 것이므로 A는 갑에게 채무 불이행 책임을 물을 수 있다.

03 공동 불법 행위자의 책임에 대한 이해

문제분석 A, B는 갑을 폭행하였으며, 이로 인해 갑에게 손해가 발생하였다. 이때 A, B에게는 특수 불법 행위 중 공동 불법 행위자의 책임이 적용될 수 있다. 그러나 A는 자신은 주먹으로 갑을 폭행했을 뿐이며, 노트북, 스마트폰, 시계를 파손시킨 것은 B라고 주장하고 있고, B는 자신은 A가 폭행을 할 때 갑을 붙잡고 있었을 뿐이라고 주장하고 있다. 주장의 증명 여부에 따라 손해 배상 책임의 내용이 달라질 수 있다.

정답찾기 ㄱ. B가 노트북, 스마트폰, 시계를 파손하였다는 A의 주장이 증명된 경우, B는 노트북, 스마트폰, 시계를 파손한 것에 대한 손해 배상 책임을 져야 한다.
ㄷ. 공동 불법 행위자의 책임에 따라 여러 사람이 공동으로 타인에게 손해를 가한 경우에는 연대하여 배상 책임을 져야 한다. 또한 누구의 가해 행위로 인해 피해자에게 손해가 발생하였는지 명확하지 않은 경우에도 가해 행위와 관련된 자들이 연대하여 손해 배상 책임을 져야 한다.

오답피하기 ㄴ. B가 갑을 붙잡고 있었을 뿐이라고 하더라도 공동 불법 행위자의 책임에서 벗어날 수 없다.

04 책임 능력이 없는 자의 감독자 책임에 대한 이해

문제분석 책임 능력이 없는 자가 타인에게 손해를 가한 경우에는 책임 능력이 없는 자는 손해 배상 책임을 지지 않지만, 이를 감독할 법정 의무가 있는 자가 손해 배상 책임을 진다. 을과 정은 책임 능력이 있는 자이고, 갑과 병은 책임 능력이 없는 자이다.

정답찾기 ㄱ. 을과 정은 모두 책임 능력이 있는 자이므로 손해 배상 책임을 진다. 특히 을은 미성년자이지만 책임 능력이 있으므로 손해 배상 책임을 지게 된다. 책임 능력은 자신의 행위로 인해 일정한 결과가 발생한다는 것을 인식할 수 있는 능력인데 모든 미성년자가 책임 능력이 없는 것은 아니다. 유아 등의 경우에만 책임 능력이 없다고 본다.
ㄴ. 갑의 부모와 병의 부모는 모두 책임 능력이 없는 자의 감독자 책임인 특수 불법 행위 책임을 진다.

오답피하기 ㄷ. 정의 부모는 손해 배상 책임을 지지 않는다.
ㄹ. 병은 성인이지만 책임 능력이 없으므로 손해 배상 책임을 지지 않는다.

05 불법 행위 성립 요건에 대한 이해

문제분석 불법 행위가 성립하기 위해서는 가해 행위, 고의 또는 과실, 위법성, 손해의 발생, 인과 관계, 책임 능력의 요건이 모두 갖추어져야 한다. 사례에서 법원이 '당시 갑은 위난 상태에 빠진 을의 법익을 보호하기 위해 다른 법익을 침해하지 않고는 달리 피할 방법이 없었다는 것이 증명되었다.'라고 밝힌 이유가 불법 행위 성립 요건 중 무엇에 해당하는지를 파악해야 한다.

정답찾기 ① '갑이 위난 상태에 빠진 을의 법익을 보호하기 위해 다른 법익을 침해하지 않고는 달리 피할 방법이 없었다는 것'은 위법성 조각 사유 중 긴급 피난에 해당하는 내용이다. 법원은 갑의 행위가 위법성 조각 사유 중 긴급 피난에 해당되므로 불법 행위가 성립하지 않는다고 판단한 것이다.

오답피하기 ② 갑이 발로 개를 차서 다치게 하였으므로 가해 행위는 이루어졌다.
③ 어린 자녀는 가해 행위를 하지 않았으므로 어린 자녀의 책임 능력 유무를 판단할 필요가 없다.
④ 갑이 개를 발로 차서 다치게 하였으므로 손해는 발생하였다.
⑤ 갑이 개를 발로 차서 다치게 하였으므로 갑의 행위와 병의 손해 발생 간에 상당 인과 관계가 있다.

06 공작물 등의 점유자 및 소유자 책임에 대한 이해

문제분석 A는 B 소유의 건물에 있는 C의 노래방을 가기 위해 계단을 내려가던 중 발을 헛디뎌 넘어져 상해를 입었다. 이에 A는 노래방 주인 C를 상대로 손해 배상 청구 소송을 제기하였고, 법원은 "C는 계단의 공작물 점유자가 아니므로 C에게 사고의 책임을 물을 수 없다."라고 판단하였다. 따라서 사례는 특수 불법 행위 중 공작물 등의 점유자 및 소유자 책임과 관련된 것이다.
정답찾기 ② 법원은 노래방 주인 C가 공작물인 계단의 점유자가 아니므로 손해 배상 책임이 없다고 보았다. 이는 특수 불법 행위 중 공작물 등의 점유자 책임이 없다고 본 것이다.
오답피하기 ① C가 공작물의 점유자가 아니라면 건물의 소유자인 B가 공작물 등의 소유자 책임을 지게 될 것이므로 A는 B에게 손해 배상을 받을 수 있다.
③ B, C가 공동 불법 행위자의 책임을 지는 것은 아니다.
④ 법원이 B에게 손해 배상 책임이 있는지를 판단하지는 않았지만 B는 건물의 소유자이므로 B가 공작물 등 소유자로서 특수 불법 행위 책임을 지게 될 것이다.
⑤ 법원은 C가 계단의 공작물 점유자가 아니라고 판단하여 손해 배상 책임이 없다고 본 것이지, C가 사고를 방지하기 위한 주의 의무를 다했음을 증명하였기 때문에 손해 배상 책임이 없다고 본 것이 아니다.

07 무효와 취소에 대한 이해

문제분석 법률 행위의 효력이 처음부터 당연히 생기지 않는 것으로 특정인의 주장이 필요 없이 당연히 효력이 없는 A는 무효인 행위이고, 일단 유효하게 성립한 법률 행위의 효력을 행위 시에 소급하여 소멸시키는 것으로 특정인의 주장이 있어야 효력이 없어지는 B는 취소할 수 있는 행위이다.
정답찾기 ㄱ. 사기, 강박에 의한 의사 표시는 취소할 수 있다.
ㄷ. 의사 능력이 없는 자가 체결한 계약은 무효이다.
오답피하기 ㄴ. 용돈의 범위에서 미성년자가 체결한 계약은 취소할 수 없다.

08 사용자의 배상 책임에 대한 이해

문제분석 법원은 갑이 제기한 손해 배상 청구 소송에서 경기 보조원 을과 경기 보조원 을을 실질적으로 지휘·감독하는 □□골프장 모두에게 손해 배상 책임이 있다고 보았다. 따라서 사례는 특수 불법 행위 중 사용자의 배상 책임과 관련된 것이다.
정답찾기 ㄴ. 법원은 을의 과실과 갑이 입은 상해 사이에 인과 관계가 인정된다고 하였으므로 갑이 입은 손해에 대해 을의 일반 불법 행위 책임을 인정한 것이다.
ㄷ. 법원은 갑이 입은 손해에 대해 경기 보조원 을을 실질적으로 지휘·감독하는 □□골프장이 사용자의 배상 책임을 져야 한다고 판단하였다.
오답피하기 ㄱ. 을과 □□골프장이 갑에게 공동 불법 행위자의 책임을 지는 것은 아니다.

09 특수 불법 행위 책임에 대한 이해

문제분석 첫 번째 사례는 특수 불법 행위 중 사용자의 배상 책임과 관련된 것이고, 두 번째 사례는 공작물 등의 점유자, 소유자 책임과 관련된 것이다. B가 C의 차를 주차하다가 실수로 차량을 훼손한 가해자이므로 C는 B에게 손해 배상 책임을 물을 수 있다. 따라서 갑의 법적 판단 내용은 옳다. 공작물의 점유자인 D는 F가 입은 손해에 대해 1차적 책임을 지므로 병의 법적 판단 내용은 옳다.
정답찾기 ㄱ. 갑과 병은 모두 옳은 법적 판단을 하였다.
ㄴ. B의 행위가 불법 행위로 성립할 경우에만 A가 사용자의 배상 책임을 지므로 해당 내용은 (가)에 들어갈 수 없다.
ㄷ. 공작물의 점유자인 D가 주의 의무를 다하였음을 증명하면 F는 공작물의 소유자인 E에게 손해 배상 책임을 물을 수 있다. 따라서 해당 내용은 (나)에 들어갈 수 있다.
오답피하기 ㄹ. 사용자인 A가 피용자인 B의 선임 및 그 사무 감독에 상당한 주의를 다했음을 증명하면 C는 A에게 손해 배상 책임을 물을 수 없다. 공작물의 점유자인 D가 면책되면 공작물의 소유자인 E는 손해 방지를 위한 주의를 다하였음을 증명하는 것과 상관없이 무과실 책임을 진다. 따라서 해당 내용이 (가), (나)에 각각 들어가면 옳지 않은 법적 판단을 한 학생은 정이 되므로 ㉠에 '없음'이 들어갈 수 없다.

10 동물의 점유자 책임에 대한 이해

문제분석 점유하는 동물이 타인에게 손해를 가한 경우에는 동물의 점유자가 손해 배상 책임을 진다. 사례에서 반려견의 소유자는 을이지만 사고 당시 반려견을 점유하고 있던 자는 갑이다.
정답찾기 ㄷ. 동물의 점유자인 갑이 반려견의 종류와 성질에 따라 그 보관에 상당한 주의를 기울였음을 증명하면 면책될 수 있다.
ㄹ. 특수 불법 행위 중 동물의 점유자 책임에 따라서 점유하는 동물이 타인에게 손해를 가한 경우에는 동물의 점유자가 손해 배상 책임을 진다. 병을 무는 사고가 발생했을 당시에 갑이 반려견을 점유하고 있었으므로 갑이 손해 배상 책임을 져야 한다.
오답피하기 ㄱ. 동물의 점유자 책임에 따라 반려견의 소유주인 을이 아니라 점유자인 갑이 손해 배상 책임을 져야 한다.
ㄴ. 병은 갑에게 동물의 점유자 책임인 특수 불법 행위 책임을 물을 수 있다.

11 미성년자의 계약에 대한 이해

문제분석 미성년자는 원칙적으로 법정 대리인의 동의를 얻어 계약을 체결해야 한다. 미성년자가 법정 대리인의 동의 없이 체결한 계약은 미성년자 본인 또는 법정 대리인이 취소할 수 있다. 그러나 동의서를 위조하여 상대방을 믿게 한 경우에는 미성년자 본인 또는 법정 대리인이 계약을 취소할 수 없다. 따라서 B의 부모는 계약을 취소할 수 없고, A는 계약을 취소할 수 있다. 한편 C가 계약 체결의 의사 표시를 철회할 수 있으려면 계약 체결 당시 미성년자라는 것을 알지 못했어야 하는데, C는 계약 체결 당시 A, B 모두 미성년자라는 것을 알고 있었다. 따라서 갑, 병은 옳지 않은 법적 판단 내용을 발표했고, 을은 옳은 법적 판단 내용을 발표했다.

정답찾기 ㄱ. B는 계약을 취소할 수 없으므로 해당 내용이 (가)에 들어가면 옳은 법적 판단 내용을 발표한 사람은 을과 정이다.

ㄹ. 갑, 병이 옳지 않은 법적 판단 내용을 발표했으므로 ㉡이 '2명'이면 (가)에는 옳은 법적 판단 내용이 들어가야 한다. A의 부모는 계약을 취소할 수 있으므로 해당 내용은 (가)에 들어갈 수 없다.

오답피하기 ㄴ. B와 C가 체결한 계약은 확정적으로 유효이므로 해당 내용이 (가)에 들어가면 옳지 않은 법적 판단 내용을 발표한 사람은 갑, 병, 정이 된다.

ㄷ. 옳은 법적 판단 내용을 발표한 사람이 1명이라면 (가)에는 옳지 않은 법적 판단 내용이 들어가야 한다. C는 A의 부모에게 계약 취소 여부에 대한 확답을 촉구할 수 있으므로 해당 내용은 (가)에 들어갈 수 없다.

12 계약에 대한 이해

문제분석 계약은 일정한 법률 효과를 발생시킬 목적으로 당사자 간 합의에 의해 성립하는 법률 행위이다. 계약은 계약을 체결하고 싶다는 의사 표시인 청약과 이를 받아들이겠다는 의사 표시인 승낙이 합치된 때 성립한다.

정답찾기 ④ (다)에서 갑이 계약을 체결하고 싶다는 의사 표시인 청약을 하였고, (라)에서 을이 이를 받아들이겠다는 의사 표시인 승낙을 하였다. 따라서 (라)에서 계약이 성립되었으며, 계약이 성립되면 계약 체결 당사자에게 계약에 따른 일정한 권리와 의무가 발생한다.

오답피하기 ① (가)에서 갑은 계약을 체결하고 싶다는 의사 표시인 청약을 하지 않았다.

② (나)에서 을은 청약에 대한 승낙을 하지 않았다.

③ (다)가 아닌 (라)에서 갑과 을의 헤드폰 매매 계약이 성립하였다.

⑤ (라) 이후 갑이 돈을 지불했음에도 을이 헤드폰을 갑에게 주지 않으면 계약은 무효가 되는 것이 아니라, 채무 불이행 책임 문제가 발생하는 것이다.

THEME 11 가족 관계와 법

수능실전문제 본문 62~67쪽

01 ②	02 ③	03 ④	04 ④
05 ④	06 ⑤	07 ③	08 ⑤
09 ②	10 ④	11 ④	12 ⑤

01 이혼에 대한 이해

문제분석 갑과 을은 협의상 이혼을 하였고, 병과 정은 재판상 이혼을 하였다. 협의상 이혼은 이혼의 사유를 묻지 않고 양 당사자가 합의만 하면 가능하다. 그러나 재판상 이혼은 민법에 규정된 이혼 사유에 해당해야만 법원의 판결로 이혼이 가능하다.

정답찾기 ② 이혼 시 미성년자에 대한 친권 행사자가 정해져야 한다. 양 당사자 합의로 정하거나 법원이 직권으로 지정할 수 있다.

오답피하기 ① 협의상 이혼 시 원칙적으로 이혼 숙려 기간을 거쳐야 한다. 이혼 숙려 기간은 양육할 자녀가 있을 경우에는 3개월, 없을 경우에는 1개월이다. 따라서 A가 성인이라면 갑과 을은 1개월의 이혼 숙려 기간을 거쳤을 것이다.

③ 협의상 이혼의 효력은 행정 기관에 이혼 신고를 한 때에 발생한다.

④ 재판상 이혼의 효력은 법원에서 이혼 판결이 확정된 때 발생한다.

⑤ 민법에 정해진 이혼 사유에 해당되어야 이혼이 가능한 것은 재판상 이혼이다. 협의상 이혼은 정해진 이혼 사유가 없다.

02 재판상 이혼에 대한 이해

문제분석 자료는 행정 기관에 제출하는 이혼 신고서인데, 재판 확정 일자가 기재되어 있는 것으로 보아 재판상 이혼 판결 후 제출한 이혼 신고서이다.

정답찾기 ㄴ. 이혼 시 이혼의 귀책 사유가 있는 상대방에게 손해 배상을 청구할 수 있다.

ㄷ. 이혼 소송 제기 여부와 관계없이 부부 중 일방은 타방 배우자에 대해 혼인 중 협력으로 형성된 공동 재산의 일부를 분할하여 줄 것을 청구할 수 있다.

오답피하기 ㄱ. 이혼 신고서는 행정 기관에 제출한다.

ㄹ. 재판상 이혼은 이혼 판결이 확정되면 효력이 발생한다.

03 혼인에 대한 이해

문제분석 혼인은 남녀가 부부로서의 생활 공동체를 형성하기로 하는 가족법상의 합의로 일종의 계약에 해당하며, 형식적 요건과 실질적 요건을 모두 갖추어야 법률혼이 된다.

정답찾기 ㄱ. 혼인을 하게 되면 일상 가사 대리권, 부양의 의무 등과 같이 배우자 간 일정한 권리와 의무가 발생하게 된다.

ㄴ. 혼인 신고를 하지 않으면 법률혼이 아니며, 법률혼이 아닐 경우에는 배우자, 인척과 같은 친족 관계가 발생하지 않는다.

ㄹ. 일정 촌수 이내의 혈족 및 인척과는 혼인할 수 없다.

오답피하기 ㄷ. 법적으로 혼인할 수 있는 연령은 18세 이상이다. 다만 18세는 부모의 동의를 얻어 법률혼을 할 수 있다.

04 법률혼과 사실혼에 대한 이해

문제분석 부부로서의 공동생활을 하고 혼인 신고를 한 갑과 을은 법률혼 관계에 있고, 부부로서의 공동생활을 하나 혼인 신고를 하지 않은 갑과 을은 사실혼 관계에 있다.

정답찾기 ㄴ. 법률혼과 달리 사실혼 관계에서는 배우자, 인척과 같은 친족 관계가 형성되지 않는다.

ㄹ. 법률혼과 달리 사실혼 관계에서는 상속권이 발생하지 않는다.

오답피하기 ㄱ. 법률혼, 사실혼 관계 모두에서 부부 공동생활을 하는 당사자 간에 부양의 의무가 발생한다.

ㄷ. 법률혼 상태에서 낳은 자녀는 출생과 동시에 친자 관계가 형성되고, 사실혼 상태에서 낳은 자녀도 인지 절차 등을 거쳐 친자 관계가 형성될 수 있다.

05 상속 제도에 대한 이해

문제분석 사람이 사망하면 사망한 자의 재산에 대해 유언이 있으면 유언의 내용대로 처리하고, 유언이 없으면 상속이 이루어진다. 유효한 유언이 있다고 하더라도 유류분 반환의 문제가 발생할 수 있다. 아버지 유언장의 효력 유무에 따라 아버지의 재산에 대한 처리가 달라질 수 있다.

정답찾기 ㄱ. 유언장이 유효하지 않으면 법정 상속이 이루어진다. 상속권자는 어머니, 질문자, 누나, 남동생이며 1.5 : 1 : 1 : 1의 비로 아버지의 재산을 상속받는다. 따라서 어머니는 3억 원, 질문자, 누나, 남동생은 각각 2억 원씩 상속받는다.

ㄴ. 유언장이 유효하지 않으면 어머니의 법정 상속액은 3억 원이고 나머지 상속권자의 상속액의 합은 6억 원이다.

ㄹ. 유언장이 유효한 경우에도 어머니, 질문자, 남동생은 모두 누나에게 법정 상속분의 1/2을 유류분으로 반환 청구할 수 있다.

오답피하기 ㄷ. 유언장이 유효한 경우에 어머니가 최대로 받을 수 있는 재산은 법정 상속액 3억 원의 1/2인 1억 5천만 원이다. 누나는 최소 5억 5천만 원을 받을 수 있다.

06 상속 제도에 대한 이해

문제분석 사망한 사람이 유언을 남기지 않고 사망하면 민법에 정해진 대로 법정 상속이 이루어진다. 법정 상속 순위는 1순위 직계 비속, 2순위 직계 존속, 3순위 형제자매, 4순위 4촌 이내의 방계 혈족이다. 배우자는 직계 비속 또는 직계 존속과 공동 상속인이 되어 공동 상속인 상속분에 50%를 가산하여 상속을 받으며, 직계 비속과 직계 존속이 없으면 단독으로 상속받는다.

정답찾기 ⑤ 병이 먼저 사망했다면, 병 사망 시 병의 재산을 갑과 을이 5억 원씩 상속받는다. 이후 갑 사망 시 갑의 재산 19억 원을 을과 정이 1.5 : 1의 비로 상속받는다.

오답피하기 ① 갑이 먼저 사망했다면, 갑 사망 시 갑의 재산을 을, 병, 정이 1.5 : 1 : 1의 비로 상속받는다. 따라서 을은 14억 원의 3/7인 6억 원을 상속받는다.

② 갑이 먼저 사망했다면, 갑 사망 시 병이 갑의 재산 중 4억 원을 상속받고, 병 사망 후 병의 재산 14억 원을 직계 존속인 을이 단독으로 상속받는다.

③ 병이 먼저 사망했다면, 병 사망 시 병의 직계 존속인 갑과 을이 있으므로 병의 형제자매인 정은 병의 재산을 상속받지 못한다.

④ 병이 먼저 사망했다면, 병 사망 시 병의 재산은 직계 존속인 갑과 을이 1 : 1의 비로 상속받는다.

07 친권에 대한 이해

문제분석 친권은 부모가 미성년 자녀에 대해 갖는 신분·재산상의 여러 권리와 의무이다. 친권은 부모가 공동으로 행사하는 것이 원칙이고, 부 또는 모가 친권을 남용하여 자녀의 복리를 현저히 해치거나 해칠 우려가 있는 경우에는 일정한 자의 청구에 의하여 가정 법원이 친권 상실을 선고할 수 있다. 따라서 갑, 을의 발표 내용이 옳고, (가)에는 옳지 않은 발표 내용이 들어가야 한다.

정답찾기 ㄴ. 부모가 이혼하는 경우에는 부모의 협의 또는 가정 법원이 친권자를 지정할 수 있으므로 (가)에 해당 내용이 들어갈 수 있다.

ㄷ. 부모 중 한쪽이 친권을 행사할 수 없을 때에는 다른 한쪽이 행사하므로 (가)에 해당 내용이 들어갈 수 없다.

오답피하기 ㄱ. 옳은 내용을 발표한 학생은 갑과 을이다.

ㄹ. 자녀가 자신의 명의로 취득한 재산에 대한 관리권도 친권의 내용 중 하나이므로 해당 내용은 (가)에 들어갈 수 없다.

08 친자 관계에 대한 이해

문제분석 친양자, 친양자가 아닌 양자, 혼인 중 출생자 중 혼인 중 출생자만 부모와 자녀가 자연 혈족 관계에 있으므로 C는 혼인 중 출생자이며, 친양자만 입양 시 양부모의 성과 본을 따라야 하므로 B는 친양자이고, A는 친양자가 아닌 양자이다. (가)에는 친양자와 다른 혼인 중 출생자만의 특징이 들어가야 한다.

정답찾기 ⑤ 미성년자일 경우 혼인 중 출생자는 친생부모가 친권을 행사하지만, 친양자가 아닌 양자는 양부모가 친권을 행사한다.

오답피하기 ① 친양자는 특별한 경우를 제외하고는 혼인 중 출생자와 달리 친생부모 사망 시 법정 상속권이 없으므로 해당 질문은 (가)에 들어갈 수 있다.

② 인지 절차를 거쳐야 친자 관계가 형성되는 경우는 혼인 외 출생자인 경우이다. 혼인 중 출생자는 출생과 동시에 친자 관계가 형성되고, 친양자는 입양 절차를 거치면 친자 관계가 형성된다.

③ 친양자는 친양자가 아닌 양자와 달리 미성년자인 경우에만 입양이 가능하다.

④ 친양자는 친양자가 아닌 양자와 달리 특별한 경우를 제외하고는 입양 시 친생부모와의 친자 관계가 종료된다.

09 일상 가사 채무 연대 책임에 대한 이해

문제분석 부부간에는 일상의 가사로 인해 발생한 채무에 대해서는 어느 한쪽이 결정하였더라도 부부가 연대하여 책임을 진다.

정답찾기 ㄷ. 부부간에는 일상 가사의 범위에 해당하는 내용으로 빚을 진 것이라면 갚아야 할 의무가 있다.

오답피하기 ㄱ. 이혼 전에 부부간 일상 가사로 인해 발생한 채무에 대해서는 연대 책임을 져야 한다.
ㄴ. 부부 별산제가 적용되는 것이 원칙이나 일상의 가사로 인해 발생한 채무에 대해서는 어느 한쪽이 결정하였더라도 부부가 연대하여 책임을 진다.

10 친양자 입양에 대한 이해

문제분석 친양자는 가정 법원에 미성년자에 대한 친양자 입양을 청구하여 받아들여지면 양부모의 혼인 중의 출생자로 간주된다. 자료는 병의 친생부모가 병을 갑과 을의 친양자로 입양시킨다는 것을 승낙한다는 서류이다.

정답찾기 ④ 친양자로 입양되면 친양자는 양부모의 혼인 중의 출생자로 간주된다.

오답피하기 ① 친양자 입양은 미성년자인 경우에 가능하므로 13세 이상이라도 19세 미만이면 친양자 입양이 가능하다.
② 병이 갑과 을의 친양자가 되기 위해서는 법원의 재판을 통해야 한다. 자료는 친생부모인 정과 무가 병을 갑과 을의 친양자로 입양시키는 것에 대해 승낙한다는 서류이다.
③ 친양자로 입양되면 병에 대한 친권은 양부모인 갑과 을이 갖는다.
⑤ 친양자로 입양되면 병의 성과 본은 갑 또는 을의 성과 본을 따라야 한다.

11 가족 관계에 대한 이해

문제분석 갑과 을은 이혼 후 각각 병, 정과 재혼을 하였는데 이 과정에서 친양자 입양 또는 친양자가 아닌 양자로의 입양이 이루어졌거나 예정되어 있다. 친양자로 입양되면 원칙적으로 친생부모와의 친자 관계가 종료되는 반면에 친양자가 아닌 양자로 입양되면 친생부모와의 친자 관계가 종료되지 않는다.

정답찾기 ④ 병이 사망하면 병의 재산에 대한 상속권자는 갑, C, D이다.

오답피하기 ① 갑과 을은 협의상 이혼을 하였고, 을과 정은 재판상 이혼을 하였다. 재판상 이혼과 달리 협의상 이혼은 이혼 숙려 기간을 거쳐야 한다.
② 갑이 사망하면 갑의 재산에 대한 상속권자는 병, A, C, D이다.
③ 을이 사망하면 을의 재산에 대한 상속권자는 A, B, E이다.
⑤ 정이 사망하면 정의 재산에 대한 상속권자는 B, E이다.

12 가족 관계에 대한 이해

문제분석 부부간 혼인의 의사로 함께 생활하면서 혼인 신고를 한 경우에는 법률혼이지만, 혼인 신고를 하지 않은 경우에는 사실혼이다. 법률혼에서 태어난 자녀는 혼인 중 출생자가 되나, 사실혼 관계에서 태어난 자녀는 인지 절차 등을 통해 친자 관계가 형성된다.

정답찾기 ⑤ 병과 A 간에 친자 관계가 형성되어 있지 않으므로 병은 A에 대한 친권을 갖지 못한다.

오답피하기 ① 재판상 이혼은 협의상 이혼과 달리 민법에 규정된 이혼 사유에 해당해야 이혼이 가능하다.
② 사실혼 상태에서 태어난 자녀는 인지 절차 등을 거쳐야 친자 관계가 형성된다.
③ 갑과 병은 C의 친생부모이지 양부모가 아니다.
④ 병과 정의 자녀 B와 갑이 친자 관계가 형성된 것은 갑이 B를 입양하였기 때문이다.

THEME 12 형법의 이해

수능실전문제 본문 69~74쪽

01 ②	02 ⑤	03 ③	04 ④
05 ④	06 ④	07 ⑤	08 ①
09 ⑤	10 ④	11 ⑤	12 ④

01 형법의 이해

문제분석 형법의 기능 중 (가)는 사회 구성원들의 법익을 보호하고, 사회 윤리적 행위 가치를 보호하는 보호적 기능이고, (나)는 국가가 행사할 형벌권의 내용과 한계를 명확히 하여 국가 권력의 자의적 형벌권 남용을 방지함으로써 국민의 자유와 권리를 보장하는 보장적 기능이다.

정답찾기 ㄱ. 형법의 보호적 기능을 통해 사회적 법익뿐만 아니라 개인적 법익도 보호된다.

ㄷ. 형법의 보장적 기능은 죄형 법정주의를 통해 실현할 수 있다.

오답피하기 ㄴ. 형법은 범죄인의 인권도 보장하는 기능을 한다.

ㄹ. 실질적 의미의 형법은 보호적 기능과 보장적 기능을 가진다.

02 형식적 · 실질적 의미의 죄형 법정주의 이해

문제분석 ㉠은 형식적 의미의 죄형 법정주의, ㉡은 실질적 의미의 죄형 법정주의이다.

정답찾기 ㄱ. 실질적 의미의 죄형 법정주의는 '적정한 법률이 없으면 범죄도 없고 형벌도 없다.'로 이해되는데, 이는 적정성의 원칙이 강조된 것이다.

ㄷ. 실질적 의미의 죄형 법정주의는 입법자의 자의적 판단으로부터 국민의 자유와 권리를 보장하려고 한다.

ㄹ. 형식적 의미의 죄형 법정주의, 실질적 의미의 죄형 법정주의 모두 법관의 자의적 판단으로부터 국민의 자유와 권리를 보장하려고 한다.

오답피하기 ㄴ. 실질적 의미의 죄형 법정주의는 법률의 내용이 실질적 정의에 부합해야 함을 강조한다.

03 적정성의 원칙 이해

문제분석 제시문의 결정에는 죄형 법정주의의 파생 원칙 중 적정성의 원칙이 나타나고 있다.

정답찾기 ③ 범죄와 그에 부과되는 형벌은 경중의 균형이 이루어져야 한다는 것은 적정성의 원칙이다.

오답피하기 ① 범죄의 성립 요건과 형벌의 내용은 명확해야 한다는 것은 명확성의 원칙이다.

② 범죄의 성립과 처벌은 행위 당시의 법률에 의해야 한다는 것은 소급효 금지의 원칙이다.

④ 법률에 규정이 없는 경우 그와 유사한 법률을 불리하게 적용해서는 안 된다는 것은 유추 해석 금지 원칙이다.

⑤ 관습법을 근거로 일정한 행위를 범죄로 인정하여 형벌을 부과해서는 안 된다는 것은 관습 형법 금지의 원칙이다.

04 죄형 법정주의의 파생 원칙 이해

문제분석 (가)는 명확성 원칙과 유추 해석 금지의 원칙에 반한다. (나)는 명확성의 원칙에 반한다. (다)를 개정하기 전 발생한 방화 행위를 처벌하는 데 적용하면 소급효 금지 원칙에 반한다.

정답찾기 ㄱ. (가)는 명확성 원칙과 유추 해석 금지의 원칙에 위반되는데 이는 법관의 자의적 해석에 의해 형벌권이 남용될 우려가 있는 조항이다.

ㄴ. (나)는 어떤 행위가 범죄이며, 각각의 범죄에 대한 형벌이 불명확하게 규정된 조항이다.

ㄷ. (다)로 개정하기 전 발생한 방화 행위를 사형으로 처벌하면 범죄와 형벌은 행위 시의 법률에 따라 결정되어야 하며, 시행 이전의 행위까지 소급 적용될 수 없다는 소급효 금지의 원칙에 위반된다.

오답피하기 ㄹ. (가), (나)는 형법에 규정되어 있으므로 성문 법률주의에 위반되지 않는다.

05 범죄의 성립 요건 이해

문제분석 A에서 무죄 판결을 한 이유는 갑의 행위가 현재의 부당한 침해로부터 자기의 법익을 방위하기 위한 행위로 상당한 이유가 있는 경우인 정당방위에 해당한다고 보았기 때문이다. B에서 무죄 판결을 한 이유는 을의 행위가 친족의 생명에 가하는 위해를 방어할 방법이 없는 협박에 의해 어쩔 수 없이 한 행위로 책임 조각 사유에 해당하는 강요된 행위로 보았기 때문이다.

정답찾기 ㄴ. 학생의 A에 대한 법적 판단이 0점이므로 (가)에 '갑의 행위는 긴급 피난에 해당되어 위법성이 조각된다.'가 들어갈 수 있다.

ㄹ. 학생의 B에 대한 법적 판단이 1점이므로 (나)에 '을에게는 법적 비난 가능성이 없다.'가 들어갈 수 있다.

오답피하기 ㄱ. 학생의 A에 대한 법적 판단이 0점이므로 (가)에 '갑의 행위는 범죄의 구성 요건에 해당하지 않는다.'가 들어갈 수 있다.

ㄷ. 학생의 B에 대한 법적 판단이 1점이므로 (나)에 '을의 행위는 자구 행위에 해당되어 위법성이 조각된다.'가 들어갈 수 없다.

06 범죄의 성립 요건 이해

문제분석 범죄는 구성 요건 해당성, 위법성, 책임의 요건을 모두 갖추어야 성립한다. 갑의 사례는 구성 요건에 해당하지만 위법성이 조각되어 범죄가 성립하지 않는 경우이며, 을의 사례는 구성 요건에 해당하지 않아 범죄가 성립하지 않는 경우이고, 병의 사례는 구성 요건에 해당하고 위법성도 있지만 심신 상실 상태에서의 행위이므로 책임이 조각되어 범죄가 성립하지 않는 경우이다.

정답찾기 ㄴ. 사회 상규에 위배되지 않는 행위는 위법성 조각 사유 중 정당 행위에 해당한다. 갑의 행위는 위법성이 조각되므로 전체 법질서의 관점에서 부정적이지 않다.

ㄹ. 치료 감호는 일정한 범죄 행위를 한 자가 치료 감호 시설에서 적절한 보호와 치료를 받도록 하는 보안 처분이다. 치료 감호는 심신 상실로 무죄를 선고한 경우에도 치료를 받을 필요가 있고 재범의 위

험성이 있다면 부과할 수 있는 처분이다.

오답피하기 ㄱ. 갑~병의 사례는 모두 범죄가 성립하지 않는 경우이므로 (가), (나), (다)에는 '무죄'가 들어간다.

ㄷ. 을의 사례는 구성 요건에 해당하지 않아 범죄가 성립하지 않는 경우이다. 위법한 행위를 하였다는 데 대하여 행위자에게 가해지는 법적 비난 가능성은 책임을 의미한다.

07 형벌의 종류 이해

문제분석 갑에게는 자유형과 재산형이 선고되었고, 보안 처분이 부과되었다. 을에게는 자유형이 선고되면서 일정 기간 형벌의 집행이 유예되었고, 보안 처분이 부과되었다.

정답찾기 ⑤ 갑에게는 이수 명령, 을에게는 수강 명령이 선고되었으므로 갑과 을 모두 보안 처분을 선고받았다.

오답피하기 ① 재활 교육 프로그램 이수 명령은 재범 예방을 위해 치료 프로그램을 이수하는 것으로 치료 감호에 해당하지 않는다.

② 갑에게 선고된 징역형은 정해진 노역에 복무하게 하는 자유형에 해당한다.

③ 몰수형은 재산형에 해당하므로 갑은 을과 달리 재산형을 선고받았다.

④ 을에게는 자유형에 대한 집행 유예가 선고되었으므로 집행 유예의 실효 또는 취소됨이 없이 유예 기간을 경과한 때 형 선고의 효력이 상실된다.

08 형벌의 종류 이해

문제분석 구류는 자유형에 해당하고, 벌금, 과료는 재산형에 해당한다. 선고 유예는 형의 선고 유예를 받은 날로부터 일정 기간을 경과하면 면소된 것으로 간주한다.

정답찾기 ㄱ. 재산형에 해당하는 벌금과 과료를 합한 건수는 t+1시기가 t시기에 비해 많다.

오답피하기 ㄴ. 자유형에 해당하는 구류를 부과한 건수는 t시기가 t+1시기에 비해 많다.

ㄷ. 집행 유예는 집행 유예 선고의 실효 또는 취소됨이 없이 유예 기간이 경과하면 형 선고의 효력이 상실된다.

09 형벌의 종류 이해

문제분석 (가)는 징역이나 금고에 비해 신체 활동의 자유를 박탈하는 구치 기간이 짧은 형벌이므로 구류이고, (나)는 범죄인에게 일정한 금액을 부담하도록 강제하는데, 벌금과 비교할 때 원칙적으로 액수가 적은 형벌이므로 과료이다.

정답찾기 ㄷ. 과료는 2천 원 이상 5만 원 미만의 금액을 납입하도록 강제하는 형벌이다.

ㄹ. 구류는 자유형, 과료는 재산형에 해당한다.

오답피하기 ㄱ. 구류는 1일 이상 30일 미만 교정 시설에 수용하여 집행되는 형벌이다.

ㄴ. 몰수는 범죄 행위에 관련된 재산을 박탈하여 국고에 귀속시키는 형벌이다.

10 범죄의 성립 요건과 형벌의 종류 이해

문제분석 형법상 책임은 위법 행위를 하였다는 데 대하여 행위자에게 가해지는 법적 비난 가능성을 말한다. 책임 능력을 가지지 못한 행위자에게 부과되는 대안적 형사 제재인 치료 감호를 통해 이들에게 치료를 위한 조치를 할 수 있다.

정답찾기 ④ 금고는 정해진 노역에 복무하게 하지 않는 자유형에 해당한다.

오답피하기 ① 행위자에 의해 발생될 수 있는 장래의 범죄 위험으로부터 사회를 보호하려는 것은 형법의 보호적 기능에 해당한다.

② 치료 감호는 행위자의 사회 복귀와 사회 질서의 보호라는 목적을 달성하기 위한 보안 처분에 해당한다.

③ 심신 장애로 인하여 사물을 변별할 능력이 없거나 의사를 결정할 능력이 없는 자가 범죄로 규정한 행위를 행한 경우 책임이 조각된다.

⑤ 심신 상실로 무죄를 받았더라도 금고 이상에 해당하는 죄를 범한 경우 일정한 요건을 갖추면 치료 감호의 대상이 될 수 있다.

11 범죄의 성립 요건 이해

문제분석 ○○ 법원은 갑의 행위가 폭행죄의 구성 요건에 해당하지 않는다고 보았다. □□ 법원은 을의 행위가 정당 행위에 해당하여 위법성이 조각된다고 보았다. △△ 법원은 병의 행위가 긴급 피난에 해당하여 위법성이 조각된다고 보았다.

정답찾기 ㄷ. 갑의 행위는 범죄의 구성 요건에 해당하지 않지만, 을, 병의 행위는 범죄의 구성 요건에 해당한다.

ㄹ. □□ 법원은 당시 상황, 을이 행사한 유형력의 정도 및 목적 등을 고려할 때, 을의 행동은 사회 통념상 허용될 만한 정도의 상당성이 있어 정당 행위라고 보았다. △△ 법원은 자기 또는 타인의 법익에 대한 현재의 위난을 피하기 위한 행위로서 상당한 이유가 있어 긴급 피난이라고 보았다.

오답피하기 ㄱ. 갑의 행위는 폭행죄의 구성 요건에 해당하지 않는다.

ㄴ. 을의 행위는 정당 행위에 해당하므로 전체 법질서 관점에서 부정적이지 않다.

12 범죄의 성립 요건 이해

문제분석 (가)는 정당 행위, (나)는 강요된 행위이다.

정답찾기 ④ 강요된 행위는 책임이 조각된다.

오답피하기 ① 자구 행위는 법률에서 정한 절차에 따라서는 청구권을 보전할 수 없는 경우에 그 청구권의 실행이 불가능해지거나 현저히 곤란해지는 상황을 피하기 위하여 한 행위로 상당한 이유가 있는 경우 위법성이 조각되는 사유이다. 공무원이 그 직무를 수행함에 있어 적법한 명령에 따라 한 행위는 정당 행위에 해당한다.

② 정당 행위에 해당하면 범죄의 구성 요건에 해당하더라도 범죄가

성립하지 않는다.

③ 정당 행위는 법령에 의한 행위 또는 업무로 인한 행위 기타 사회 상규에 위배되지 않는 행위로 위법성이 조각된다. 저항할 수 없는 폭력이나 자기 또는 친족의 생명, 신체에 대한 위해를 방어할 방법이 없는 협박에 의한 행위는 강요된 행위에 해당한다.

⑤ 헌법 소원 심판 청구의 대상이 되는 공권력 행사 또는 불행사에 법원의 재판을 제외하고 있기 때문에 원칙적으로 갑은 대법원의 판결에 불복하더라도 헌법 재판소에 헌법 소원 심판을 청구할 수 없다.

THEME 13 형사 절차와 인권 보장

수능실전문제

본문 76~81쪽

01 ①	02 ②	03 ⑤	04 ④
05 ①	06 ②	07 ②	08 ⑤
09 ①	10 ①	11 ④	12 ⑤

01 형사 절차의 이해

문제분석 (가)는 수사, (나)는 기소, (다)는 1심 법원의 판결, (라)는 2심 법원의 판결에 해당한다.

정답찾기 ① 갑은 구속되어 수사를 받았으므로 구속 영장 실질 심사를 거쳤을 것이다.

오답피하기 ② 기소로 인해 갑은 피의자에서 피고인으로 신분이 바뀐다.

③ 1심 재판의 결과에 대해 형사 재판의 당사자인 검사와 갑은 항소할 수 있다.

④ 국민 참여 재판은 1심에서만 적용된다.

⑤ 판결이 확정되면 형의 집행은 원칙적으로 검사의 지휘에 따라 이루어진다.

02 형사 재판 절차 이해

문제분석 형사 재판의 당사자는 검사와 피고인이다. 형사 재판에서 검사와 대등한 지위에서 소송을 진행할 수 있도록 피고인은 변호인의 조력을 받을 수 있다.

정답찾기 ㄱ. 재판은 공개가 원칙이므로 형사 재판에서 해당 사건의 피해자는 재판을 방청할 수 있다.

ㄷ. 형사 재판에서 피고인의 행위가 범죄 사실에 해당하는지 입증할 책임은 원칙적으로 검사에게 있다.

오답피하기 ㄴ. A는 검사, B는 변호인에 해당한다.

ㄹ. ㉡은 피고인에게 어떤 판결을 선고하여 달라고 검사가 판사에게 요구하는 것으로 구형에 해당한다. 법원의 판결은 검사의 구형에 구속되지 않는다.

03 형사 절차의 이해

문제분석 (가)에서 을에게 검사는 기소 유예, (나)에서 검사는 공소권 없음 처분을 내렸다. 기소 유예와 공소권 없음 처분은 모두 불기소 처분에 해당한다.

정답찾기 ⑤ 검사의 기소 유예, 검사의 공소권 없음 처분은 수사가 종결되는 불기소 처분에 해당한다.

오답피하기 ① 기소 유예는 피의 사실이 인정되나 피의자의 연령이나 지능, 피해자와의 관계, 범행의 동기나 수단, 결과 등을 참작하여 소추할 필요가 없는 경우에 내리는 불기소 처분이므로 을이 구속 수사를 받았더라도 형사 보상을 청구할 수 없다.

② 검사는 피의 사실을 인정하지만 범행의 동기나 수단, 결과 등을

참작하여 공소를 제기하지 않고 기소 유예를 할 수 있다.
③ (나)에서 피해자 정이 병에게서 피해의 전부 또는 일부를 배상받을 수 없는 경우 일정한 요건을 충족하면 범죄 피해자 구조 제도를 활용하여 국가로부터 일정 한도의 구조금을 지급받을 수 있다.
④ (가)와 (나)에서 모두 검사는 불기소 처분을 내렸다.

04 배상 명령 제도의 이해

문제분석 (가)는 배상 명령에 해당한다. 배상 명령은 상해죄 등 일정한 사건의 형사 재판 과정에서 법원의 직권 또는 피해자의 간단한 신청 절차만으로 민사적 손해 배상 명령까지 받아 낼 수 있도록 한 제도이다.

정답찾기 ④ 배상 명령 신청이 받아들여지면 피고인이 손해를 배상하도록 법원이 배상을 명령한다.

오답피하기 ① 배상 명령은 상해죄 등 일정한 범죄 사건의 형사 재판에서 신청할 수 있다.
② 배상 명령 제도는 일정한 사건의 형사 재판 과정에서 법원의 직권 또는 피해자의 간단한 신청 절차만으로 민사적 손해 배상 명령까지 받아 낼 수 있도록 한 제도로 민사 소송을 제기하지 않아도 배상 명령 신청서를 제출할 수 있다.
③ 법원이 유죄 판결을 선고하는 경우 직권 또는 범죄 피해자의 신청에 따라 배상 명령을 할 수 있다.
⑤ 갑의 배상 명령 신청이 받아들여지지 않더라도 갑은 재판의 당사자가 아니므로 을에 대한 형사 재판의 판결에 불복할 수 없다.

05 범죄 피해자 구조 제도의 이해

문제분석 피해자는 자신의 신체에 해를 끼친 갑으로부터 어떠한 배상도 받지 못하였다. 이 경우 피해자는 국가로부터 구조금을 지급받기 위해 범죄 피해자 구조금을 신청할 수 있다. (가)는 범죄 피해자 구조 제도이다.

정답찾기 ㄱ. 범죄 피해자 구조 제도는 범죄 피해자가 피해의 전부 또는 일부를 배상받지 못한 경우에도 신청할 수 있다.
ㄴ. 범죄 피해자 구조 제도는 사람의 생명 또는 신체에 해를 끼치는 범죄 행위로 인한 피해를 구조하기 위한 제도이다.

오답피하기 ㄷ. 범죄 피해자 구조 제도는 가해자의 불명 또는 무자력의 사유로 피해자가 피해의 전부 또는 일부를 배상받지 못한 경우 국가가 범죄 피해 구조금을 지급하는 제도이다.
ㄹ. 신체의 피해를 직접 입은 사람 외에도 피해자가 사망한 경우 배우자 등 가족이 유족으로 범죄 피해자 구조금을 신청할 수 있다.

06 국민 참여 재판의 이해

문제분석 갑에 대한 1심 재판은 국민 참여 재판으로 진행되었다. 국민 참여 재판은 배심원이 피고인의 유·무죄에 관한 평의를 진행하여 평결을 내리고, 평결이 유죄인 경우 판사와 함께 양형에 관해 토의하고 의견을 개진하면 이를 참고하여 판결이 이루어진다.

정답찾기 ㄱ. 국민 참여 재판은 형사 사건을 대상으로 하며, 일반 국민 중에서 선정된 배심원이 공판 절차에 참여한다.
ㄷ. 국민 참여 재판은 1심이 지방 법원 본원 합의부에서 이루어지므로 2심 법원은 고등 법원에 해당한다.

오답피하기 ㄴ. 법원은 국민 참여 재판으로 진행할지 피고인의 의사를 확인하는데, 피고인이 원하지 않는 경우 국민 참여 재판을 하지 않는다.
ㄹ. 국민 참여 재판에서 배심원의 평결은 법원을 기속하지 않고 권고적 효력을 가진다. 1심 법원은 배심원의 평결과 다른 판결을 선고할 수 있다.

07 형사 절차의 이해

문제분석 형사 절차는 '수사→기소→공판→선고→형의 집행' 순으로 이루어진다. 갑은 수사 중 검사의 구속 영장 청구가 받아들여져 구속 수사를 받고 있다. 을은 1심 법원에서 구속된 상태에서 재판을 받고 있다. 병은 1심 법원에서 선고 유예 판결을 받았다.

정답찾기 ② 을은 구속된 상태에서 재판을 받고 있으므로 보증금 납입 등을 조건으로 법원이 구속의 집행을 정지하는 제도인 보석 제도를 활용할 수 있다.

오답피하기 ① 갑이 구속 적부 심사를 청구하면 판사가 구속의 적법성과 필요성을 심사하여 석방 여부를 결정한다. 영장 실질 심사는 검사가 영장을 청구하면 판사가 영장을 발부하기 전에 피의자를 직접 대면하여 심문하면서 구속 사유가 인정되는지를 판단하는 제도이다.
③ 병은 선고 유예 판결을 받았으므로 병에 대한 판결이 확정되면 병은 구금되지 않는다.
④ 정은 병의 범죄 행위로 인해 생명 또는 신체에 피해를 당한 경우가 아니므로 범죄 피해자 구조 제도를 통해 구조금을 지급받을 수 없다.
⑤ 갑, 을, 병 모두 확정 판결 전까지 변호인의 조력을 받을 권리를 보장받는다.

08 형사 절차의 이해

문제분석 갑에 대한 형사 재판 과정에서 ◇◇ 고등 법원은 갑에게 징역 1년을 선고하였다. 판결이 확정되어 갑에 대한 형이 집행되던 중 가석방 제도를 통해 갑은 석방되었다. 을에 대한 형사 재판 과정에서 □□ 지방 법원 합의부는 을에게 징역 3년에 집행 유예 4년을 선고하면서 보안 처분인 보호 관찰을 받을 것과 사회봉사를 명하였다.

정답찾기 ⑤ 갑은 ◇◇ 고등 법원에서 재판을 받았으므로 2심 재판에 해당하며, 을은 □□ 지방 법원 합의부에서 재판을 받았는데, 판결에 대해 을과 검사 모두 항소하지 않았으므로 1심 재판에 해당한다.

오답피하기 ① 판결 후에 형의 집행은 원칙적으로 검사의 지휘에 따라 이루어진다.
② A는 가석방이다. 가석방은 징역이나 금고의 집행 중에 있는 사람이 태도 등이 양호하여 뉘우침이 뚜렷한 때에 형기 만료 전에 일정한 요건을 갖추면 행정 처분으로 조건부로 석방되는 제도이다. 가석방 제도를 통해 석방되더라도 갑은 명예 회복 제도를 활용할 수 없다. 명예 회복 제도는 무죄 등의 재판을 받은 자의 수사 및 재판 과정에서 훼손된 명예를 회복시켜 주는 제도이다.
③ 집행 유예는 집행 유예 선고가 실효되거나 취소되지 않고 유예 기간을 경과한 때에 형 선고의 효력이 상실된다. 면소된 것으로 간주하는 것은 선고 유예이다.
④ 보안 처분은 형벌을 대체 또는 보완하기 위하여 부과되는 대안적

형사 제재이다. 을이 받은 보호 관찰과 사회봉사 명령은 보안 처분에 해당한다. 갑이 선고받은 징역은 형벌에 해당한다.

09 형사 절차의 이해

문제분석 (가)는 공판, (나)는 수사, (다)는 형의 집행 단계에 해당한다.

정답찾기 ㄱ. 수사 단계에서 갑은 변호인의 조력을 받을 수 있으므로 ㉠은 '예'에 해당한다.

ㄴ. 수사 단계에서 영장 실질 심사를 받는 갑에게 변호인이 없다면 법원이 국가의 비용으로 변호인을 선임해야 한다.

오답피하기 ㄷ. 가석방은 징역이나 금고의 집행 중 태도 등이 양호하여 뉘우침이 뚜렷한 때에 형기 만료 전에 일정한 요건을 갖추면 조건부로 석방되는 제도로 보증금 납입 등을 조건으로 석방되는 것은 아니다.

ㄹ. 공판 단계에서 진술 거부권을 고지해야 하는 주체는 법관이며, 수사 단계에서 진술 거부권을 고지해야 하는 주체는 검사 또는 사법 경찰관이다. 그러므로 (가), (나)에서 진술 거부권을 고지해야 하는 주체는 동일하지 않다.

10 형사 재판 절차 이해

문제분석 갑에 대한 1심 재판은 국민 참여 재판으로 진행되었고, 1심 법원은 갑에게 징역 2년에 집행 유예 3년을 선고하였고, 80시간의 사회봉사를 명하였다.

정답찾기 ① 1심 법원은 갑에게 징역 2년에 집행 유예 3년을 선고하였다. 집행 유예는 집행 유예의 선고를 받은 후 그 선고의 실효 또는 취소됨이 없이 유예 기간을 경과한 때에 형 선고의 효력이 상실되는 판결이다.

오답피하기 ② 갑과 검사 모두 1심 법원의 판결에 대해 항소할 수 있다. 항고는 1심 법원의 결정이나 명령에 대해 불복하는 것이다.

③ 1심 재판이 국민 참여 재판으로 이루어졌으므로 1심 법원은 지방 법원 및 지원 합의부이다. 그러므로 1심 법원의 판결에 불복한 경우 갑에 대한 2심 관할 법원은 고등 법원이다.

④ 국민 참여 재판은 1심에서만 진행된다.

⑤ 1심 법원의 판결이 확정되면 갑은 유죄 판결을 받았으므로 형사 보상을 청구할 수 없다.

11 형사 보상 제도 이해

문제분석 형사 보상 제도는 피의자로서 미결 구금된 사람이 무죄 취지의 불기소 처분을 받거나 사법 경찰관으로부터 무죄 취지로 불송치 결정을 받은 경우, 피고인으로서 미결 구금되었던 사람에 대한 무죄 판결이 확정된 경우, 판결이 확정되어 형의 집행을 받거나 받았던 사람이 재심을 통해 무죄 판결이 확정된 경우 등에서 구금에 대한 물질적·정신적 피해의 보상을 청구할 수 있는 제도이다.

정답찾기 ㄱ. 형사 보상 제도는 구금 기간 중에 입은 재산상의 손실뿐만 아니라 정신적인 고통에 대해서도 고려하여 보상을 청구할 수 있다.

ㄴ. 형사 보상 제도에 대해 2명만 옳게 답했으므로 을과 정이 옳게 답한 학생에 해당한다.

ㄹ. (가)에는 옳은 내용이 들어가야 하므로 '구속된 상태에서 재판을 받고 벌금형을 선고받은 경우 형사 보상을 청구할 수 있어요.'가 들어갈 수 없다.

오답피하기 ㄷ. (가)에는 옳은 내용이 들어가야 하므로 '구속 수사 후 무죄 취지의 불기소 처분을 받은 경우 형사 보상을 청구할 수 있어요.'가 들어갈 수 있다.

12 소년 사건의 처리 이해

문제분석 A, C와 달리 B에게만 적용되는 형사 절차를 서술하라는 평가에 '형벌을 부과할 수 있다.'를 서술하여 1점을 부여받았으므로 B는 15세에 해당한다. C와 달리 A에게만 적용되는 형사 절차를 서술하라는 평가에 '경찰서장이 가정 법원 소년부로 송치할 수 없다.'를 서술하여 0점을 부여받았으므로 A는 12세, C는 9세이다.

정답찾기 ㄱ. 15세인 B는 소년법상 조건부 기소 유예 처분을 받을 수 있다.

ㄷ. 12세인 A와 9세인 C의 행위는 범죄가 성립되지 않는다.

ㄹ. 12세인 A와 15세인 B는 소년법상 보호 처분을 받을 수 있고, 9세인 C는 소년법상 보호 처분을 받을 수 없다.

오답피하기 ㄴ. 12세인 A는 검사가 아닌 경찰서장이 가정 법원 소년부로 송치할 수 있다.

THEME 14 근로자의 권리

수능 실전 문제

본문 83~87쪽

01 ③	02 ①	03 ②	04 ②
05 ⑤	06 ②	07 ④	08 ②
09 ④	10 ⑤		

01 노동법에 대한 이해

문제분석 근로자의 노동력 제공에 관련된 생활 관계를 규율하는 A법은 노동법이다. 노동법의 등장으로 열악한 근로 조건에 대해서는 근로 조건의 최저 기준을 정하고 그 준수를 강제할 수 있게 되었으며, 사용자의 해고의 자유를 규제하고 근로자의 단결 활동을 보장하는 입법 활동이 이루어졌다.

정답찾기 ③ 노동법은 사용자와 근로자가 체결하는 근로 계약의 내용이 국가가 정한 기준에 위반되지 않도록 함으로써 근로 계약상 근로 조건에 대한 국가의 개입을 허용한다.

오답피하기 ① 노동법은 사법 영역에 공법적 규제를 하므로 공법과 사법의 중간 영역에 해당한다.
② 노동법은 근로자의 생존권을 확보하고 사용자와 근로자 간 대립과 이해관계를 조정한다.
④ 우리나라의 근로 기준법, 노동조합 및 노동관계 조정법, 최저 임금법은 모두 노동법에 해당한다.
⑤ 노동법은 근로관계에서 상대적 약자인 근로자가 사용자와 대등한 지위에서 근로 조건을 결정할 수 있도록 근로자의 지위를 보장한다.

02 부당 해고와 구제 절차 이해

문제분석 그림은 부당 해고에 따른 근로자의 권리 구제 절차를 보여 주고 있다. 부당 해고를 당한 근로자는 지방 노동 위원회에 구제 신청을 할 수 있고, 지방 노동 위원회 판정에 불복 시 중앙 노동 위원회에 재심을 신청할 수 있다. 중앙 노동 위원회의 판정에 불복 시에는 행정 소송을 제기할 수 있다.

정답찾기 ㄱ. 해고를 당한 근로자는 지방 노동 위원회 구제 신청과 별도로 법원에 해고 무효 확인의 소를 제기할 수 있다.
ㄴ. 근로자의 구제 신청을 지방 노동 위원회가 인용하여 구제 명령을 내린 경우 사용자는 이에 불복하여 중앙 노동 위원회에 재심을 신청할 수 있다.

오답피하기 ㄷ. 근로자는 지방 노동 위원회 판정에 불복 시 기각 결정서를 통지받은 날로부터 10일 이내 중앙 노동 위원회에 재심 신청을 할 수 있으며, 중앙 노동 위원회 판정에 불복 시 재심 판정서를 송달받은 날로부터 15일 이내에 행정 소송을 제기할 수 있다.
ㄹ. 행정 소송을 관할하는 법원은 행정 법원이며 행정 법원의 판결에 불복할 경우 갑은 고등 법원에 항소할 수 있다.

03 청소년의 근로 보호에 대한 이해

문제분석 A, B, C는 모두 미성년자이지만 B는 18세로 근로 기준법상 연소자에 해당하지 않는다. 18세 미만인 사람을 고용하는 사용자는 그 연령을 증명하는 가족 관계 기록 사항에 관한 증명서와 친권자 또는 후견인의 동의서를 사업장에 갖추어 두어야 한다.

정답찾기 ② A, B가 모두 근로 시간 연장에 합의하였더라도, B와 달리 A는 연소자이므로 A의 연장 근로는 하루 1시간을 초과할 수 없다. 18세 미만인 사람의 근로 시간은 원칙적으로 1일 7시간, 1주 35시간을 초과하지 못하며, 당사자 간 합의에 의한 연장 근로도 1일 1시간, 1주 5시간을 초과할 수 없다.

오답피하기 ① A는 매 근무일 7시간 근무하고 있으며 1시간 연장 근로 시에는 통상 임금의 50% 이상을 가산하여 지급받을 수 있으므로 사용자는 A에게 하루 88,000원의 임금만 지급해서는 안 되며 1시간 연장 근로에 대한 가산 임금을 함께 지급해야 한다.
③ 법정 대리인이 미성년자의 근로 계약을 대리할 수 없으며, 미성년자는 법정 대리인의 동의를 얻어 본인이 직접 근로 계약을 맺어야 한다.
④ C는 중학교를 졸업한 16세이므로 사용자가 C를 채용할 때 고용 노동부 장관이 발급한 취직 인허증은 불필요하다. 15세 미만이거나 중학교에 재학 중인 18세 미만인 사람의 경우 근로자로 채용되기 위해 고용 노동부 장관이 발급한 취직 인허증을 지녀야 한다.
⑤ 임금은 통화의 형태로 매월 1회 이상 근로자에게 직접 지급해야 한다. 따라서 A의 임금은 D의 계좌로 입금하는 것이 아니라 A에게 직접 지급해야 한다.

04 청소년의 근로 보호에 대한 이해

문제분석 자료에는 청소년의 근로 보호와 관련된 내용 중 청소년의 근로 가능 연령, 근로 계약서에 명시되어야 하는 내용, 법정 근로 시간 및 연장 근로 시간 등이 제시되어 있다. 15세 미만의 청소년은 고용 노동부 장관이 발급한 취직 인허증을 지닌 경우에만 예외적으로 근로가 가능하며, 18세 미만 청소년은 1일 7시간, 1주 35시간을 초과하여 근로할 수 없다. 단, 당사자 간 합의가 있으면 1일 1시간, 1주 5시간을 한도로 근로 시간을 연장할 수 있다.

정답찾기 ② 근로 계약 체결 시 사용자는 임금, 근로 시간, 휴일 등 근로 조건을 명시하여야 하며, 근로 기준법상 연소자는 해당 내용이 명시된 근로 계약서를 서면으로 교부받아야 한다.

오답피하기 ① 원칙적으로 15세 미만인 청소년은 근로자로 고용될 수 없으나 일정한 기준에 따라 고용 노동부 장관이 발급한 취직 인허증을 지닌 경우 근로자로 고용될 수 있다.
③ 18세 미만인 청소년의 근로 시간은 원칙적으로 1일 7시간, 1주 35시간을 초과할 수 없으며, 당사자 간 합의가 있으면 1일 1시간, 1주 5시간을 한도로 근로 시간을 연장할 수 있다.
④ 미성년자도 독자적으로 임금을 청구할 수 있다.
⑤ 휴일 근로나 연장 근로 시 통상 임금의 50% 이상을 가산한 임금을 받을 수 있다. 따라서 해당 내용은 (가)에 들어갈 수 없다.

05 부당 해고에 대한 구제 절차 이해

문제분석 을, 병, 정은 모두 자신의 해고에 대해 □□ 지방 노동 위원회에 구제 신청을 하였다. 제시된 표를 통해 을, 병, 정의 상황을 파악해야 한다.

정답찾기 ⑤ 중앙 노동 위원회의 재심을 거치지 않고 행정 소송을 제기할 수 없으므로 ㉢이 '아니요'라면 ㉣은 '예'가 될 수 없다. 따라서 ㉢과 ㉣의 대답이 다르다면 ㉢이 '예', ㉣은 '아니요'이며 정은 적법한 절차에 따른 행정 소송을 제기하지 않았다.

오답피하기 ① 노동조합은 해고를 당한 근로자와 달리 법원에 해고 무효 확인의 소를 제기할 수 없다.

② 갑에게 경영상의 이유가 있더라도 해고의 사유와 시기를 서면으로 통지하지 않았으므로 병이 받은 해고 통지는 근로 기준법에 위배된다.

③ 을, 병과 달리 정에 대한 해고는 노동조합이 부당 노동 행위를 이유로 노동 위원회에 구제 신청을 할 수 없는 경우에 해당하므로 갑이 정을 해고한 것은 부당 노동 행위에 해당하지 않는다.

④ 을은 해고와 관련하여 적법한 절차에 따라 행정 소송을 제기하였으므로 중앙 노동 위원회의 재심 절차를 거쳤다. 따라서 ㉠은 '예'이며 ㉠과 대답이 다르다면 ㉡은 '아니요'이므로 병은 중앙 노동 위원회에 재심을 신청하지 않았다.

06 근로 계약 사례 분석

문제분석 갑(18세)과 을(20세)은 모두 근로 기준법상 연소자에 해당하지 않으며 갑, 을이 병과 체결한 근로 계약서를 통해 근로 시간, 휴게 시간, 근무일, 휴일, 임금 등을 파악할 수 있다.

정답찾기 ② 갑의 근로 계약서상 일요일은 주휴일이므로 갑이 근무일에 개근한다면 일요일은 근로를 하지 않더라도 임금을 받을 수 있다.

오답피하기 ① 갑은 연소자가 아니므로 병과 합의한 경우 매 근무일 2시간씩 근로 시간을 연장할 수 있다.

③ 근로 계약상 임금이 법정 최저 임금에 미치지 못하는 경우 해당 부분만 무효이며 근로 계약 전체가 무효로 되는 것은 아니다.

④ 을이 수요일에 근로 계약서대로 근로하였다면 휴게 시간을 제외한 근로 시간은 8시간이므로 을은 하루 80,000원의 임금을 받는다.

⑤ 근로 계약서상 을의 근무일은 수요일~일요일이다. 따라서 토요일, 일요일 근무는 휴일 근로가 아니며, 을이 토요일, 일요일에 근로 계약서대로 근무하더라도 병은 통상 임금의 50%를 가산하여 지급하지 않아도 된다.

07 부당 해고와 부당 노동 행위에 대한 구제 절차 이해

문제분석 갑은 징계 해고를 당하자 □□ 지방 노동 위원회에 구제 신청을 하였고 지방 노동 위원회는 부당 해고는 인정했지만 부당 노동 행위는 인정하지 않았다. 이후 갑과 A회사 모두 재심을 신청하였고 중앙 노동 위원회는 부당 해고와 부당 노동 행위 모두 인정하지 않았다. 이에 갑은 행정 소송을 제기하였고 ○○ 법원은 부당 해고는 인정하였으나 부당 노동 행위는 인정하지 않았다.

정답찾기 ④ □□ 지방 노동 위원회는 갑의 부당 노동 행위 구제 신청은 기각했고, 중앙 노동 위원회도 갑의 부당 노동 행위 구제에 관한 재심 신청을 기각하였다. ○○ 법원도 이 사건 재심 판정 중 부당 노동 행위 구제 신청 부분은 정당하다고 판단하였으므로 □□ 지방 노동 위원회, 중앙 노동 위원회, ○○ 법원 모두 A회사가 갑을 해고한 것은 근로 3권 침해에 해당하지 않는다고 판단하였다.

오답피하기 ① 부당 노동 행위의 경우 노동조합도 노동 위원회에 구제 신청을 할 수 있다.

② 갑은 중앙 노동 위원회의 판정에 불복하여 행정 소송을 제기하였다.

③ □□ 지방 노동 위원회는 갑에 대한 해고가 부당 해고라고 판단하였다. 그러나 중앙 노동 위원회는 부당 해고에 관한 초심 판정을 취소하였고, ○○ 법원은 중앙 노동 위원회가 부당 해고에 관한 초심 판정을 취소한 것을 부당하다고 판단하였다. 따라서 ○○ 법원은 갑에 대한 해고가 부당 해고에 해당한다고 판단하였다.

⑤ 행정 소송에서 갑은 ○○ 법원의 판결에 불복할 경우 상급 법원에 상소할 수 있다.

08 근로 계약 사례 분석

문제분석 제시된 표를 통해 갑, 을, 병이 체결한 근로 계약 내용 중 근로 기준법에 위반되는 내용을 파악할 수 있다.

정답찾기 ㄱ. 휴게 시간은 근로 시간이 4시간인 경우 30분 이상, 8시간인 경우에는 1시간 이상을 근로 시간 도중에 주어야 한다. 병의 휴게 시간은 근로 시간 도중에 부여되지 않았으므로 근로 기준법에 위반된다.

ㄷ. 임금은 통화의 형태로 매월 1회 이상 일정한 날짜를 정하여 지급해야 하는데 갑의 임금 지급일은 짝수 달 17일이므로 근로 기준법에 위반된다.

오답피하기 ㄴ. 병의 임금은 법정 최저 임금보다 낮으므로 해당 부분만 무효이며 근로 계약 전체가 무효로 되는 것은 아니다.

ㄹ. 임금은 통화의 형태로 근로자에게 직접 전액 지급되어야 하므로, 갑의 임금을 갑의 법정 대리인 명의의 통장으로 입금하거나 을의 임금을 을에게 직접 상품권으로 전액 지급하는 것은 모두 근로 기준법에 위반된다.

09 근로 3권의 이해

문제분석 근로자가 근로 조건의 향상을 위하여 자주적으로 노동조합이나 그 밖의 단결체를 조직·운영하거나 그에 가입하여 활동할 권리인 A는 단결권, 근로자가 단결체의 대표를 통하여 사용자 측과 근로 조건에 관하여 단체 교섭을 할 권리 및 단체 교섭의 결과 합의된 사항을 단체 협약으로 체결할 권리인 B는 단체 교섭권, 근로자가 그 주장을 관철할 목적으로 파업, 태업 등과 같이 업무를 저해하는 행위를 할 권리인 C는 단체 행동권이다.

정답찾기 ④ 근로자가 그 주장을 관철할 목적으로 정당한 쟁의 행위를 하여 회사의 업무가 저해되더라도 정당한 쟁의 행위에 대해서는 근로자의 민·형사상 책임이 면제된다.

오답피하기 ① A는 단결권, B는 단체 교섭권, C는 단체 행동권이다.

② 단결권은 근로자들이 자주적으로 노동조합이나 그 밖의 단결체를 조직·운영하거나 그에 가입하여 활동할 수 있도록 보장하는 것이지 반드시 노동조합에 가입하도록 의무를 부여하는 것은 아니다.

③ 단체 교섭이 실시되더라도 사용자가 근로 조건에 관한 근로자 대표의 요구를 모두 수용해야 하는 것은 아니며, 교섭 과정에서 상호 간의 합의가 어려워 교섭이 결렬될 수도 있다.

⑤ 사용자가 단결권, 단체 교섭권, 단체 행동권을 침해하는 행위는 모두 부당 노동 행위에 해당한다.

10 연소자의 근로 계약 이해

문제분석 2008년 1월 1일에 태어난 갑은 근로 계약 당시 16세 고등학생으로 근로 기준법상 연소자이다. 따라서 음식점 사장 을이 갑을 고용하는 경우, 갑의 연령을 증명하는 가족 관계 기록 사항에 관한 증명서와 친권자 또는 후견인의 동의서를 사업장에 갖추어 두어야 한다. 갑이 을에게 제출한 서류 중 (가)는 친권자 또는 후견인의 동의서이며, (나)는 가족 관계 기록 사항에 관한 증명서이다.

정답찾기 ⑤ 사용자는 18세 미만인 자를 도덕상 또는 보건상 유해·위험한 일에 고용할 수 없다.

오답피하기 ① 갑은 30분의 휴게 시간을 근로 시간 도중에 받았다. 갑의 근로 시간이 6시간이므로 근로 시간 도중에 30분의 휴게 시간을 받더라도 근로 기준법에 위반되는 것은 아니다.
② 을은 갑을 고용하면서 친권자 또는 후견인의 동의서와 갑의 연령을 증명하는 가족 관계 기록 사항에 관한 증명서를 모두 사업장에 갖추어 두어야 한다.
③ 임금은 통화의 형태로 근로자에게 직접 전액을 지급해야 하므로, 을은 갑의 임금을 병이 아니라 갑에게 지급해야 한다.
④ 갑은 현재 매 근무일 22시까지 근로하고 있으므로 22시 이후 1시간의 근로 시간 연장은 야간 근로에 해당한다. 18세 미만인 사람은 원칙적으로 야간 근로가 금지되므로 갑과 을의 합의만으로 갑의 근로 시간을 1시간 연장할 수 없다.

THEME 15 국제 관계와 국제법

수능 실전 문제

본문 89~92쪽

01 ②	02 ②	03 ①	04 ②
05 ④	06 ①	07 ②	08 ⑤

01 국제 관계의 특징에 대한 이해

문제분석 제시문에는 국제 사회의 평화를 위해 핵 확산 방지 조약(NPT)이 발효되었으나 인도와 파키스탄이 핵 개발을 통해 핵 보유를 선언한 사례가 제시되어 있는데, 이를 통해 자국의 이익을 추구하는 개별 국가의 모습을 파악할 수 있다.

정답찾기 ② 핵 확산 방지 조약이 발효되었음에도 인도와 파키스탄이 경쟁적으로 핵 실험을 하며 핵 보유를 선언하였는데, 해당 사례에는 개별 국가가 자국의 이익을 우선적으로 추구하고 있다는 점이 부각되어 있다.

오답피하기 ① 국제법과 국제기구의 영향력 강화 여부는 자료를 통해 파악할 수 없는 내용이다.
③ 국제 사회에는 강제력을 행사할 수 있는 중앙 정부가 없다.
④ 국가를 기본 단위로 하여 주권 평등의 원칙이 적용되는지 여부는 자료를 통해 파악할 수 없는 내용이다.
⑤ 정부 간 국제기구보다 국제 비정부 기구의 영향력 증가 여부는 자료를 통해 파악할 수 없는 내용이다.

02 국제 관계를 바라보는 관점 비교

문제분석 인간의 이성에 대한 신뢰를 바탕으로 집단 안보 체제를 통해 국제 평화를 보장할 수 있다고 보는 A는 자유주의적 관점이다. 국제 관계에서 개별 국가는 힘으로 규정된 국가 이익을 추구하며, 힘의 균형을 통해 전쟁을 억제할 수 있다고 보는 B는 현실주의적 관점이다.

정답찾기 ② 현실주의적 관점은 개별 국가의 이익과 국제 사회 전체의 이익은 조화될 수 없고, 개별 국가는 자국의 이익을 배타적으로 추구한다는 점을 중시한다.

오답피하기 ① 현실주의적 관점은 국제 사회를 '만인에 대한 만인의 투쟁 상태'라고 본다.
③ 현실주의적 관점은 국제 사회를 무정부 상태라고 본다.
④ 자유주의적 관점은 국제 사회에서 권력 관계보다 상호 협력 관계를 중시한다.
⑤ 자유주의적 관점은 현실주의적 관점과 달리 보편적 선이나 윤리의 관점에서 국제 관계를 설명한다.

03 국제 관계의 변천 과정에 대한 이해

문제분석 제시된 그림은 국제 사회의 변천 과정을 베스트팔렌 조약, 제국주의 시대, 제1차 세계 대전, 제2차 세계 대전, 트루먼 독트린, 몰타 선언으로 구분하여 보여 주고 있다.

정답찾기 ① 베스트팔렌 조약은 교황과 황제로부터 독립된 주권 국가가 등장하는 계기가 되었으며 이후 유럽 사회에서 주권 국가 중심의 새로운 국제 질서가 형성되었다.

오답피하기 ② 제2차 세계 대전 이후 미국과 소련의 이념 대립으로 냉전 체제가 형성되었다.

③ 국제 연맹의 한계를 보완하여 국제 연합이 창설된 것은 1945년으로 제2차 세계 대전 이후이다.

④ 공산화 위협에 직면한 나라에 대한 원조를 내용으로 하는 트루먼 독트린은 미국과 소련의 이념 대립을 강화하는 계기가 되었다.

⑤ 몰타 선언 이후 국제 관계에서는 정치적 이념보다 경제적 실리를 중시하게 되었다.

04 조약에 대한 이해

문제분석 갑이 조사한 대한민국 정부와 몽골 정부 간의 군사 비밀 정보의 보호에 관한 협정은 양자 조약이고, 을이 조사한 아세안 및 한·중·일 비상 쌀 비축 협정은 다자 조약이다.

정답찾기 ㄱ. 갑은 대한민국 정부와 몽골 정부 간에 체결한 양자 조약을 조사했고 을은 아세안 회원국 및 한·중·일 간에 체결한 다자 조약을 조사하였다.

ㄷ. 조약은 원칙적으로 체결 당사자에게만 법적 구속력을 가진다.

오답피하기 ㄴ. 우리나라에서 조약에 대한 비준권은 대통령이 가진다.

ㄹ. 모든 조약이 비준 과정에서 국회 동의가 필요한 것은 아니며 국회 동의가 불필요하더라도 헌법에 의해 체결·공포된 조약은 국내법과 같은 효력을 가진다.

05 국내법과 국제법에 대한 이해

문제분석 노동조합 및 노동관계 조정법은 국내법이고, 기업의 근로자 대표에게 제공되는 보호 및 편의에 관한 협약은 국제법 중 조약에 해당한다.

정답찾기 ④ 우리나라가 비준한 국제 노동 기구 협약 제135호인 기업의 근로자 대표에게 제공되는 보호 및 편의에 관한 협약과 우리나라 헌법은 모두 성문화된 형식으로 존재한다.

오답피하기 ① 강제적으로 집행할 기관이 없다는 한계를 가지는 것은 국제법이다.

② 모든 조약이 비준 과정에서 국회 동의가 필요한 것은 아니며, 조약 중에서 상호 원조 또는 안전 보장에 관한 조약, 중요한 국제 조직에 관한 조약, 우호 통상 항해 조약, 주권의 제약에 관한 조약, 강화 조약, 국가나 국민에게 중대한 재정적 부담을 지우는 조약 또는 입법 사항에 관한 조약의 비준을 위해서는 국회의 동의가 필수적으로 요구된다.

③ 노동조합 및 노동관계 조정법은 입법 기관인 국회에서 제정되었다.

⑤ 헌법 재판소는 노동조합 및 노동관계 조정법 해당 조항이 기업의 근로자 대표에게 제공되는 보호 및 편의에 관한 협약에 배치된다고 보기 어렵다고 판단한 것이지, 해당 협약이 헌법과 동등한 효력을 갖는다고 판단한 것은 아니다.

06 국제법의 법원(法源) 이해

문제분석 우리나라에서 조약에 대한 체결·비준권은 대통령이 가지므로 을은 틀린 설명을 하였다. 따라서 갑과 병은 옳은 설명을 하였고 A는 국제 관습법, B는 법의 일반 원칙, C는 조약이다.

정답찾기 ① 국제 관습법은 원칙적으로 국제 사회의 모든 국가에 대하여 법적 구속력을 가진다.

오답피하기 ② 국가뿐만 아니라 국제기구도 체결 주체가 될 수 있는 것은 조약이며, 법의 일반 원칙은 별도의 체결이 필요하지 않다.

③ '신의 성실의 원칙'은 법의 일반 원칙의 사례이다.

④ 국제 관습법은 성문화된 형식을 갖추지 않아도 효력이 발생한다.

⑤ 을의 설명은 어떤 경우에도 틀린 설명이므로 옳은 설명을 한 사람은 갑과 병이다.

07 국제법의 법원(法源) 이해

문제분석 갑이 자신의 순서일 때 선택한 카드의 특징에 따라 깃발이 왼쪽으로 1칸 이동, 오른쪽으로 1칸 이동 또는 이동하지 않을 수 있다. 카드의 특징과 깃발의 위치에 따라 A, B를 파악할 수 있다.

정답찾기 ㄱ. 첫 번째 카드 선택 후 갑의 깃발이 ㉢에 위치한다면 오른쪽으로 1칸 이동한 것이므로 첫 번째 카드의 내용은 B에만 해당하는 특징이다. 원칙적으로 모든 국가에 포괄적 구속력을 가지는 것은 국제 관습법이므로 B는 국제 관습법이다. 국제 관습법은 국제 사회에서 반복된 관행이 법 규범으로 승인되어 효력을 가지게 된 국제법이다.

ㄹ. 첫 번째 카드 선택 후 갑의 깃발이 ㉡에 위치한다면 왼쪽으로 1칸 이동한 것이므로 첫 번째 카드의 내용은 A에만 해당하는 특징이며 A는 국제 관습법이다. 따라서 세 번째 카드까지 선택했을 때 갑의 깃발은 ㉢에 위치한다. 조약과 국제 관습법 모두 국제 사법 재판소 재판 준거로 활용될 수 있으므로 네 번째 카드 선택 후 갑의 깃발은 이동 없이 ㉢에 위치한다.

오답피하기 ㄴ. 파리 기후 변화 협약이 A의 사례라면 A는 조약, B는 국제 관습법이다. 첫 번째 카드 선택 후 깃발은 오른쪽으로 1칸 이동하고, 두 번째 카드 선택 후 깃발은 왼쪽으로 1칸 이동한다. 세 번째 카드 선택 후 깃발은 왼쪽으로 1칸 이동하므로 세 번째 카드 선택 후 갑의 깃발은 ㉡에 위치한다.

ㄷ. 국내 문제 불간섭이 B의 사례라면 B는 국제 관습법이며 첫 번째~세 번째 카드 선택으로 갑의 깃발은 ㉡에 위치하게 된다. 따라서 네 번째 카드 선택 후 어떤 경우에도 갑의 깃발이 ㉣로 이동하는 것은 불가능하다.

08 국제 사회의 행위 주체 이해

문제분석 국제 사회의 행위 주체에는 국가, 초국가적 행위체, 국가 내부적 행위체, 영향력 있는 개인 등이 있다. 초국가적 행위체에는 정부 간 국제기구, 국제 비정부 기구, 다국적 기업 등이 있으며 앰네스티는 국제 비정부 기구, 국제 연합은 정부 간 국제기구에 해당한다.

정답찾기 ㄷ. 국제 연합 안전 보장 이사회의 결의안 채택 과정에서 상임 이사국인 러시아의 거부권 행사는 국제 사회에서 힘의 논리를 강조하는 현실주의적 관점으로 설명할 수 있다.
ㄹ. 국제 비정부 기구와 정부 간 국제기구는 모두 국경을 넘어 영향력을 행사하며, 국제 사회의 행위 주체 중 초국가적 행위체에 해당한다.
오답피하기 ㄱ. 국제 사회를 구성하는 기본 단위는 국가이다.
ㄴ. 국가뿐만 아니라 국제기구도 조약을 체결할 수 있다.

THEME 16 국제 문제와 국제기구

수능실전문제

본문 94~97쪽

01 ①	02 ②	03 ①	04 ⑤
05 ④	06 ④	07 ③	08 ②

01 국제 문제의 해결 방법 이해

문제분석 (가)는 국제 사법 기관을 통해 국제 문제를 해결하는 사법적 해결이고, (나)는 당사국끼리 협상 또는 제3자의 조정을 통해 국제 문제를 해결하는 외교적 해결이다.
정답찾기 ① 사법적 해결은 국제 사법 재판소가 판결에 따르지 않는 당사국을 직접 제재할 수단이 없다는 점에서 당사국이 판결에 불복할 경우 강제력을 행사하기 어려울 수 있다는 한계를 가진다.
오답피하기 ② 외교적 해결은 종교 간 갈등 등 첨예하게 대립하는 국제 문제는 해결이 어렵다는 한계를 가진다.
③ 사법적 해결과 외교적 해결 모두 국제 문제를 평화적으로 해결하는 방법이다.
④ 사법적 해결과 외교적 해결 모두 국제 문제를 해결하는 과정에서 국제법을 활용할 수 있다.
⑤ 외교적 해결은 분쟁 당사국끼리 자율적인 합의와 협상을 통해 국제 문제를 해결하는 것을 원칙으로 한다. 사법적 해결은 당사국 간 자율적인 해결이 어려울 때 국제 사법 기관에 제소하여 국제 문제를 해결하는 방법이다.

02 국제 사법 재판소에 대한 이해

문제분석 (가)는 국가 간 법적 분쟁을 국제법에 따라 해결하는 국제 연합의 주요 기관인 국제 사법 재판소이다.
정답찾기 ② 국제 사법 재판소는 국적이 서로 다른 15인의 재판관으로 구성되며, 재판관은 국제 연합의 총회와 안전 보장 이사회에서 선출된다.
오답피하기 ① 국제 사법 재판소는 국가 간 법적 분쟁을 해결하는 사법 기관이며, 개인을 대상으로 재판하지 않는다. 따라서 국제 사법 재판소가 A에 대한 형사 처벌 결정은 내릴 수 없다.
③ 국제 사법 재판소는 판결에 불복하는 당사국을 직접 제재할 수단이 없다는 한계를 가진다.
④ 국제 연합의 안전 보장 이사회는 국제 평화와 안전 유지에 관한 실질적 의사 결정 기관이다.
⑤ 조약과 국제 관습법 모두 국제 사법 재판소의 재판 준거로 활용될 수 있다.

03 시기별 우리나라의 외교 정책에 대한 이해

문제분석 자료는 국제 정세에 따른 시기별 우리나라의 외교 정책을 보여 준다. 우리나라는 동서 냉전 시기에 자유 진영 국가와 우호 관계를 강화하였고, 냉전 체제가 완화되는 데탕트 시기에 공산주의 국가들과 관계 개선을 위해 노력하였으며, 탈냉전 시기에 적극적인 북방 외교와 실리를 추구하는 외교 정책을 전개하였다.

정답찾기 ① 냉전 체제가 본격적으로 진행되던 1950년대에 우리나라는 미국을 중심으로 하는 자유 진영 국가와 우호 관계를 강화하는 외교 정책을 펼쳤다.

오답피하기 ② 적극적인 북방 외교의 성과로 1992년 중국과 수교가 이루어졌으므로 해당 내용은 (다)에 들어갈 수 있다.

③ 우리나라는 1991년 국제 연합(UN)에 가입, 1996년 경제 협력 개발 기구(OECD)에 가입하였으므로 해당 내용은 (다)에 들어갈 수 있다.

④ 동서 냉전 시기에 우리나라는 자유 진영 국가와 우호 관계를 맺고 반공주의 외교를 실시하였으며, 탈냉전 시기에는 적극적인 북방 외교로 공산권 국가와 수교를 맺었다.

⑤ 탈냉전 시기에 우리나라는 정치적 이념보다 경제적 이익을 중시하는 외교를 통해 실리를 추구하였다.

04 국제 연합의 주요 기관 이해

문제분석 국제 연합의 주요 기관 중 국제 평화와 안전 유지에 관한 일차적 책임을 지는 A는 안전 보장 이사회이고, 모든 회원국으로 구성된 B는 총회이다.

정답찾기 ⑤ 국제 사법 재판소 재판관 15인은 모두 총회와 안전 보장 이사회에서 선출된다. 따라서 총회와 안전 보장 이사회 모두 국제 사법 재판소 재판관을 선출하는 권한을 가진다.

오답피하기 ① 국제 연합 헌장은 국제법의 법원(法源) 중 조약에 해당한다. 조약은 원칙적으로 체결 당사자 간에만 법적 구속력을 가진다.

② 우리나라에서 조약에 대한 비준은 대통령의 권한이다.

③ 총회의 의사 결정 과정에서는 주권 평등 원칙에 따라 1국 1표로 표결한다.

④ 안전 보장 이사회는 국제 사회의 분쟁 해결을 위해 군사적 조치를 결정할 수 있는 권한을 가진다.

05 국제 문제 이해

문제분석 자료에는 지구 온난화에 영향을 미치는 플라스틱 규제를 위해 국제 사회가 국제 협약을 마련하기로 뜻을 모은 내용과 아프가니스탄의 기아와 빈곤 문제를 해결하기 위해 국제 사회가 기금을 마련하는 내용이 제시되어 있다. 이를 통해 국제 문제 해결을 위해 국제 사회의 협력이 필요함을 파악할 수 있다.

정답찾기 ④ 미세 플라스틱이 유발하는 환경 문제와 기아 및 빈곤 문제는 개별 국가의 대응만으로 해결이 어려우므로 국제 사회의 협력과 공조가 필요하다.

오답피하기 ① 국제 문제 해결 과정에서 국가는 자국의 이익을 우선시할 수도 있으나 제시된 자료를 통해 파악할 수 없는 내용이다.

② 국가 간 경제 격차로 인한 갈등이 플라스틱 배출과 같은 환경 문제의 원인이라고 보기 어렵다.

③ 외교적 해결보다 사법적 해결이 더 효과적인지 여부는 제시된 자료를 통해 파악할 수 없는 내용이다.

⑤ 국제기구가 강제력을 가지지 못한다는 점은 제시된 자료를 통해 파악할 수 없는 내용이다.

06 국제 연합의 한계 이해

문제분석 국제 사법 재판소는 갑국이 입은 피해를 을국이 배상해야 한다고 판시하였으나 을국은 지속적으로 판결 이행을 거부하였다. 국제 사법 재판소 판결 이행을 위해 안전 보장 이사회가 적절한 조치를 결정할 수 있으나 을국은 안전 보장 이사회의 표결 과정에서 거부권을 행사할 수 있는 상임 이사국이다. 이를 통해 국제 연합의 한계를 파악할 수 있다.

정답찾기 ㄱ. 안전 보장 이사회의 표결 과정에서 절차 사항이 아닌 실질 사항의 경우 상임 이사국 중 한 국가라도 거부권을 행사하면 해당 안건은 부결된다. 이는 표결 과정에서 주권 평등의 원칙이 아닌 강대국의 힘의 논리가 반영된 것이다.

ㄴ. 국제 사법 재판소의 판결을 이행하지 않는 당사국을 국제 사법 재판소가 직접 제재할 수 있는 수단이 없으며, 판결의 이행을 위해 안전 보장 이사회가 적절한 조치를 결정할 수 있다.

ㄹ. 국제 사법 재판소 판결의 이행을 위해 안전 보장 이사회가 적절한 조치를 결정할 수 있으나, 판결을 이행하지 않는 패소국이 상임 이사국인 경우 표결 과정에서 거부권을 행사할 수 있어 안전 보장 이사회의 조치가 이루어지기 어렵다.

오답피하기 ㄷ. 회원국들의 분담금 납부가 원활하지 않아 재정적 어려움을 겪는 것은 국제 연합의 한계에 해당하지만 제시된 사례를 통해서 파악할 수 있는 내용은 아니다.

07 우리나라 외교 정책 이해

문제분석 세계화로 인해 다양한 비국가 행위자가 외교의 주체로 등장하고 대중을 향한 개방형 외교의 중요성이 확대되면서, 정부는 우리나라의 공공 외교 자산을 활용하여 외국 대중들의 신뢰와 호감을 얻고자 노력하고 있다. 이를 통해 우리나라의 국가 이미지를 향상시키고 우리 외교 정책에 대한 외국 대중들의 이해와 지지를 높여 국제 사회에서 영향력을 확대할 수 있다.

정답찾기 ③ 공공 외교를 통해 외국 대중들과 직접 소통하고 신뢰와 호감을 얻는다면 우리나라에 대한 긍정적 국가 이미지를 심어줄 수 있으며 이러한 외교 정책을 통해 외국 대중들의 지지를 얻어 국제 사회에서 영향력을 확대할 수 있다.

오답피하기 ① 국제기구 활동에 적극적으로 참여하는 것은 자료를 통해 파악할 수 없는 내용이다.

② 한반도의 평화 정착을 위해 강대국들과의 협력 관계를 강화하는 것은 자료를 통해 파악할 수 없는 내용이다.

④ 세계화로 인해 다양한 비국가 행위자가 외교 주체로 등장하고 대중에 의한 개방형 외교가 강조되면서 민간 외교도 확대되고 있다. 국가 주도 외교를 강화하여 외교 정책의 일관성을 추구한다는 것은 자료를 통해 파악할 수 없는 내용이다.

⑤ 외교 정책 수립과 집행 과정에 국민 참여 확대를 위해 국민 외교 모바일 애플리케이션을 구축한 것은 양방향 소통 수단을 활용한 것이다.

08 국제 연합 안전 보장 이사회에 대한 이해

문제분석 국제 평화 및 안전 유지에 대한 일차적인 책임을 가진 국제 연합의 주요 기관으로, 국제 평화와 안보를 위협하는 중대한 사안에 대해 긴밀히 협의하고 해결책을 모색하는 A는 안전 보장 이사회이다. 보도 자료를 통해 우리나라가 2024~2025년 임기의 안전 보장 이사회 비상임 이사국으로 선출되었음을 알 수 있다.

정답찾기 ㄱ. 안전 보장 이사회의 비상임 이사국은 10개국으로 임기는 2년이며, 매년 5개국씩 총회에서 선출된다.

ㄷ. 안전 보장 이사회는 국제 평화와 안보를 위해 필요한 경우 육·해·공군에 의한 군사적 조치를 취할 수 있다.

오답피하기 ㄴ. 모든 회원국이 참여하는 국제 연합의 최고 의사 결정 기관은 총회이다.

ㄹ. 우리나라는 2024~2025년 임기의 비상임 이사국으로 선출되었다. 비상임 이사국은 의사 결정 과정에서 거부권을 행사할 수 없으며, 상임 이사국은 의사 결정 과정에서 절차 사항이 아닌 실질 사항에 대해 거부권을 행사할 수 있다.

실전 모의고사 1회

본문 100~105쪽

1 ④	2 ④	3 ③	4 ⑤	5 ①
6 ⑤	7 ⑤	8 ③	9 ③	10 ④
11 ①	12 ④	13 ⑤	14 ③	15 ②
16 ②	17 ③	18 ③	19 ⑤	20 ②

1 정치를 바라보는 관점 이해

문제분석 갑의 관점은 좁은 의미로 정치를 바라보는 관점이며, 을의 관점은 넓은 의미로 정치를 바라보는 관점이다.

정답찾기 ④ 좁은 의미로 정치를 바라보는 관점은 국가 고유의 활동만 정치로 보므로, 해당 내용은 (가)에 들어갈 수 있다.

오답피하기 ① 다원화된 현대 사회의 정치 현상을 설명하기에 적합한 것은 넓은 의미로 정치를 바라보는 관점이다.

② 넓은 의미로 정치를 바라보는 관점은 국가뿐만 아니라 다른 사회 집단에서도 정치 현상이 나타난다고 보므로 대통령의 통치 행위를 정치로 본다.

③ 좁은 의미로 정치를 바라보는 관점에 비해 넓은 의미로 정치를 바라보는 관점이 정치의 의미를 넓게 이해한다.

⑤ 넓은 의미로 정치를 바라보는 관점은 국가뿐만 아니라 다른 사회 집단에서도 정치 현상이 나타난다고 보므로 해당 내용은 (나)에 들어갈 수 있다.

2 법치주의의 유형 이해

문제분석 A는 형식적 법치주의, B는 실질적 법치주의이다.

정답찾기 ④ 법의 목적과 내용이 정의에 부합할 때 법의 권위가 발생하는 점을 간과하는 것은 형식적 법치주의이다.

오답피하기 ① 형식적 법치주의는 법률에 근거한 기본권 제한을 인정한다.

② 실질적 법치주의는 법률이 헌법에 위반되는지를 심사하는 위헌 법률 심사제의 필요성을 강조한다.

③ 형식적 법치주의는 통치가 합법적이기만 하면 독재 정치를 정당화할 수 있는 논리로 악용될 수 있다.

⑤ 법치주의는 국민의 기본권을 제한하거나 국민에게 의무를 부과할 때에는 의회에서 제정된 법률에 근거해야 한다는 것이므로, 형식적 법치주의, 실질적 법치주의 모두 통치자도 국가 권력의 자의적 행사를 방지하기 위하여 법의 구속을 받아야 한다고 본다.

3 기본권 유형 이해

문제분석 갑은 국회 의원 선거에 참여를 하지 못하였기 때문에 참정권을 침해받았으며, 을은 최저 임금 미만의 근로 계약을 하였으므로 사회권을 침해받았으며, 병은 진술 거부권을 고지받지 못하였으므로 자유권을 침해받았다. 따라서 A는 참정권, B는 사회권, C는 자유권이다.

정답찾기 ③ 자유권은 국가 권력에 의한 간섭이나 침해를 배제하는 방어적 권리이므로, 국가가 개인의 자기 결정 영역을 존중하고 침해하지 않음으로써 보장되는 권리이다.

오답피하기 ① 국가에 특정한 행위를 요구할 수 있는 절차적 권리는 청구권이다.
② 사회권이 모든 자유와 권리의 내용을 담고 있는 포괄적 권리라고 볼 수 없다.
④ 참정권, 사회권 모두 국가의 존재를 전제로 보장되는 권리이다.
⑤ 참정권, 사회권, 자유권 모두 기본권 제한의 요건을 갖춘다면 제한할 수 있다.

4 전형적인 정부 형태 이해

문제분석 우리나라는 의원 내각제 요소를 가미한 대통령제 정부 형태를 취하고 있다. 따라서 A는 대통령제, B는 의원 내각제이다.
정답찾기 ⑤ 전형적인 대통령제에서는 행정부가 법률안을 제출할 수 없지만, 우리나라는 행정부가 법률안을 제출할 수 있다. 이는 의원 내각제 요소이므로, 해당 내용은 (나)에 들어갈 수 있다.
오답피하기 ① 의회 의원이 각료를 겸직할 수 있는 것은 의원 내각제 요소이다.
② 행정부 수반이 법률안에 대한 거부권을 가지는 것은 대통령제 요소이다.
③ 의원 내각제에서 입헌 군주나 대통령은 국가 원수의 역할만 하고, 행정부 수반인 총리가 실질적으로 국정을 운영한다. 따라서 의원 내각제는 국가 원수와 행정부 수반이 일치하지 않는다.
④ 국회가 국무총리의 해임을 대통령에게 건의할 수 있는 것은 의원 내각제 요소에 해당한다. 따라서 해당 내용은 (가)에 들어갈 수 없다.

5 우리나라 헌법의 기본 원리 이해

문제분석 A는 문화 국가의 원리, B는 복지 국가의 원리이다.
정답찾기 ① 문화 국가의 원리를 실현하기 위해 종교·학문·예술 활동의 자유와 표현의 자유를 보장한다.
오답피하기 ② 국가가 경제 민주화를 위하여 경제에 관한 규제와 조정을 할 수 있는 근거가 되는 것은 복지 국가의 원리이다.
③ 복지 국가의 원리는 현대 복지 국가 헌법에서부터 강조된 원리이다.
④ 우리나라가 국제법과 조약이 정하는 바에 의하여 외국인의 지위를 보장하는 것은 국제 평화주의 실현 방안 중 하나이다.
⑤ 문화 국가의 원리, 복지 국가의 원리 모두 기본권을 해석하거나 제한하는 입법의 심사 기준으로 작용한다.

6 우리나라 지방 자치 단체의 기관 이해

문제분석 우리나라 지방 자치 단체의 종류에는 광역 자치 단체와 기초 자치 단체가 있고, 지방 자치 단체의 기관에는 의결 기관인 지방 의회와 집행 기관인 지방 자치 단체의 장이 있다.
정답찾기 ⑤ 지방 의회는 지방 자치 사무에 대한 감사권 행사를 통해 지방 자치 단체의 장을 견제할 수 있다.
오답피하기 ① 조례를 제정하거나 개정 또는 폐지에 대한 의결권을 가지는 기관은 지방 의회이다. 지방 자치 단체의 장은 규칙 제·개정 및 폐지권을 가진다.
② 지방 의회는 의결 기관이며, 지방 자치 단체의 장은 집행 기관이다.
③ 지방 자치 단체의 장과 지방 의회 의원(비례 대표 지방 의회 의원 제외)은 모두 주민 소환의 대상이 된다.
④ 지방 의회는 지방 자치 단체의 장이 편성한 지방 자치 단체의 예산을 심의·의결한다.

7 우리나라 국가 기관 이해

문제분석 A는 국회, B는 대통령, C는 국무총리, D는 국무 회의이다.
정답찾기 ⑤ 국회는 국무총리 또는 국무 위원에 대한 해임을 대통령에게 건의할 수 있다.
오답피하기 ① ㉡은 대통령이 재의 요구한 법률안에 대한 의결 과정이다. 국회 재의결의 경우 국회 재적 의원 과반수 출석과 출석 의원 3분의 2 이상의 찬성으로 의결된다. 우리나라 헌법 개정안은 국회 재적 의원 3분의 2 이상의 찬성으로 의결된다.
② 대통령이 임시회 집회를 국회에 요구할 수 있는 것이지, 본회의를 요구할 수 있는 것은 아니다.
③ 국가 및 법률이 정한 단체의 회계 검사를 담당하는 기관은 감사원이다.
④ 감사원은 세입·세출의 결산을 매년 검사하여 대통령과 차년도 국회에 그 결과를 보고하여야 한다.

8 대법원 및 헌법 재판소 권한 이해

문제분석 A는 대법원, B는 헌법 재판소이며, (가)는 위헌 법률 심판이다.
정답찾기 ③ 대법원장, 헌법 재판소장 모두 탄핵 심판의 대상이 된다.
오답피하기 ① 갑은 대법원 재판 중 해당 법률이 자신의 기본권을 침해한다며 대법원에 위헌 법률 심판 제청 신청을 하였으나 기각되자 헌법 재판소에 헌법 소원 심판을 제기하였으므로, 갑이 제기한 헌법 소원 심판은 위헌 심사형 헌법 소원 심판이다. 을은 해당 법률 조항이 자신의 기본권을 침해한다며 헌법 재판소에 헌법 소원 심판을 제기하였으므로, 을이 제기한 헌법 소원 심판은 권리 구제형 헌법 소원 심판이다.
② 헌법 재판소 재판관 9인은 대통령이 임명하되, 이 중 3인은 대법원장이 지명하는 자를 임명한다.
④ 법원은 당사자의 신청이 없더라도 직권으로 헌법 재판소에 위헌 법률 심판 제청을 할 수 있다.
⑤ 대법원장, 헌법 재판소장 모두 국회의 동의를 얻어 대통령이 임명한다.

9 정치 참여 집단 이해

문제분석 집단의 특수 이익 실현을 목적으로 하는 것은 이익 집단의 특징이며 C에 대한 채점 결과가 2점이므로, C는 이익 집단이다. A, B는 (가), (나)의 내용에 따라 각각 정당과 시민 단체 중 하나이다.
정답찾기 ㄴ. 정치적 책임을 지는 것은 정당의 특징이며 B에 대한 채점 결과가 1점이므로, (나)에 '정치적 중립을 추구한다.'가 들어가면 B는 정당이다. 따라서 A는 시민 단체이다. 시민 단체와 이익 집단은 대의 민주제의 한계를 보완하는 역할을 한다.
ㄷ. 공익 실현을 목적으로 하는 것은 정당과 시민 단체의 특징이며 A에 대한 채점 결과가 2점이므로, (가)에 '정권 획득을 목적으로 한

다.'가 들어가면 A는 정당이다. 따라서 B는 시민 단체이므로 (나)에 '공익 실현을 목적으로 한다.'가 들어갈 수 있다.

오답피하기 ㄱ. B가 시민 단체이면, A는 정당이다. 정치 과정에서 산출 기능을 담당하는 것은 정책 결정 기구이므로, 해당 내용은 (가)에 들어갈 수 없다.

ㄹ. 정치 사회화 기능을 수행하는 것은 정당, 시민 단체, 이익 집단에 해당하는 특징이다. 따라서 해당 내용은 (다)에 들어갈 수 있다.

10 선거 결과 분석

문제분석 1, 2안 적용 시 선거 결과는 다음과 같다.

〈1안 적용 시〉

구분	A당	B당	C당	D당
지역구 의석수(석)	24	132	48	36
정당 투표 득표율에 의회 의원 정수를 곱하여 산출된 수	49.3	124.7	55.1	60.9
배분 의석수(석)	49	125	55	61
비례 대표 의석수(석)	25	0	7	25
총의석수(석)	49	132	55	61
총의석률(%)	약 16.5	약 44.4	약 18.5	약 20.5

〈2안 적용 시〉

구분	A당	B당	C당	D당
지역구 의석수(석)	24	132	48	36
정당 투표 득표율에 비례 대표 의석수를 곱하여 산출된 수	8.5	21.5	9.5	10.5
비례 대표 의석수(석)	8	22	9	11
총의석수(석)	32	154	57	47
총의석률(%)	약 11.0	약 53.1	약 19.7	약 16.2

정답찾기 ④ 1안 적용 시 제1당인 B당의 의석수는 132석으로 과반이 되지 않지만, 2안 적용 시 B당의 의석수는 154석으로 과반이 된다. 따라서 2안 적용 시 B당 단독으로 내각을 구성할 수 있다.

오답피하기 ① 각 정당이 선거구별로 1인의 후보자만 공천하고 B당의 지역구 의석률이 55%인 것을 토대로 지역구 의원 선거의 선거구제는 소선거구제인 것을 파악할 수 있다.

② 1안 적용 시 총의석수는 297석으로 7석의 초과 의석이 발생한다.

③ A당의 정당 투표 득표율은 17%이고 2안 적용 시 A당의 총의석률은 약 11.0%로, A당은 과소 대표된다.

⑤ 1안 적용 시 C당의 총의석률은 약 18.5%, D당의 의석률은 약 20.5%이고, 2안 적용 시 C당의 총의석률은 약 19.7%, D당의 의석률은 약 16.2%로, C당과 달리 D당은 1안보다 2안을 적용할 경우 불리하다.

11 민법의 기본 원칙 이해

문제분석 (가)에서는 민법의 기본 원칙 중 계약 공정의 원칙, (나)에서는 과실 책임의 원칙이 적용되었다.

정답찾기 ① 가족사진 촬영을 예약했던 당사자가 예약일 10일 전에 취소할 경우 사업자는 별다른 손해를 입지 않지만, 예약금을 환불해 주지 않는다면 취소한 당사자는 큰 손해를 입게 된다. 따라서 어느 한쪽이 부당하게 큰 손해를 입는 내용의 약관 조항은 계약 공정의 원칙에 어긋나 무효이다. 계약 공정의 원칙이란 계약의 내용이 사회 질서에 반하거나 현저하게 불공정한 내용일 경우 법적 효력이 인정되지 않는다는 원칙이다.

오답피하기 ② 가해자의 고의나 과실이 없어도 일정한 요건이 충족되면 그 행위로 인해 발생한 손해에 대한 배상을 인정하는 것은 무과실 책임의 원칙이다.

③ 제조물 책임법에서 제조물의 결함으로 소비자에게 생명이나 신체, 재산 등의 손해가 발생한 경우 제조업자에게 손해 배상 책임을 묻는 경우 무과실 책임의 원칙이 적용된다.

④ 계약 공정의 원칙은 개인 간 법률관계의 형성에서 불공정한 내용이 포함되지 않도록 국가의 개입을 허용하고 있다.

⑤ 계약 공정의 원칙은 계약 당사자 간의 현실적인 불평등 관계에 따라 발생할 수 있는 불공정한 계약을 방지하기 위한 것이므로 경제적 약자를 보호하는 측면이 강하다. 그러나 과실 책임의 원칙은 고의 또는 과실로 타인에게 손해를 입힌 경우에만 배상 책임을 해야 한다는 원칙이다.

12 가족 간 법률관계 이해

문제분석 병은 갑과 을의 혼인 중 출생자였지만, 갑과 정의 재혼 후 정이 병을 친양자로 입양하였기 때문에 을과 병 간의 친자 관계는 종료되었다. 갑과 정 사이에 자녀 무가 태어났으므로 정의 사망으로 인한 상속인은 배우자 갑, 자녀 병과 무이다.

정답찾기 ④ 정이 병을 친양자로 입양했으므로 병은 갑과 정의 혼인 중의 출생자로 간주되고, 무는 갑과 정의 친생자로 혼인 중 출생자이므로 병과 무 모두 정의 사망 시 상속인이 된다. 또한 병과 무 모두 정의 직계 비속이므로 정의 사망 시 법정 상속분은 같다.

오답피하기 ① 갑과 을은 협의상 이혼을 했으므로 이혼 숙려 기간, 법원의 이혼 의사 확인 등의 절차를 거쳐 최종적으로 행정 기관에 이혼 신고를 해야 이혼의 효력이 발생한다.

② 병은 정이 친양자로 입양하였으므로 법원의 판결을 통해 정과 친자 관계가 형성되었다. 무는 갑과 정의 혼인 중 출생자이므로 법원의 판결을 거치지 않고 정과 친자 관계가 형성되었다.

③ 정이 병을 친양자로 입양했으므로 을과 병 간의 친자 관계는 종료된다.

⑤ 정은 사망하기 전에 자신이 죽으면 모든 재산을 ○○재단에 넘기라는 말을 자주 했지만 법적 형식을 갖춘 유언을 한 것은 아니므로 정의 말을 유언으로 볼 수 없다. 따라서 갑, 병, 무는 ○○재단에 유류분 반환을 청구할 필요가 없으며 정의 재산은 갑, 병, 무에게 상속된다.

13 불법 행위 책임의 이해

문제분석 갑은 A를 다치게 한 가해자이므로 일반 불법 행위 책임을 질 수 있다. 을은 동물의 점유자 책임을, 정은 책임 무능력자의 감독자 책임을 질 수 있다.

정답찾기 ㄷ. 무는 책임 능력이 없으므로 불법 행위 책임을 지지 않는다. 정은 무의 법정 감독 의무자이므로 책임 무능력자의 감독자 책임을 질 수 있다. 정이 지는 책임 무능력자의 감독자 책임은 특수 불법 행위 책임에 해당한다.

ㄹ. 갑은 A에게 손해를 발생시킨 가해자이므로 일반 불법 행위 책임을 질 수 있다. 을은 동물의 점유자 책임을 질 수 있는데, 이것은 특수 불법 행위 책임에 해당한다.

오답피하기 ㄱ. 갑이 행위 당시 책임 능력이 없었다는 근거를 찾기가 어려우므로 불법 행위 책임을 지지 않는다고 단정할 수 없다.

ㄴ. 을과 병이 함께 B에 대해 불법 행위를 한 것은 아니므로 공동 불법 행위자의 책임이 성립하지 않는다. 을이 동물의 점유자이므로 B에 대해 동물의 점유자 책임을 질 수 있다.

14 미성년자의 계약 이해

문제분석 갑은 18세로 미성년자이다. 갑이 을로부터 고가의 전기 자전거를 구입했는데, 계약 체결 당시 갑이 법정 대리인 병의 동의를 얻었는지의 여부, 을이 갑이 미성년자임을 알고 있었는지의 여부에 따라 갑과 을의 계약 효력이 달라진다.

정답찾기 ㄱ. (가)의 상황은 갑이 법정 대리인의 동의를 이미 얻었기 때문에 을이 갑이 미성년자임을 알았는지 여부에 관계없이 이 계약은 확정적으로 유효하므로 병은 갑이 미성년자임을 이유로 을과의 계약을 취소할 수 없다.

ㄴ. (나)의 상황은 갑이 법정 대리인의 동의를 얻지 않고 을과의 계약을 체결한 경우이므로 을은 법정 대리인인 병에게 갑과의 계약을 추인할지 여부의 확답을 촉구할 수 있다.

오답피하기 ㄷ. (다)의 상황은 갑이 법정 대리인의 동의를 얻지 않았고, 또 계약 체결 당시 갑이 미성년자임을 을이 알지 못했으므로 을은 갑 또는 병에게 계약 체결의 의사 표시를 철회할 수 있다.

15 부당 해고 및 부당 노동 행위 구제 절차의 이해

문제분석 갑과 을이 ○○회사에서 해고되었으나 해고 사유는 각각 다르다. 갑과 을 모두 노동 위원회를 통한 구제 절차를 거쳤고, 행정 소송에서 갑은 승소하였으나 을의 경우는 ○○회사가 승소하였다.

정답찾기 ㄱ. 행정 소송에서 갑이 승소하였으므로 법원은 ○○회사의 갑에 대한 부당 해고를 인정했다고 볼 수 있다.

ㄷ. ○○회사가 중앙 노동 위원회의 재심 판정에 불복하여 행정 소송을 제기하였으므로 중앙 노동 위원회는 을에 대한 해고가 부당 해고로 성립한다고 판단했음을 알 수 있다.

오답피하기 ㄴ. ○○회사가 갑을 해고한 것에 대해 지방 노동 위원회가 어떤 판단을 하였는지 제시된 자료만으로는 파악할 수 없다.

ㄹ. ○○회사의 을에 대한 해고는 을의 근로 3권을 침해한 부당 노동 행위가 아니므로 ○○회사의 노동조합은 지방 노동 위원회에 을의 해고에 대해 부당 노동 행위 구제 신청을 할 수 없었다.

16 형사 절차의 이해

문제분석 갑은 을을 폭행하여 상해를 입힌 혐의로 구속되었고, 기소되어 1심 법원에서 징역 1년에 집행 유예 2년을 선고받았는데, 2심 법원에서 원심 판결이 확정되었다.

정답찾기 ② (나)에서 갑은 피고인 신분이므로 보석 제도를 활용하여 구속 집행 정지를 청구할 수 있다. 보석 제도는 피고인이 구속된 상태에서 재판이 진행될 때 피고인이 일정한 보증금의 납부 등을 조건으로 하여 구속의 집행을 정지하도록 청구할 수 있는 제도이다.

오답피하기 ① 구속 영장 실질 심사는 검사가 구속 영장을 청구할 경우 판사가 피의자를 대면하여 심문하면서 구속 영장 발부 여부를 판단하는 것을 말한다. 따라서 피의자인 갑이 구속 영장 실질 심사를 청구하는 것이 아니다.

③ 형사 재판에서 재판 당사자는 피고인과 검사이다. 을은 범죄 피해자이므로 재판 당사자가 될 수 없다. 따라서 을은 갑에 대한 형벌이 너무 가볍다고 판단하더라도 항소할 수 없다.

④ 갑은 징역 1년에 집행 유예 2년을 선고받았으므로 교도소에 구금되지 않으며, 집행 유예의 선고를 받은 후 그 선고의 실효 또는 취소됨이 없이 유예 기간 2년을 경과하면 징역 1년이라는 형 선고의 효력을 잃는다.

⑤ 갑은 (가)~(다)에서는 무죄로 추정되지만, (라)에서는 유죄가 확정되었으므로 무죄 추정 원칙이 적용되지 않는다.

17 국제법의 법원(法源) 이해

문제분석 주로 성문의 형식으로 존재하는 것은 조약, 국내 문제 불간섭의 원칙을 포함하는 것은 국제 관습법이다. 따라서 A는 조약, B는 법의 일반 원칙, C는 국제 관습법이다.

정답찾기 ㄷ. 국제 관습법과 법의 일반 원칙은 국제 사회에서 원칙적으로 포괄적인 구속력을 가진다.

ㄹ. 조약, 국제 관습법, 법의 일반 원칙은 모두 국제 사법 재판소의 재판 규범으로 작용한다.

오답피하기 ㄱ. 신의 성실의 원칙을 포함하는 것은 법의 일반 원칙이다. 일정한 체결 절차를 거쳐야 법적 효력을 가지는 것은 조약이다. 국제 사회의 반복적 관행이 법 규범으로 승인된 것은 국제 관습법이다. 따라서 모든 진술에 대하여 옳은 답을 적은 사람은 을이다.

ㄴ. 원칙적으로 체결 당사자에 대해서만 효력이 발생되는 것은 조약이다.

18 국제 관계를 바라보는 관점의 이해

문제분석 국제 연합 안전 보장 이사회에서 실질 사항을 의결할 경우 상임 이사국 중 한 국가라도 반대하면 의결이 되지 않는다. 상임 이사국의 거부권은 강대국인 5개 국가에만 주어지기 때문에 힘의 논리가 적용된다. 국제 관계를 바라보는 관점에서 국제 사회가 힘의 논리에 의해 지배된다고 보는 것은 현실주의적 관점이다. 따라서 A는 자유주의적 관점, B는 현실주의적 관점이다.

정답찾기 ③ 자유주의적 관점은 국제 관계에서 협력과 평화가 가능하다고 보기 때문에 국제법이나 국제기구의 역할을 중요하게 생각한다. 반면에 현실주의적 관점은 국제 관계를 힘의 관점에서 설명하기 때문에 국제법이나 국제 규범의 역할보다는 다른 나라보다 강한 군사력을 가져야 함을 강조한다.

오답피하기 ① 국제 사회가 힘의 논리에 의해 지배된다고 보는 것은 현실주의적 관점이다.

② 국제 사회에 보편적인 선(善)이 존재한다고 전제하는 것은 자유주의적 관점이다.

④ 집단 안보 체제를 통해 국제 평화를 유지할 수 있다고 보는 것은 자유주의적 관점이다. 현실주의적 관점은 세력 균형 전략을 통해 국

제 질서를 유지할 수 있다고 본다.
⑤ 개별 국가는 자국의 이익을 배타적으로 추구한다고 보는 것은 현실주의적 관점이다. 자유주의적 관점은 인간은 이성을 가진 존재이므로 이기적 욕망을 제어하고 공동의 이익을 추구할 수 있다고 본다.

19 죄형 법정주의의 이해

문제분석 형법 제129조의 뇌물죄는 공무원이 업무와 관련하여 뇌물을 받은 것을 말한다. 갑은 ○○법원의 집행관 사무소의 사무원으로서 집행관을 보조하는 지위에 있을 뿐 형법 제129조에서 규정하는 공무원이 아니므로 공무원에게 적용되는 형법상 뇌물죄를 적용하는 것은 잘못이라는 것이 법원의 판단이다.

정답찾기 ⑤ 법원은 집행관 사무소의 사무원이 하는 업무의 성질이 국가의 사무와 비슷하다는 이유로 공무원에게 적용되는 형법상 뇌물죄를 적용하는 것은 잘못이라고 보았다. 이는 법률에 규정이 없는 사항에 대해서 그것과 유사한 성질을 가지는 사항에 관한 법률을 적용하여 처벌해서는 안 된다는 유추 해석 금지 원칙에 따른 판결이다.

오답피하기 ① 의회에서 일정한 절차를 거쳐 제정한 성문법이 아닌, 불문법인 관습법을 근거로는 처벌할 수 없다는 것은 관습 형법 금지의 원칙이다.
② 범죄의 성립과 그 처벌은 행위 당시의 법률에 의해야 한다는 것은 소급효 금지의 원칙이다.
③ 범죄와 형벌이 법률에 구체적이고 명확하게 규정되어야 한다는 것은 명확성의 원칙이다.
④ 범죄 행위의 경중과 행위자가 부담해야 할 형벌의 정도는 서로 균형을 이루어야 한다는 것은 적정성의 원칙이다.

20 범죄의 성립 요건 이해

문제분석 갑은 사기죄로 수사를 받았으나 기소 유예 처분을 받았고, 을은 재물 손괴죄로 재판을 받았으나 무죄 판결을 받았다. 병은 위증죄로 재판을 받았으나 무죄 판결을 받았다.

정답찾기 ② 을은 남의 집 창문을 깨뜨렸지만 화재로 긴급한 상황에서 현재의 위난을 피하기 위한 상당한 이유가 인정되어 무죄를 선고받았다. 즉, 법원은 을의 행위가 긴급 피난에 해당한다고 보았다.

오답피하기 ① 기소 유예 처분은 범죄가 성립되지만 범인의 성행이나 동기를 참작하여 공소를 제기하지 않는 검사의 처분을 말한다. 따라서 검사는 갑의 행위가 범죄로 성립된다고 보았다.
③ 병은 조직 폭력배들의 협박에 의하여 강요된 행위로 위증을 했는데, 법원은 병의 행위가 협박에 의한 강요된 행위로 법적 비난 가능성이 없어 책임이 조각된다고 판단했기 때문에 무죄를 선고한 것이다.
④ 을은 재물 손괴죄의 구성 요건에 해당하는 창문 파손 행위를 하였고, 병은 위증죄의 구성 요건에 해당하는 위증 행위를 하였다. 즉, 법원은 을과 병의 행위가 범죄의 구성 요건에 해당한다고 보았다.
⑤ 갑은 구속되었으나 무죄 취지의 불기소 처분을 받은 것이 아니기 때문에 형사 보상을 청구할 수 없다. 을은 구속된 경우가 없었으므로 형사 보상을 청구할 수 없다. 병은 구속된 기간이 있었고, 무죄 확정 판결을 받았으므로 국가에 형사 보상을 청구할 수 있다.

실전 모의고사 2회

본문 106~110쪽

1 ②	2 ①	3 ③	4 ⑤	5 ⑤
6 ④	7 ④	8 ②	9 ③	10 ④
11 ①	12 ①	13 ③	14 ②	15 ⑤
16 ②	17 ①	18 ④	19 ③	20 ④

1 정치를 바라보는 관점 이해

문제분석 정치를 넓은 의미로 바라보는 관점은 [상황 1]을 정치로 본다. 따라서 갑의 관점은 정치를 좁은 의미로 바라보는 관점이다. 을은 정치는 모든 사회 집단에서 나타나는 현상이라고 보고 있으므로 을의 관점은 정치를 넓은 의미로 바라보는 관점이다. 정치를 넓은 의미로 바라보는 관점은 [상황 1], [상황 2] 모두 정치라고 본다.

정답찾기 ② 넓은 의미로 정치를 바라보는 관점은 복잡하고 다원화된 현대 사회의 정치 현상을 설명하는 데 적합하다.

오답피하기 ① 좁은 의미로 정치를 바라보는 관점은 국가 형성 이전에 나타난 정치 현상을 설명하는 데 적합하지 않다.
③ 정부가 정책을 논의하는 과정은 좁은 의미로 정치를 바라보는 관점, 넓은 의미로 정치를 바라보는 관점 모두 정치로 본다.
④ 넓은 의미로 정치를 바라보는 관점은 소수의 엘리트뿐만 아니라 개인이나 집단 등에 의해서도 정치가 이루어진다고 본다.
⑤ 정치를 넓은 의미로 바라보는 을은 [상황 1], [상황 2] 모두 정치로 본다.

2 법치주의의 유형 이해

문제분석 법의 목적이나 내용에 관계 없이 통치의 합법성을 강조하는 원리는 형식적 법치주의, 합법적인 절차에 따라 법이 제정되는 것뿐만 아니라 그 목적과 내용도 인간의 존엄성, 정의에 부합하는 법에 따라 통치가 이루어져야 한다는 원리는 실질적 법치주의이다. 따라서 A는 형식적 법치주의, B는 실질적 법치주의이다.

정답찾기 ① 형식적 법치주의는 법의 목적이나 내용에 관계 없이 통치의 합법성을 강조하면서 독재 정치를 정당화하는 논리로 악용될 수 있다.

오답피하기 ② 형식적 법치주의, 실질적 법치주의 모두 통치자를 포함한 모든 사람이 법의 지배를 받아야 한다고 본다.
③ 실질적 법치주의는 위헌 법률 심사제의 필요성을 강조한다.
④ 형식적 법치주의, 실질적 법치주의 모두 국가의 자의적 권력 행사 방지를 중시한다.
⑤ 법치주의의 의미는 역사적으로 형식적 법치주의에서 실질적 법치주의로 변천해 왔다.

3 전형적인 정부 형태 이해

문제분석 갑국의 정부 형태는 선출된 의회 의원이 각료를 겸직할 수 있는 의원 내각제이며, 을국의 정부 형태는 의회 의원이 각료를 겸직할 수 없는 대통령제이다.

정답찾기 ③ 의원 내각제에서는 의회가 행정부에 대한 불신임권을 가진다.

오답피하기 ① 행정부 수반이 국가 원수의 지위를 가지는 것은 대통령제이다.
② 입법부와 행정부의 권력이 융합된 정부 형태는 의원 내각제이다.
④ 대통령제에서 법률안 제출권은 의회 의원에게만 있다.
⑤ 의원 내각제에서는 의회에서 행정부 수반인 총리를 선출하며, 대통령제에서는 국민의 선거를 통해 행정부 수반인 대통령을 선출한다.

4 정치 과정의 이해

문제분석 □□ 협회의 △△ 복지 요구로 정책 결정 기구인 정부는 △△ 복지 제도를 시행하기로 하였으며, △△ 복지 제도 시행에 따라 나타나는 다양한 사회 현상에 대하여 ◇◇ 학회의 학술 대회, 전문가와 국민의 평가 등을 통해 정치 과정이 이루어지고 있음을 알 수 있다.
정답찾기 ㄷ. ◇◇ 학회와 달리 정부는 정책 결정 기구에 해당한다.
ㄹ. △△ 복지 제도 시행에 따라 나타나는 다양한 사회 현상에 대하여 전문가와 국민이 여러 측면에서 평가하는 것은 정부에서 마련한 △△ 복지 제도 시행에 대한 환류에 해당한다.
오답피하기 ㄱ. 정부에서 마련한 △△ 복지 제도 시행은 정치 과정에서 산출에 해당한다.
ㄴ. □□ 협회의 △△ 복지 필요에 대한 지속적인 요구는 정치 과정에서 투입에 해당한다.

5 기본권의 유형 이해

문제분석 기본권 유형 B의 답란에 대한 점수는 2점이므로 소극적이고 방어적 성격의 권리는 옳은 답이 되기 때문에 B는 자유권이다. 그리고 A의 답란에서 기본권 중 역사적으로 가장 오래된 기본권은 자유권에 해당하는 특징이기 때문에 틀린 답이고, 다른 기본권 보장을 위한 수단적 권리는 옳은 답이기 때문에 A는 청구권이며, C는 사회권이다. 따라서 (가)에는 자유권의 특징이 들어갈 수 있으며, (나)에는 사회권의 특징이 들어갈 수 없다.
정답찾기 ⑤ 헌법에 열거되지 않아도 보장받을 수 있는 권리는 자유권이므로 주어진 진술은 (나)에 들어갈 수 있다.
오답피하기 ① 청구권은 국가의 존재를 전제로 하는 권리이다. 국가의 존재를 전제로 하지 않는 권리는 자유권이다.
② 자본주의 문제점을 해결하는 과정에서 등장한 권리는 사회권이다.
③ 기본권은 국가 안전 보장·질서 유지 또는 공공복리를 위해서 필요한 경우에 한하여 법률로써 제한할 수 있다.
④ 바이마르 헌법에 처음으로 규정된 권리는 사회권이므로 주어진 진술은 (가)에 들어갈 수 없다.

6 우리나라 헌법의 기본 원리 이해

문제분석 A는 문화 국가의 원리, B는 복지 국가의 원리이다.
정답찾기 ④ '국가에 사회 보장 및 사회 복지의 증진 의무 부여'는 복지 국가의 원리의 실현 방안에 해당한다.
오답피하기 ① 최고의 권력인 주권이 국민에게 있다는 원리는 국민 주권주의이다.
② '권력 분립 제도와 사법권의 독립'은 자유 민주주의의 실현 방안에 해당한다.
③ 남북 분단이라는 역사적 상황에서 평화적 통일을 추구한다는 원리는 평화 통일 지향이다.
⑤ 현대 복지 국가 헌법에서부터 강조된 원리는 복지 국가의 원리이다.

7 우리나라의 국가 기관 이해

문제분석 국가의 세입·세출 결산의 검사권은 감사원의 권한이다. 상고·재항고 사건의 최종심 관할권은 대법원의 권한이다. 대법원장에 대한 임명권은 대통령의 권한이다. 대통령에 대한 탄핵 소추권은 국회의 권한이다. 따라서 A는 감사원, B는 대법원, C는 대통령, D는 국회이다.
정답찾기 ④ 국회는 국정 감사권과 국정 조사권을 가진다.
오답피하기 ① 국가 예산안 심의·확정권은 국회의 권한이다.
② 위헌 법률 심판권은 헌법 재판소의 권한이다.
③ 법률 제·개정권은 국회의 권한이다.
⑤ 국무 회의에서 의장은 대통령, 부의장은 국무총리이다.

8 우리나라 지방 자치 단체의 기관 이해

문제분석 ○○시 행정 사무의 총괄 책임을 지는 A는 지방 자치 단체의 장이며, ○○시 예산안을 심의·의결하는 B는 지방 의회이다.
정답찾기 ② 지방 의회는 지방 자치 단체의 사무에 대한 감사권을 가진다.
오답피하기 ① 조례를 제정할 수 있는 권한은 지방 의회의 권한이다.
③ 지방 자치 단체의 장, 지방 의회 의원(비례 대표 지방 의회 의원 제외)은 주민 소환의 대상이 될 수 있다.
④ 지방 자치 단체의 장과 지방 의회는 수평적 권력 분립 관계에 있다.
⑤ 지방 의회, 지방 자치 단체의 장은 중앙 정부와 수직적 권력 분립 관계에 있다.

9 정치 참여 집단의 특징 이해

문제분석 A는 시민 단체, B는 이익 집단, C는 정당이다.
정답찾기 ③ 정당은 공직 선거에서 후보자를 공천한다.
오답피하기 ① 정권 획득을 목적으로 하는 것은 정당이다.
② 행정부와 의회를 매개하는 역할을 하는 것은 정당이다.
④ 이익 집단, 시민 단체 모두 대의 민주주의의 한계를 보완하는 기능을 한다.
⑤ 이익 집단은 구성원의 이익을 위해 정부에 의사를 표출한다.

10 민법의 기본 원칙 이해

문제분석 A는 근대 민법의 기본 원칙으로 개인 소유의 재산에 대한 사적 지배를 인정하고 국가나 다른 개인이 함부로 이를 간섭하거나 제한하지 못한다는 사유 재산권 존중의 원칙(소유권 절대의 원칙)이며, B는 근대 민법의 기본 원칙에 대한 수정·보완으로 소유권에 공공의 개념을 접합하여 소유권은 공공복리에 적합하도록 행사해야 한다는 소유권 공공복리의 원칙이다.

정답찾기 ④ 정부가 환경을 보호하기 위해 개인 소유의 땅을 개발 제한 구역으로 지정하는 것은 소유권 공공복리의 원칙에 부합한다.

오답피하기 ① A는 사유 재산권 존중의 원칙(소유권 절대의 원칙), B는 소유권 공공복리의 원칙이다.

② 현저히 불공정한 내용의 계약을 무효로 하는 것은 근대 민법의 기본 원칙에 대한 수정 · 보완으로 계약 공정의 원칙에 따른 것이다.

③ 자신의 행동에 충분한 주의를 기울였다면 책임을 질 필요가 없다는 것은 근대 민법의 기본 원칙으로 과실 책임의 원칙(자기 책임의 원칙)에 따른 것이다.

⑤ 근대 민법의 기본 원칙은 개인주의와 자유주의를 바탕으로 하고 있다.

11 미성년자의 계약 이해

문제분석 고등학생 갑(15세), 을(17세)은 미성년자이며, 행위 능력이 제한되므로 사장인 병(45세)과 법률 행위인 계약을 하는 경우 원칙적으로 법정 대리인의 동의를 얻어야 한다. 미성년자가 법정 대리인의 동의를 얻지 않고 한 법률 행위도 일단 유효하지만 미성년자 본인이나 법정 대리인이 그 법률 행위를 취소할 수 있다. 한편 미성년자와 거래한 상대방이 법률 행위인 계약 당시 미성년자임을 몰랐을 경우 미성년자와 거래한 상대방은 미성년자의 법정 대리인이 그 계약을 추인할 때까지 계약 체결의 의사 표시를 철회할 수 있다.

정답찾기 ㄱ. 계약 체결 당시 갑은 법정 대리인의 동의가 있었으므로 갑의 법정 대리인은 갑이 미성년자라는 이유로 갑이 병과 체결한 계약을 취소할 수 없다.

ㄴ. 갑과 병의 계약은 미성년자인 갑이 법정 대리인의 동의를 받았으므로 확정적으로 유효한 계약이다. 이 경우에는 미성년자와의 계약이라 할지라도 병에게 확답을 촉구할 권리가 인정되지 않는다.

오답피하기 ㄷ. 계약 체결 당시 을은 법정 대리인의 동의를 받지 않았으므로 을과 을의 법정 대리인 모두 을이 병과 체결한 계약을 취소할 수 있다.

ㄹ. 계약 체결 당시 병은 을이 미성년자임을 몰랐으므로 병은 을의 법정 대리인이 계약을 추인할 때까지 계약 체결의 의사 표시를 철회할 수 있다.

12 특수 불법 행위의 이해

문제분석 첫 번째 사례에서 을은 책임 능력이 없으므로 갑은 병에 대해 책임 무능력자의 감독자 책임을 진다. 그리고 갑은 정에 대해서 동물의 점유자 책임을 진다. 두 번째 사례에서 B는 A에게 계약에 따른 채무를 불이행한 책임을 진다. D에 대하여 아르바이트생 C는 일반 불법 행위 책임을, B는 사용자의 배상 책임을 진다.

정답찾기 ① 갑은 을의 감독자로 감독 의무를 게을리하였으므로 병에게 법정 감독 의무자로서 책임 무능력자의 감독자 책임을 진다. 책임 무능력자의 감독자 책임은 특수 불법 행위 책임에 해당한다.

오답피하기 ② 갑은 을의 법정 감독 의무자로서 병에 대해 특수 불법행위 책임을 질 수 있는데, 책임 무능력자인 을에 대한 감독자는 무과실 책임을 지지 않는다.

③ 갑은 강아지 점유자로 강아지가 정에 가한 손해에 대한 동물의 점유자 책임을 진다.

④ 치킨집을 운영하는 B는 A에게 채무 불이행 책임을 진다.

⑤ B는 C의 사용자로 C가 D에 가한 손해에 대하여 사용자의 배상 책임을 진다. B와 C가 D에게 공동 불법 행위자 책임을 지는 것은 아니다.

13 소급효 금지의 원칙 이해

문제분석 행위 시에 범죄가 되지 않는다고 신뢰한 행위자를 처벌하거나 그가 예측한 것보다 불이익한 처벌을 하여서는 법에 대한 국민의 일반적 신뢰와 국민 행동의 자유를 보장할 수 없다는 점과 소급하여 부과된 형벌은 책임과 결부된 정당한 형벌이 아니라는 점에서 A 원칙은 죄형 법정주의의 파생 원칙 중 소급효 금지 원칙임을 알 수 있다.

정답찾기 ③ 범죄와 형벌은 행위 시의 법률에 의하여 결정되어야 한다는 원칙은 소급효 금지의 원칙이다.

오답피하기 ① 범죄와 형벌 사이에는 적정한 균형이 유지되어야 한다는 원칙은 적정성의 원칙이다.

② 범죄와 형벌은 그 내용이 명확하게 규정되어 있어야 한다는 원칙은 명확성의 원칙이다.

④ 범죄와 형벌은 의회에서 제정한 성문의 법률에 규정되어 있어야 한다는 원칙은 성문 법률주의로 관습 형법 금지의 원칙이라고도 한다.

⑤ 법률에 규정한 사항이 없을 때 비슷하게 규정한 법률을 적용해서 처벌하지 않아야 한다는 원칙은 유추 해석 금지의 원칙이다.

14 혼인, 이혼, 입양, 상속의 이해

문제분석 첫 번째 사례에서 피상속인 을의 사망 시 갑과 을은 이혼하여 친족 관계가 소멸된 상태였고, 병은 을의 직계 비속으로 을의 상속인이다. 을과 정은 혼인 신고를 하지 않아 친족 관계가 형성되지 않는다. 두 번째 사례에서는 피상속인 A 사망 시 A와 B는 이혼하여 친족 관계가 소멸된 상태였고, C는 E의 친양자로 입양되어 A와 친족 관계가 소멸된 상태였다. A의 직계 비속으로 상속인 D가 있다.

정답찾기 ② 갑과 을은 이혼하여 친족 관계가 소멸되었고, 을은 정과 혼인 신고를 하지 않아 친족 관계가 아니기 때문에 을의 사망 시 직계 비속인 병만 을의 재산을 상속받을 수 있다.

오답피하기 ① 협의상 이혼은 원칙적으로 이혼 숙려 기간을 거쳐야 한다.

③ B와 E는 혼인 신고를 하였으므로, 혼인의 형식적 요건을 갖추었다.

④ C는 친양자로 입양되었기 때문에 E의 성과 본을 따를 수 있다.

⑤ C는 A와 친족 관계가 종료되었기 때문에 A의 사망 시 C는 A의 재산을 상속받을 수 없다.

15 근로 계약의 이해

문제분석 제시된 자료는 갑과 18세 미만인 을(연소자)과의 근로 계약서이다.

정답찾기 ㄷ. 근로자 본인 명의가 아닌 법정 대리인의 예금 통장으로 임금을 지급하는 것은 근로 기준법에 위배된다.

ㄹ. 노동조합 가입을 제한하는 것은 단결권을 침해하는 것이다.

오답피하기 ㄱ. 연소 근로자의 1일 법정 근로 시간은 7시간이다. 휴게 시간을 제외한 을의 근로 시간은 1일 7시간이므로 법정 근로 시간을 초과하지 않는다.
ㄴ. 근로 계약서상 시간급은 법정 최저 임금에 미치지 못하는 금액으로 되어 있더라도 근로 계약 전체가 무효가 되는 것은 아니다. 근로 계약서상 해당 부분의 근로 계약 내용만 무효이다.

16 범죄의 성립 요건 이해

문제분석 범죄가 성립되기 위해서는 어떤 행위가 법률에서 범죄로 정해 놓은 일정한 행위에 해당하여야 하며, 범죄의 구성 요건에 해당하는 행위가 전체 법질서에 비추어 위법해야 하며, 위법한 행위에 대해 행위자에게 가해지는 법적 비난 가능성이 있어야 한다.
정답찾기 ② 경찰관이 범죄 현장에서 적법한 절차에 따라 현행범인을 체포한 행위는 위법성 조각 사유인 정당 행위로 B에 해당하여 범죄가 성립되지 않는다.
오답피하기 ① 심신 상실자가 폭행을 가한 행위는 책임이 조각되는 경우이므로 C에 해당하여 범죄가 성립되지 않는다.
③ 골목에서 오토바이를 피하다가 어쩔 수 없이 남의 집에 들어간 행위는 위법성 조각 사유인 긴급 피난으로 B에 해당하여 범죄가 성립되지 않는다.
④ 저항할 수 없는 폭력에 의해 강요된 행위는 책임이 조각되는 경우이므로 C에 해당하여 범죄가 성립되지 않는다.
⑤ 위법성 조각 사유에 해당하면 범죄가 성립되지 않으므로 (가)에는 '위법성 조각 사유에 해당하는가?'가 들어갈 수 없다.

17 형사 절차 이해

문제분석 갑과 을이 △△법 위반 혐의로 구속 기소되었고, 지방 법원 단독 판사는 갑과 을에게 유죄를 선고하였다.
정답찾기 ① 기소가 되더라도 무죄 추정의 원칙에 따라 갑과 을은 유죄 판결이 확정될 때까지 무죄로 추정된다.
오답피하기 ② 갑과 을은 기소가 된 이후에 보석 제도를 통해 일정한 보증금의 납부 또는 서약서의 제출 등의 조건으로 구속 집행 정지를 청구할 수 있다.
③ 지방 법원에서 단독 판사가 판결하였으므로 1심 판결을 받은 것이다. 따라서 을, 검사 모두 항소할 수 있다.
④ 갑과 을에 대한 판결이 확정되면 검사의 지휘에 따라 형이 집행된다.
⑤ 갑과 을에 대한 판결이 확정되면 갑과 을은 모두 유죄이기 때문에 형사 보상을 청구할 수 없다.

18 국제법의 법원(法源) 이해

문제분석 A는 조약, B는 국제 관습법, C는 법의 일반 원칙이다.
정답찾기 ④ 조약은 원칙적으로 문서의 형식을 갖춘다.
오답피하기 ① 우리나라의 경우 조약에 대한 비준권은 대통령이 가지며, 조약에 대한 비준 동의권을 국회가 가진다.
② 조약은 국가 또는 국제기구 간 명시적 합의의 결과물이다.
③ '국내 문제 불간섭'은 국제 관습법의 예에 해당한다.
⑤ 조약, 국제 관습법, 법의 일반 원칙 모두 국제 사법 재판소에서 재판의 준거가 될 수 있다.

19 국제 연합의 주요 기관 이해

문제분석 A는 안전 보장 이사회, B는 총회, C는 국제 사법 재판소이다.
정답찾기 ㄴ. 총회에서는 1국 1표로 주권 평등의 원칙이 적용된다.
ㄹ. 안전 보장 이사회, 총회 모두 국제 사법 재판소의 재판관을 선출할 수 있는 권한을 가진다.
오답피하기 ㄱ. 안전 보장 이사회는 5개의 상임 이사국과 10개의 비상임 이사국으로 구성되는데 절차 사항이 아닌 실질 사항의 경우 상임 이사국이 거부권을 행사할 수 있다.
ㄷ. 개인은 국제 사법 재판소의 재판 당사자가 될 수 없다.

20 선거 제도 사례 분석

문제분석 갑국의 현행 제도에서 지역구 의원 선거는 선거구마다 2명씩 득표순으로 선출하는 중·대선거구제, 단순 다수 대표제를 채택하고 있으며, 비례 대표 의원 선거는 전국을 하나의 선거구로 하여 11명을 선출하고 있다. 개편안의 지역구 의원 선거에서 선거구는 선거구 1과 선거구 2 통합, 선거구 3 기존 유지, 선거구 4와 선거구 5를 통합하는 1안과 선거구 1과 선거구 4 통합, 선거구 3 기존 유지, 선거구 2와 선거구 5를 통합하는 2안이 있다. 그리고 선거구마다 1명씩 단순 다수 대표제로 선출하는 소선거구제를 채택하고 있다. 개편안의 비례 대표 의원 선출 방식은 기존과 동일하며, 비례 대표 의원은 11명에서 7명이 늘어나 18명을 선출한다. 주어진 조건을 토대로 한 선거 결과는 다음과 같다.

(단위: 석)

구분		A당	B당	C당	D당
현행	지역구 의석수	3	4	2	1
	비례 대표 의석수	2	4	3	2
	합계	5	8	5	3
개편 1안	지역구 의석수	1	1	0	1
	비례 대표 의석수	3	7	4	4
	합계	4	8	4	5
개편 2안	지역구 의석수	1	1	0	1
	비례 대표 의석수	3	7	4	4
	합계	4	8	4	5

정답찾기 ④ 개편안 적용 시 C당과 D당이 얻는 비례 대표 의석수는 4석으로 동일하다.
오답피하기 ① 현행 지역구 의원 선출 방식은 5개의 선거구마다 2명씩 단순 다수 대표제로 선출하는 중·대선거구제를 채택하고 있으며, 개편안에서 지역구 의원 선출 방식은 3개의 선거구마다 1명씩 단순 다수 대표제로 선출하는 소선거구제를 채택하고 있다.
② 현행 지역구 의원 선거는 선거구마다 2명의 최다 득표자를 선출하고, 개편안의 지역구 의원 선거는 선거구마다 1명의 최다 득표자를 선출하므로 현행과 개편안 지역구 의원 선거 모두 단순 다수 대표제이다.
③ 개편안에서는 지역구 의원 선거에서의 선거구는 선거구 1과 선거구 2 통합, 선거구 3 기존 유지, 선거구 4와 선거구 5를 통합하는 방법과 선거구 1과 선거구 4 통합, 선거구 3 기존 유지, 선거구 2와 선

거구 5를 통합하는 방법으로 총 2가지이다.
⑤ A당의 총의석수는 현행에서 5석이며 개편안에서는 4석으로 줄어들었고, B당의 총의석수는 현행에서 8석이며 개편안에서는 8석으로 현행과 개편안이 동일하다.

실전 모의고사 3회 본문 111～116쪽

1 ②	2 ⑤	3 ⑤	4 ③	5 ②
6 ④	7 ①	8 ③	9 ①	10 ②
11 ⑤	12 ⑤	13 ②	14 ③	15 ③
16 ⑤	17 ⑤	18 ④	19 ②	20 ④

1 정치를 바라보는 관점에 대한 이해

문제분석 정치를 바라보는 관점 중 국가를 포함한 모든 사회 집단에서 정치 현상이 나타난다고 보는 A는 넓은 의미로 정치를 바라보는 관점이고, 정치권력의 획득, 유지, 행사와 관련된 국가만의 고유 활동을 정치로 보는 B는 좁은 의미로 정치를 바라보는 관점이다.

정답찾기 ② 다원화된 현대 사회의 정치 현상을 설명하는 데 적합한 것은 넓은 의미로 정치를 바라보는 관점이고, 넓은 의미로 정치를 바라보는 관점이 좁은 의미로 정치를 바라보는 관점에 비해 정치 주체로 인정하는 범위가 넓으며, 국가 성립 이전의 정치 현상을 설명하기에 용이한 것은 넓은 의미로 정치를 바라보는 관점이다. '국회에서 ○○법을 개정하는 것'은 좁은 의미로 정치를 바라보는 관점, 넓은 의미로 정치를 바라보는 관점 모두 정치로 본다.

2 법치주의의 유형에 대한 이해

문제분석 형식적 법치주의는 법의 목적이나 내용에 관계없이 통치의 합법성만을 강조하는 반면에 실질적 법치주의는 통치의 합법성뿐만 아니라 법의 목적이나 내용이 헌법의 이념 등에 부합해야 함을 강조한다. (가), (나)에는 각각에만 해당하는 특징이 들어가야 하고, (다)에는 공통된 특징이 들어가야 한다.

정답찾기 ㄴ. 형식적 합법성은 형식적 법치주의와 실질적 법치주의 모두 중시하므로 해당 내용은 (다)에 들어갈 수 있다.
ㄷ. 형식적 법치주의는 실질적 법치주의와 달리 독재 정치를 정당화하는 논리로 악용될 수 있다는 비판을 받는다. 따라서 A가 실질적 법치주의이면 해당 내용은 (나)에 들어갈 수 있다.
ㄹ. 실질적 법치주의는 형식적 법치주의와 달리 법의 목적과 내용이 헌법 이념에 부합해야 함을 강조한다. 따라서 B가 형식적 법치주의이면 (가)에 해당 내용이 들어갈 수 있다.

오답피하기 ㄱ. 형식적 법치주의와 실질적 법치주의는 모두 법률로써 국민의 기본권을 제한할 수 있다고 본다. 따라서 해당 내용은 (가)에 들어갈 수 없다.

3 우리나라 헌법의 기본 원리에 대한 이해

문제분석 우리나라 헌법의 기본 원리 중 A는 국민 주권주의이고, B는 복지 국가의 원리이고, C는 문화 국가의 원리이다.

정답찾기 ⑤ 복지 국가의 원리는 현대 복지 국가 헌법에서부터 강조되었다.

오답피하기 ① 복수 정당제 보장은 국민 주권주의의 실현 방안에 해당한다.
② '모든 국민은 인간다운 생활을 할 권리를 가진다.'라는 헌법 내용은 복지 국가의 원리와 관련된다.
③ '국가는 전통문화의 계승·발전과 민족 문화의 창달에 노력하여야 한다.'라는 헌법 내용은 문화 국가의 원리와 관련된다.
④ 평생 교육의 진흥은 문화 국가의 원리의 실현 방안에 해당한다.

4 헌법 재판소의 권한에 대한 이해

문제분석 헌법 재판소는 위헌 법률 심판, 헌법 소원 심판 등의 권한을 가지고 있다. 위헌 법률 심판은 법원의 위헌 법률 심판 제청으로 열리고, 헌법 소원 심판은 국민의 헌법 소원 심판 청구로 열린다.

정답찾기 ㄱ. 법원은 재판 당사자인 국민의 위헌 법률 심판 제청 신청이 없어도 직권으로 위헌 법률 심판 제청을 할 수 있다.
ㄷ. 재판 중 위헌 법률 심판 제청 신청이 기각된 후 청구한 헌법 소원 심판은 위헌 심사형 헌법 소원 심판이고, 재판과 상관없이 법률의 기본권 침해를 이유로 청구한 헌법 소원 심판은 권리 구제형 헌법 소원 심판이다.

오답피하기 ㄴ. 법원이 위헌 법률 심판 제청 신청을 받아들였다면 헌법 재판소에서 위헌 법률 심판이 진행되었을 것이다.

5 전형적인 정부 형태에 대한 이해

문제분석 갑국에는 A당과 B당만 존재하므로 t기에 의회 제1당인 A당의 의석 점유율은 55%이다. 의회 제1당이 과반수 의석을 차지했음에도 행정부 수반 소속 정당이 B당이므로 t기의 정부 형태는 대통령제임을 알 수 있다. t+2기의 정부 형태도 마찬가지로 대통령제라는 것을 알 수 있다. t+1기의 정부 형태는 t기와 다르므로 t+1기의 정부 형태는 의원 내각제이다.

정답찾기 ② 대통령제에서는 행정부 수반의 법률안 거부권이 인정된다.

오답피하기 ① 의원 내각제에서는 행정부의 법률안 제출권이 인정된다.
③ t기 여당의 의석 점유율은 45%이고, t+2기 야당의 의석 점유율은 60%이다. 따라서 t기 여당의 의석 점유율이 t+2기 야당의 의석 점유율보다 낮다.
④ t+1기와 달리 t+2기에 여소야대 현상이 나타난다.
⑤ 의원 내각제에서는 의회의 내각 불신임권이 인정된다.

6 법률 및 헌법 개정 절차에 대한 이해

문제분석 법률 및 헌법 개정 절차에는 공통적으로 국회의 의결 절차가 포함되지만, 헌법 개정 절차에는 주권을 가진 국민의 의사를 묻는 국민 투표 절차가 포함되어 있다.

정답찾기 ④ 대통령은 국회 본회의를 통과한 법률안을 공포하고, 헌법 개정을 제안할 수 있으며, 헌법 개정안을 공고하고, 국민 투표를 통과한 개정 헌법을 공포한다.

오답피하기 ① 법률 개정안 제출은 국회 의원 10인 이상이면 가능하나, 헌법 개정안 제안은 국회 재적 의원 과반수의 찬성이 있어야 한다.
② 국회 의장은 국회 내에서 선출되는 것이지 대통령이 임명하는 것은 아니다.
③ 국민 투표는 직접 민주제의 요소에 해당하지만, 국회 본회의 의결은 직접 민주제의 요소가 아니다. 오히려 간접 민주제에서 대표자에 의해 이루어지는 것으로 볼 수 있다.
⑤ 헌법 개정을 위해서는 국회 재적 의원 2/3 이상의 찬성이 필요하다.

7 우리나라 지방 자치에 대한 이해

문제분석 우리나라 지방 자치 단체는 특별시, 광역시, 도와 같은 광역 지방 자치 단체와 시, 군, 구와 같은 기초 지방 자치 단체로 구분되며, 각 급별로 집행 기관인 지방 자치 단체의 장과 의결 기관인 지방 의회를 두고 있다.
정답찾기 ① 광역 지방 자치 단체의 지역구 의원은 소선거구제로 선출되는 반면에 기초 지방 자치 단체의 지역구 의원은 중·대선거구제로 선출된다.
오답피하기 ② 지방 의회는 조례 제정 및 개폐권을 갖고, 지방 자치 단체의 장은 규칙 제정권을 갖는다.
③ 지방 자치 단체의 집행 기관은 지방 자치 단체의 장이고, 의결 기관은 지방 의회이다.
④ 지방 자치 단체의 장과 지방 의회 지역구 의원은 주민 소환의 대상이 되나, 지방 의회 비례 대표 의원은 주민 소환의 대상이 되지 않는다.
⑤ 교육감은 광역 지방 자치 단체에서만 선출된다.

8 근로 기준법에 대한 이해

문제분석 17세인 연소 근로자는 연장 근로를 제외하고 1일 7시간을 초과하여 근로할 수 없다. 따라서 갑의 연령은 20세, 을의 연령은 17세이다.
정답찾기 ③ 연소 근로자도 성인 근로자와 마찬가지로 단독으로 임금을 청구할 수 있다. 따라서 (나)에 해당 질문이 들어갈 수 없다.
오답피하기 ① 연소 근로자도 성인 근로자와 마찬가지로 최저 임금제의 적용을 받는다. 따라서 해당 질문은 (가)에 들어갈 수 있다.
② 15세 미만인 자는 고용 노동부 장관이 발급한 취직 인허증이 있어야 근로할 수 있다. 따라서 해당 질문은 (가)에 들어갈 수 있다.
④ 연소 근로자는 1일 1시간을 초과하여 연장 근로를 할 수 없다.
⑤ 연소 근로자는 친권자나 후견인의 동의를 얻어야 근로 계약을 체결할 수 있다.

9 정치 참여 집단에 대한 이해

문제분석 시민 단체, 이익 집단, 정당 중 정치적 책임을 지는 B는 정당이고, 공익보다 사익을 우선시하는 정치 참여 집단은 이익 집단이므로 A는 시민 단체, C는 이익 집단이다.
정답찾기 ㄱ. 시민 단체, 이익 집단, 정당은 모두 정치 과정에서 투입을 담당한다. 따라서 해당 내용은 (가)에 들어갈 수 있다.
ㄴ. 정당은 시민 단체, 이익 집단과 달리 공직 선거에서 후보자를 공천한다. 따라서 해당 내용은 (가)에 들어갈 수 있다.
오답피하기 ㄷ. 정당은 시민 단체, 이익 집단과 달리 정부와 의회를 매개하는 역할을 한다.
ㄹ. 시민 단체, 이익 집단, 정당은 모두 정치 사회화 기능을 수행한다.

10 국제 관계를 바라보는 관점에 대한 이해

문제분석 국제 관계를 바라보는 관점 중 국제 평화를 위해 집단 안보 체제를 강조하는 것은 자유주의적 관점이다. 따라서 A는 자유주의적 관점이고, B는 현실주의적 관점이다. (가)에는 두 관점의 공통된 특징에 해당하는 내용이 들어가야 한다.
정답찾기 ㄱ. 자유주의적 관점과 현실주의적 관점은 모두 국제 사회에 강제력을 가진 중앙 정부가 없다고 보므로 해당 질문은 (가)에 들어갈 수 있다.
ㄷ. 자유주의적 관점은 현실주의적 관점과 달리 개별 국가의 이익과 국제 사회 전체의 이익이 조화를 이룰 수 있다고 본다.
오답피하기 ㄴ. 현실주의적 관점은 자유주의적 관점과 달리 인간을 이기적인 존재로 인식한다.
ㄹ. 자유주의적 관점은 현실주의적 관점과 달리 국제 사회의 문제 해결에 있어 국제법과 국제기구가 중요한 역할을 한다고 본다.

11 가족 관계에 대한 이해

문제분석 친양자는 친양자가 아닌 양자와 달리 특별한 경우를 제외하고는 입양을 하면 친생부모와의 친자 관계가 종료된다. 친자 관계가 종료되었으므로 친생부모가 사망하면 친양자는 친양자가 아닌 양자와 달리 법정 상속을 받을 수 없다.
정답찾기 ⑤ 갑, 을 모두 유언을 남기지 않았으므로 법정 상속이 이루어진다. 갑의 재산에 대한 법정 상속권자는 정, A, B, C이며 1.5 : 1 : 1 : 1의 비로 상속받으므로 정은 3억 원, A, B, C는 모두 2억 원씩 상속받는다. 을의 재산에 대한 법정 상속권자는 병, A이며 1.5 : 1의 비로 상속받으므로 병은 5억 4천만 원, A는 3억 6천만 원을 상속받는다. 따라서 A의 법정 상속액은 갑이 사망했을 경우보다 을이 사망했을 경우에 1억 6천만 원이 많다.
오답피하기 ① 협의상 이혼은 원칙적으로 이혼 숙려 기간을 거쳐야 한다. 재판상 이혼은 이혼 조정 절차를 거쳐야 한다.
② 을과 병이 혼인한 상태에서 을의 자녀 A를 병이 친양자가 아닌 양자로 입양한 것이므로 입양 시 을과 A와의 친자 관계가 종료되는 것은 아니다.
③ 갑, 정은 혼인 신고 후 B를 낳았으므로 친자 관계 형성을 위해 인지 절차를 거칠 필요가 없다.
④ 친양자 입양은 미성년자인 경우에만 가능하다.

12 미성년자의 계약에 대한 이해

문제분석 미성년자인 갑과 병은 모두 법정 대리인인 부모의 동의를 얻지 않고 계약을 체결하였으므로 미성년자 본인 또는 부모가 계약을 취소할 수 있다. 그러나 을은 부모의 동의서를 위조하여 A가 이를 믿게 한 후 계약을 체결하였으므로 미성년자 본인과 부모는 모두 계약을 취소할 수 없다.

정답찾기 ⑤ A는 갑의 부모와 병의 부모 모두에게 확답을 촉구할 권리를 행사할 수 있다.

오답피하기 ① 동의서를 위조하여 을이 체결한 계약에 대해 을의 부모는 계약을 취소할 수 없다.

② 계약 체결 당시 거래 상대방이 미성년자임을 알았는지 여부와 상관없이 미성년자 측은 계약에 대한 취소권을 행사할 수 있다.

③ 갑, 병은 동의서를 위조한 을과 달리 계약을 취소할 수 있다.

④ 철회권은 거래 당시 미성년자였음을 몰랐어야 행사할 수 있다. 따라서 A가 철회권을 행사할 수 있는 미성년자는 을, 병이 아닌 갑이다.

13 민법의 기본 원칙에 대한 이해

문제분석 민법의 기본 원칙 중 A는 소유권 공공복리의 원칙이고, B는 계약 공정의 원칙이고, C는 무과실 책임의 원칙이다.

정답찾기 ② 계약 공정의 원칙에 따라 계약의 내용이 사회 질서에 위반되거나 현저하게 공정하지 못한 경우 국가가 개입하여 무효로 한다. 이는 계약 공정의 원칙이 개인 간 법률관계 형성에 국가가 개입할 수 있는 근거가 된다는 것이다.

오답피하기 ① 소유권 공공복리의 원칙에 따르면 개인의 소유권은 절대적 권리가 아니라 상대적 권리이다.

③ 경제적 강자의 책임 회피 수단으로 악용되기도 하는 것은 과실 책임의 원칙이다.

④ A, B, C는 모두 근대 민법의 기본 원칙이 수정 및 보완된 원칙이다.

⑤ 개인주의와 자유주의 사상을 바탕으로 하는 것은 근대 민법의 기본 원칙이다.

14 범죄의 성립 요건에 대한 이해

문제분석 첫 번째 사건에서 법원이 무죄를 선고한 이유는 폭행 당시 갑이 심신 상실의 상태였기 때문이다. 심신 상실자의 행위는 책임 조각 사유에 해당한다. 두 번째 사건에서 법원이 무죄를 선고한 이유는 을의 절도 행위가 저항할 수 없는 병의 폭력에 의해 강요된 행위이기 때문이다. 저항할 수 없는 폭력에 의해 강요된 행위는 책임 조각 사유에 해당한다.

정답찾기 ㄴ. 을에게 무죄가 선고된 이유는 을의 행위가 위법성은 있지만 저항할 수 없는 폭력에 의해 강요된 행위로 책임이 조각되기 때문이다.

ㄷ. 법원은 판결 시 갑, 을 모두에게 집행 유예를 선고할 수 없다. 집행 유예는 형의 집행을 유예하는 것이므로 집행할 형이 없는 무죄 선고의 경우에는 집행 유예를 선고할 수 없다.

오답피하기 ㄱ. 갑에게 무죄가 선고된 이유는 책임 조각 사유에 해당하기 때문이다.

ㄹ. 갑의 행위와 을의 행위에 대해 법원은 책임 조각 사유에 해당한다고 판단하였다.

15 근로자의 권리 구제 절차에 대한 이해

문제분석 ○○회사의 노동조합에 가입되어 있던 갑, 을은 모두 해고를 당하였고, 갑과 을은 모두 지방 노동 위원회에 구제 신청을 하였다. 이후 중앙 노동 위원회의 재심 판정에 대해 행정 소송이 진행되었고, 1심 법원은 갑에 대한 해고와 을에 대한 해고가 모두 부당하지 않다고 판단하여 판결하였다.

정답찾기 ㄴ. 갑의 해고에 대해서는 갑이 행정 소송을 제기하였고, 을의 해고에 대해서는 ○○회사가 행정 소송을 제기하였다. 이를 통해 중앙 노동 위원회는 갑의 해고에 대해서는 정당하다고 보았고, 을의 해고에 대해서는 부당하다고 보았음을 알 수 있다.

ㄷ. 갑과 ○○회사는 모두 중앙 노동 위원회의 재심 판정에 대해 행정 소송을 제기하였다.

오답피하기 ㄱ. 지방 노동 위원회의 판단은 자료를 통해서 파악할 수 없다.

ㄹ. 갑에 대한 해고는 부당 노동 행위가 될 수 있지만, 을에 대한 해고는 부당 노동 행위가 될 수 없다. 노동조합은 부당 노동 행위에 대해서만 구제 신청을 할 수 있다.

16 형사 절차에 대한 이해

문제분석 형사 절차는 크게 수사 → 기소 → 공판 → 판결 → 형의 집행 순으로 진행된다. 을은 불구속 수사 후 기소되어 2심 법원을 거쳐 대법원에서 무죄 판결이 확정되었고, 병은 구속 수사 후 기소되어 2심 법원을 거쳐 대법원에서 징역 2년이 확정되었다.

정답찾기 ⑤ 을은 무죄 판결을 받았지만 구금된 적이 없기 때문에 형사 보상을 청구할 수 없고, 병은 수사 절차에서 구금된 적은 있지만 유죄 판결을 받았으므로 형사 보상을 청구할 수 없다.

오답피하기 ① 병은 구속 수사를 받았으므로 구속 전 피의자 심문을 받았을 것이다. 을은 구속 전 피의자 심문을 거쳐 구속 영장이 발부되지 않아 불구속 수사를 받았을 수도 있고, 영장 청구 없이 그냥 불구속 수사를 받았을 수도 있다.

② 기소가 되더라도 유죄 판결이 확정될 때까지는 피고인에게 무죄 추정의 원칙이 적용된다.

③ 집행 유예는 유예 기간이 경과된 때에 형 선고의 효력이 상실된다. 유예 기간이 경과된 때에 면소된 것으로 간주하는 것은 선고 유예이다.

④ 2심 법원은 을에게 무죄를 선고하였으므로 이에 대한 상고는 검사가 했을 것이다. 병에 대해서는 2심 법원이 징역 2년을 선고하였는데 이에 대한 상고는 검사도 가능하고, 피고인도 가능하므로 병이 상고했다고 단정할 수 없다.

17 기본권 유형에 대한 이해

문제분석 사회권, 자유권, 참정권, 청구권 중 국가의 존재를 전제로 하는 권리는 사회권, 참정권, 청구권이므로 〈카드 1〉은 3점이고, 열거되어야 보장받을 수 있는 권리는 사회권, 참정권, 청구권이므로 〈카드 4〉도 3점이다.

정답찾기 ㄷ. 다른 기본권 보장의 전제가 되는 권리는 평등권이므로 해당 내용이 (나)에 들어가면 〈카드 3〉은 0점이다. 따라서 〈카드 3〉, 〈카드 4〉의 점수 합인 ㉡은 '3점'이다.

ㄹ. 소극적 권리는 자유권이므로 해당 내용이 (가)에 들어가면 〈카드 2〉는 1점이다. 기본권 보장을 위한 수단적 권리는 청구권이므로 해당 내용이 (나)에 들어가면 〈카드 3〉은 1점이다. 을이 선택한 〈카드 2〉, 〈카드 3〉의 점수 합이 2점이므로 해당 내용은 (가), (나)에 각각 들어

갈 수 있다.

오답피하기 ㄱ. ㉢은 '6점'이다.

ㄴ. 정치 과정에 참여할 수 있는 능동적 권리는 참정권이므로 해당 내용이 (가)에 들어가면 〈카드 2〉는 1점이다. 따라서 〈카드 1〉, 〈카드 2〉의 점수 합인 ㉠은 '4점'이다.

18 특수 불법 행위에 대한 이해

문제분석 첫 번째 사례는 책임 능력이 없는 미성년자의 감독자 책임과 사용자의 배상 책임과 관련되고, 두 번째 사례는 공작물 등의 점유자, 소유자 책임과 관련된다. 갑이 미성년자이지만 책임 능력이 없는지는 확정할 수 없고, 오히려 식당에서 일을 하므로 책임 능력이 있을 가능성이 높다. 따라서 갑의 부모는 A에게 반드시 특수 불법 행위 책임을 지는 것은 아니다. 또한 B가 입은 손해에 대해서는 공작물 등의 점유자인 병이 1차적 책임을 진다.

정답찾기 ④ B가 입은 손해에 대해 공작물 등의 점유자인 병이 면책되면 공작물 등의 소유자인 정은 B에게 무과실 책임을 진다. 따라서 해당 내용이 (나)에 들어가면 ㉢은 '1점'이다.

오답피하기 ① ㉠은 '0점', ㉡은 '0점'이다.

② 갑의 행위가 불법 행위로 성립하면 갑의 부모와 달리 을은 특수 불법 행위 책임을 질 수 있다. 따라서 해당 내용은 (가)에 들어갈 수 있다.

③ A가 입은 손해에 대해 을이 면책될 경우 A는 직접적인 가해자에게 손해 배상을 요구할 수 있다. 따라서 해당 내용은 (가)에 들어갈 수 있다.

⑤ 병과 정은 모두 특수 불법 행위 책임을 질 수 있다. 따라서 ㉢이 '1점'이면 해당 내용은 (나)에 들어갈 수 없다.

19 국제 연합의 주요 기관에 대한 이해

문제분석 국제 연합의 주요 기관 중 국제 평화와 안전 유지에 관한 실질적 의사 결정 기관은 안전 보장 이사회이고, 국제 사법 재판소의 재판관 선출권은 총회와 안전 보장 이사회가 갖는다. 따라서 A는 안전 보장 이사회, B는 총회, C는 국제 사법 재판소이다. (가)에는 옳지 않은 발표 내용이 들어가야 하고, (나)에는 옳은 발표 내용이 들어가야 한다.

정답찾기 ㄱ. 총회와 달리 안전 보장 이사회의 의결 방식에는 힘의 논리가 적용된다. 안전 보장 이사회의 의사 결정 시에는 절차 사항이 아닌 실질 사항의 경우 상임 이사국이 거부권을 행사할 수 있다. 따라서 (가)에 해당 내용이 들어갈 수 있다.

ㄹ. 국제 사법 재판소에는 개인이 아닌 국가가 제소할 수 있다. 따라서 (나)에 해당 내용이 들어갈 수 없다.

오답피하기 ㄴ. 총회는 모든 회원국이 참여하는 최고 의사 결정 기관이다. 따라서 (가)에 해당 내용이 들어갈 수 없다.

ㄷ. 안전 보장 이사회의 이사국 중 비상임 이사국의 임기만 2년이다. 따라서 (나)에 해당 내용이 들어갈 수 없다.

20 선거 결과 분석

문제분석 주어진 자료를 토대로 한 선거 결과는 다음과 같다.

(단위: 석)

구분			A당	B당	C당	D당
현행	지역구 의석수		0	3	4	1
	비례 대표 의석수		3	5	5	3
	총의석수		3	8	9	4
개편안	지역구 의석수	1–2		1	1	
		3–4	최소 0 최대 1		최소 1 최대 2	
		5–6		1		1
		7–8		최소 1 최대 2	최소 0 최대 1	
		합	최소 0 최대 1	최소 3 최대 4	최소 2 최대 4	1
	비례 대표 의석수	1–2–3–4	1	3	3	1
		5–6–7–8	1	3	2	2
		합	2	6	5	3
	총의석수		최소 2 최대 3	최소 9 최대 10	최소 7 최대 9	4

정답찾기 ④ 개편안에서 A당이 3석을 얻으면 지역구 〈3–4〉 선거구에서 C당은 1석을 얻게 되고, B당이 10석을 얻으면 지역구 〈7–8〉 선거구에서 C당은 당선자가 없다. 따라서 A당이 3석, B당이 10석을 얻으면 C당은 7석을 얻는다.

오답피하기 ① 현행에서 C당의 정당 득표율은 32.5%이고, 의석률은 37.5%이다. 따라서 정당 득표율보다 의석률이 높으므로 C당은 과대 대표된다.

② D당은 현행과 개편안 모두에서 4석을 얻으므로 현행보다 개편안이 유리하다고 볼 수 없다.

③ B당의 비례 대표 의석수는 현행 5석, 개편안 6석이므로 현행에 비해 개편안이 크다.

⑤ 개편안 비례 대표 의원 선거구 〈5–6–7–8〉에서 가장 많은 당선자를 배출한 정당은 3석을 얻은 B당이다.

실전 모의고사 4회

본문 117~122쪽

1 ④	2 ②	3 ④	4 ③	5 ③
6 ①	7 ⑤	8 ⑤	9 ⑤	10 ③
11 ⑤	12 ③	13 ①	14 ⑤	15 ②
16 ⑤	17 ⑤	18 ④	19 ③	20 ③

1 정치를 바라보는 관점 이해

문제분석 정치는 국가만을 배경으로 나타나는 정치권력의 획득, 유지, 행사와 관련된 활동이라고 보는 갑의 관점은 좁은 의미로 정치를 바라보는 관점에 해당한다. 정치는 국가를 포함한 모든 사회 집단에서 나타나는 이해관계의 대립과 갈등을 조정하고 해결하는 활동이라고 보는 을의 관점은 넓은 의미로 정치를 바라보는 관점에 해당한다.

정답찾기 ④ 질문 (나)에 대해 갑은 '아니요', 을은 '예'라고 답하였으므로 (나)에 '국가의 정치 현상과 국가 이외의 사회 집단의 정치 현상이 본질적으로 다르다고 보는가?'가 들어갈 수 없다.

(오답피하기) ① 다원화된 현대 사회의 갈등 해결 과정을 설명하는 데 적합한 것은 넓은 의미로 정치를 바라보는 관점에 해당한다.
② 정치의 주체를 소수의 통치 엘리트로 한정한다고 보는 것은 좁은 의미로 정치를 바라보는 관점에 해당한다.
③ 질문 (가)에 대해 갑은 '예', 을은 '아니요'라고 답하였으므로 (가)에 '국가 형성 이전의 정치 현상을 설명하기에 적합한가?'가 들어갈 수 없다. 넓은 의미로 정치를 바라보는 관점은 국가 형성 이전의 정치 현상을 설명하기에 적합하다.
⑤ 질문 (다)에 대해 갑은 '예', 을도 '예'라고 답하였으므로 (다)에 '대통령의 법률안 거부권 행사를 정치로 보는가?'가 들어갈 수 있다.

2 우리나라 헌법의 기본 원리 이해

문제분석 '적법 절차의 원리를 실현 방안으로 하는가?'라는 질문에 A는 B와 달리 '예'라고 답하므로 A는 자유 민주주의, B는 국민 주권주의이다.
(정답찾기) ② 자유 민주주의는 언론·출판·집회·결사의 자유를 보장하는 것을 실현 방안으로 한다.
(오답피하기) ① '복수 정당제를 실현 방안으로 하는가?'라는 질문에 A인 자유 민주주의가 '예'라고 답하고 B인 국민 주권주의도 '예'라고 답하므로 이 질문으로 A와 B를 구분할 수 없다. 따라서 해당 질문은 (가)에 들어갈 수 있다.
③ 자유 민주주의는 자유주의와 민주주의가 결합한 정치 원리이다.
④ 국민 주권주의는 국가 권력이 국민적 합의에 근거하여 정당성을 가져야 한다는 원리이다.
⑤ 복지 국가의 원리는 최저 임금 제도를 실시하는 것을 실현 방안으로 한다.

3 법치주의의 유형 이해

문제분석 A는 형식적 법치주의, B는 실질적 법치주의이다.
(정답찾기) ④ 실질적 법치주의는 형식적 법치주의와 달리 입법부의 자의로부터 국민의 자유를 보장하는 것을 강조한다.
(오답피하기) ① 형식적 법치주의는 '인(人)의 지배'가 아닌 '법의 지배'를 중시한다.
② 형식적 법치주의는 합법적 권력에 의한 독재 정치를 정당화할 우려가 있다.
③ 실질적 법치주의는 합법적으로 제정된 형벌 규정이 과잉 금지 원칙을 준수하는지를 중시한다.
⑤ 통치의 합법성뿐 아니라 법의 내용도 중시하는 법치주의의 유형은 실질적 법치주의이다.

4 기본권의 유형 이해

문제분석 제시문은 고소인·고발인에 한해서만 검사의 불기소 처분에 항고할 권리를 부여하고 있는 □□법 조항이 평등권을 침해한다며 헌법 소원 심판을 청구한 사례이다. 따라서 A는 평등권이다.
(정답찾기) ③ 평등권은 다른 기본권 보장의 전제 조건이 되는 권리이다.
(오답피하기) ① 자유권은 소극적·방어적인 성격의 권리이다.
② 참정권은 정치 과정에 참여할 수 있는 능동적 권리이다.
④ 참정권은 국민 주권주의를 실현할 수 있는 수단이 되는 권리이다.
⑤ 사회권은 개인 생활에 대한 국가의 적극적 개입을 통해 실현되는 권리이다.

5 정당, 이익 집단, 시민 단체의 이해

문제분석 A는 시민 단체, B는 이익 집단, C는 정당이다.
(정답찾기) 을. 정당은 당정 협의회 등을 통해 행정부와 의회를 매개하는 역할을 한다.
병. 이익 집단은 시민 단체, 정당과 달리 공적 이익보다 사적 이익을 우선시한다.
(오답피하기) 갑. 정당은 자신의 활동에 대해 정치적 책임을 진다.
정. 시민 단체와 이익 집단은 모두 대의 정치의 한계를 보완하는 역할을 한다.

6 가족 관계의 이해

문제분석 A는 갑과 을의 혼인 외의 출생자로 생모와는 출생으로 친자 관계가 형성되지만 생부와는 인지 절차를 거쳐야 친자 관계가 형성된다. B는 병과 정의 혼인 중의 출생자이다.
(정답찾기) ㄱ. 갑과 을은 사실혼 관계이고 을이 A를 낳았으므로 갑이 A와 친자 관계를 형성하기 위해서는 인지 절차를 거쳐야 한다.
ㄴ. 병과 정의 이혼의 경우 병이 정을 상대로 재판상 이혼을 청구하였는데, 법원이 이를 받아들여 이혼을 하였으므로 법원은 이혼의 책임이 정에게 있다고 판단하였다.
(오답피하기) ㄷ. 병과 정의 이혼은 재판상 이혼이다. 협의상 이혼은 원칙적으로 이혼 숙려 기간을 거쳐야 하며, 재판상 이혼은 이혼 숙려 기간을 거치지 않아도 된다.
ㄹ. 갑과 병이 법률혼을 하더라도 B가 갑과 병의 혼인 외의 출생자가 되는 것은 아니다.

7 우리나라 국가 기관의 이해

문제분석 우리나라 국가 기관의 권한이 적힌 카드 6장을 갑, 을, 병이 동시에 각각 2장씩 카드를 가져갔으므로 게임 결과에 해당하는 카드는 서로 중복되지 않는다. 카드 A는 3점, 카드 B는 1점, 카드 F는 1점을 획득하는 카드이다.
(정답찾기) ㄷ. (다)에 '대법원장·대법관 임명권'이 들어가면 ㉠은 '5점'이다.
ㄹ. (나)에 '법률안 거부권'이 들어가면 병의 점수는 3점이고, (다)에 '조약의 체결 및 비준권'이 들어가면 을의 점수는 5점이다. 이 경우 을의 점수가 가장 높다.
(오답피하기) ㄱ. 갑이 3점을 획득하였으므로 (가)에는 대통령의 권한에 해당하는 내용이 들어가야 한다. '국무 위원 임명 제청권'은 국무총리의 권한이므로 (가)에 들어갈 수 없다.
ㄴ. (나)에 '대통령 탄핵 소추권'이 들어가면 ㉡은 '4점'이다.

8 지방 자치 제도의 이해

문제분석 지방 의회는 지역구 의원과 비례 대표 의원으로 구성되며 지방 자치 단체의 의결 기관이다. 지방 자치 단체의 장은 지방 자치 단체의 집행 기관이다. 주민 참여 예산 제도는 지방 재정 운영의 투명성과 공정성을 높이기 위해 주민이 지방 자치 단체의 예산 편성 과정에 참여하여 의견을 제시할 수 있도록 한 제도이다.

정답찾기 ⑤ 지방 의회의 지역구 의원, 비례 대표 의원과 지방 자치 단체의 장의 임기는 모두 4년이다.

오답피하기 ① □□도는 광역 자치 단체이다. 광역 자치 단체 지역구 의원은 소선거구제로 선출된다.
② 지방 자치 단체의 장은 집행 기관이고, 지방 의회는 의결 기관이다.
③ 지방 자치 단체의 예산을 편성하는 권한은 지방 자치 단체의 장에, 예산안을 심의·확정하는 권한은 지방 의회에 있다.
④ 지방 의회의 지역구 의원은 주민 소환의 대상이 될 수 있지만, 비례 대표 의원은 주민 소환의 대상이 될 수 없다.

9 정부 형태의 이해

문제분석 국민의 선거에 의해 입법부를 구성하고 의회에서 행정부 수반을 선출하여 권력이 융합된 것을 특징으로 하는 정부 형태 A는 의원 내각제이다. 별도의 선거로 국민이 행정부 수반을 선출하고, 입법부도 구성하기 때문에 엄격한 권력 분립이 특징인 정부 형태 B는 대통령제이다. 1번 문항은 1점을 부여받았으므로 (가)에는 옳은 서술 내용이 들어가야 하며, 2번 문항은 0점을 부여받았으므로 (나)에는 옳지 않은 서술 내용이 들어가야 한다.

정답찾기 ⑤ 우리나라에서 국회가 국무총리 또는 국무 위원의 해임을 대통령에게 건의할 수 있는 것은 의원 내각제 요소에 해당한다. (나)에는 옳지 않은 내용이 서술되어야 하므로 (나)에는 '국무총리 또는 국무 위원의 해임을 대통령에게 건의할 수 있다.'가 들어갈 수 있다.

오답피하기 ① 의원 내각제에서는 행정부 수반의 임기가 엄격하게 보장되지 않는다.
② 대통령제에서는 행정부 수반과 국가 원수가 일치한다.
③ 국무 회의가 정부의 권한에 속하는 중요한 정책을 심의하는 것은 의원 내각제 요소에 해당한다. (가)에는 옳은 내용이 서술되어야 하므로 '국무 회의는 정부의 권한에 속하는 중요한 정책을 심의한다.'가 들어갈 수 있다.
④ 대통령은 국회에 대하여 법률안 거부권을 가진다는 것은 대통령제 요소에 해당한다. (가)에는 옳은 내용이 서술되어야 하므로 '대통령은 국회에 대하여 법률안 거부권을 가진다.'가 들어갈 수 없다.

10 계약 공정의 원칙 이해

문제분석 ○○ 지역 주택 조합의 조합원 자격을 상실한 뒤 지급했던 분담금을 대체 계약자가 대금을 입금한 경우에만 환불하기로 한 조합 가입 계약서의 내용이 고객에게 부당하게 불리한 약관 조항인지가 법원의 판단에서 쟁점이 되었다. 고객에게 부당하게 불리한 약관 조항인지 여부는 계약 공정의 원칙에 근거하여 판단하는 것이다.

정답찾기 ③ 계약 공정의 원칙에 따르면 계약 내용이 사회 질서에 반하거나 현저하게 공정하지 못한 경우 법적 효력이 인정되지 않는다.

오답피하기 ① 소유권 공공복리의 원칙에 따라 개인의 소유권은 공공복리를 위하여 필요한 경우에 한하여 법률로써 제한될 수 있다.
② 무과실 책임의 원칙에 따르면 자신에게 고의나 과실이 없는 경우에도 일정한 요건에 따라 손해 배상 책임을 질 수 있다.
④ 과실 책임의 원칙에 따라 개인은 자신의 고의나 과실에 따른 행위로 타인에게 손해를 끼친 경우에 대해서만 책임을 진다.
⑤ 소유권 절대의 원칙에 따라 개인 소유의 재산에 대해 사적 지배를 인정하여 국가는 이를 함부로 간섭하거나 제한하지 못한다.

11 미성년자의 법률 행위 이해

문제분석 제시된 자료는 미성년자인 갑이 을과 체결한 을의 스피커 매매 계약에 대한 상황을 나타낸 것이다. 미성년자는 행위 능력이 제한되므로 법률 행위를 하기 위해서는 원칙적으로 법정 대리인의 동의를 얻어야 한다. 법정 대리인의 동의 없는 미성년자의 법률 행위는 미성년자 본인 또는 법정 대리인이 취소할 수 있다. 단, 미성년자가 속임수로 상대방에게 자신을 행위 능력자로 믿게 한 경우 또는 법정 대리인의 동의를 받은 것처럼 속여 상대방이 믿게 한 경우 등에서는 해당 법률 행위를 취소할 수 없다.

정답찾기 ㄷ. 을이 계약 당시 갑이 미성년자임을 몰랐던 경우에는 을이 계약 당시 갑이 미성년자임을 안 경우와 달리 을은 갑에게 계약의 의사 표시를 철회할 수 있다.
ㄹ. 갑이 법정 대리인의 동의없이 계약을 체결했다면 을이 계약 당시 갑이 미성년자임을 안 경우와 을이 계약 당시 갑이 미성년자임을 몰랐던 경우 모두 을은 병에게 계약의 취소 여부에 대한 확답을 촉구할 수 있다.

오답피하기 ㄱ. 을이 계약 당시 갑이 미성년자임을 안 경우라도 계약 당시에 갑의 법정 대리인인 병의 동의가 없었으므로 갑은 을과의 계약을 취소할 수 있다.
ㄴ. 갑이 병의 동의서를 위조하여 을이 병의 동의가 있는 것으로 믿게 한 경우 병은 갑과 을의 계약을 취소할 수 없다.

12 죄형 법정주의 이해

문제분석 ○○ 지방 법원 합의부는 누범인 갑에게 적용되는 □□법 △△조항이 하한 징역 1년부터 상한 40년까지 법정형의 폭이 지나치게 넓어 자의적인 형벌권 행사의 위험에 처할 수 있어 죄형 법정주의의 내용(파생 원칙)인 A 원칙에 위반된다고 판단하였다. A는 죄형 법정주의의 내용(파생 원칙)인 적정성 원칙이다. ○○ 지방 법원 합의부가 직권으로 헌법 재판소에 제청한 (가)는 위헌 법률 심판이다.

정답찾기 ㄴ. 적정성 원칙에 따르면 형벌이 행위자의 책임의 정도를 초과해서는 안 된다.
ㄷ. ○○ 지방 법원 합의부는 □□법 △△조항이 죄형 법정주의의 내용(파생 원칙)인 적정성 원칙에 위반된다며 헌법 재판소에 위헌 법률 심판을 제청하였다.

오답피하기 ㄱ. 법률에 규정되지 않은 사항에 대해 그것과 유사한 성질을 가지는 사항에 관한 법률을 적용할 수 없다는 원칙은 유추 해석 금지의 원칙이다.
ㄹ. 헌법 재판소는 갑에게 적용되는 □□법 △△조항이 형법의 보장적 기능에 부합한다고 보아 합헌이라고 판단하였다.

13 형사 절차 이해

문제분석 갑에 대한 형사 절차인 (가)는 수사, (나)는 공판, (다)는 형의 선고에 해당한다.

정답찾기 ① 구속 전 피의자 심문은 구속 영장 실질 심사라고도 하는데, 영장 청구가 있을 때 법관이 피의자인 갑을 직접 심문하고 구속 영장 발부 여부를 결정하는 제도이다.

오답피하기 ② 범죄 혐의의 유무를 명백히 하여 공소 제기 여부 등을 결정하기 위해 범인을 발견·확보하고 증거를 수집·보전하는 국가 기관의 활동을 수사라고 한다. 수사는 수사 기관의 인지, 고소 또는 제3자의 고발 등에 의해 시작된다.
③ 구속 적부 심사 제도는 구속된 피의자가 구속의 적법성과 필요성을 심사하여 자신을 석방해 줄 것을 법원에 청구하는 제도이다. 형사 재판(공판)에서 구속 상태에서 재판을 받고 있는 갑은 보석 제도를 통해 불구속 재판을 받을 수 있다. 보석 제도는 보증금 납입 등을 조건으로 법원이 구속의 집행을 정지함으로써 구속된 피고인이 석방되는 제도이다.
④ 유예의 실효 없이 유예된 날로부터 일정한 기간을 경과하면 면소된 것으로 간주하는 판결은 선고 유예이다. 집행 유예는 집행 유예의 선고를 받은 후 그 선고의 실효 또는 취소됨이 없이 유예 기간을 경과한 때에는 형 선고의 효력이 상실된다.
⑤ 형사 재판(공판)에서 재판의 당사자는 피고인과 검사이므로 갑과 검사 모두 판결에 불복하여 항소할 수 있다.

14 우리나라 헌법 기관의 이해

문제분석 A는 항소심이므로 지방 법원 및 지원 합의부 또는 고등 법원 중 하나이다. B는 헌법 재판소이다. (가)는 위헌 법률 심판, (나)는 위헌 심사형 헌법 소원 심판이다.

정답찾기 ⑤ 각급 법원의 위헌 법률 심판 제청과 헌법 재판소의 위헌 심사형 헌법 소원 심판 모두 법을 제·개정하는 권한을 가진 국회를 견제하는 권한에 해당한다.

오답피하기 ① 지방 법원 및 지원 합의부 또는 고등 법원은 위헌·위법한 명령·규칙·처분에 대한 심사권을 가진다. 위헌·위법한 명령·규칙·처분에 대한 최종 심사권은 대법원이 가진다.
② 헌법 재판소의 재판관은 국회의 동의 없이 대통령이 임명한다. 단, 재판관 중 3인은 국회에서 선출하는 자를, 3인은 대법원장이 지명하는 자를 임명한다.
③ 항소심에서 위헌 법률 심판 제청 신청을 하였으나 기각당해 헌법 재판소에 청구한 헌법 소원 심판은 위헌 심사형 헌법 소원 심판이다.
④ 갑의 제청 신청이 없더라도 항소심 법원은 헌법 재판소에 직권으로 위헌 법률 심판을 제청할 수 있다.

15 범죄의 성립 요건 이해

문제분석 갑에게는 형의 선고가 유예되었고, 을에게는 징역 4월에 집행 유예 1년, 수강 명령이 선고되었다. 병에게는 징역 6월에 집행 유예 2년, 범죄 행위와 관련된 물건을 압수하는 재산형이 선고되었다.

정답찾기 ㄱ. 범죄 행위에 제공하였거나 그로 인해 취득한 물건 등은 몰수할 수 있는데, 몰수는 재산형에 해당한다. 병은 범죄 행위와 관련 압수된 물건을 몰수하는 재산형을 선고받았다.
ㄹ. 갑, 을, 병은 모두 유죄 판결을 받았고, 판결이 확정되었으므로 갑, 을, 병의 행위는 모두 범죄의 구성 요건에 해당한다.

오답피하기 ㄴ. 선고 유예는 피고인의 유죄를 인정하면서도 정상을 참작하여 형의 선고를 미루는 것이다. 수강 명령은 정신적·심리적 원인이나 잘못된 문제 인식과 행동 습관으로 인해 동종의 범행을 반복하게 될 우려가 큰 마약, 음주 운전, 가정 폭력, 성폭력 등의 범죄인에 대해 일정한 시간 동안 교육과 치료를 받도록 하는 보안 처분에 해당한다.
ㄷ. 집행 유예의 선고를 받은 후 그 선고의 실효 또는 취소됨이 없이 유예 기간을 경과한 때에는 형의 선고가 효력을 잃는다.

16 특수 불법 행위 이해

문제분석 갑이 고용한 을이 과실로 결혼식 과정을 비디오로 제대로 촬영하지 못했다면 갑이 채무 불이행 책임을 진다. 또한 을이 업무와 관련하여 손해를 가했으므로 을이 불법 행위 책임을 지면 사용자인 갑은 을의 선임 및 그 사무 감독상의 과실에 대해 특수 불법 행위 책임을 진다. 상가 건물이 무너져 손해를 가했다면 점유자인 정에게 특수 불법 행위 책임이 있고, 점유자인 정이 손해의 방지에 필요한 주의를 게을리하지 않았음을 증명하면 병이 공작물 등의 소유자 책임을 진다.

정답찾기 ⑤ 점유자인 정이 손해의 방지에 필요한 주의를 게을리하지 않았음을 증명하면 소유자인 병이 공작물의 소유자로서 무과실 책임을 진다.

오답피하기 ① 갑이 불법 행위 책임을 진다면 정신적 손해에 대한 배상 책임을 질 수 있다.
② 사례의 주인공이 갑과 계약을 맺었으므로 채무 불이행에 대한 손해 배상 책임은 계약을 이행하지 못한 갑이 진다.
③ 갑이 사용자로서 특수 불법 행위 책임을 진다면 을이 일반 불법 행위 책임을 졌기 때문이다.
④ 갑이 을에 대한 선임 및 사무 감독에 상당한 주의를 다했음을 증명한다면 갑의 사용자로서 특수 불법 행위 책임은 면제된다. 하지만 을은 일반 불법 행위 책임을 질 수 있다.

17 부당 해고 구제 절차 이해

문제분석 갑은 쟁의 행위에 참가하였다는 이유로, 을은 근무 실적이 저조하다는 이유로 A회사로부터 해고되어 구제 신청을 한 사례이다. 갑은 ○○ 지방 노동 위원회에서 인용 결정을 받았으나, 중앙 노동 위원회에 신청된 재심에서 인용 결정이 있었으므로 중앙 노동 위원회의 재심 판정에 대하여 행정 소송법이 정하는 바에 의한 소를 제기한 원고는 갑이다. 을은 ○○ 지방 노동 위원회에서 인용 결정을 받았다. 또한 중앙 노동 위원회에 신청된 재심에서는 인용 결정이 내려지지 않았으므로 중앙 노동 위원회의 재심 판정에 대하여 행정 소송법이 정하는 바에 의한 소를 제기한 원고는 A회사이다.

정답찾기 ⑤ 갑에 대한 행정 소송에서 원고는 갑이고, 을에 대한 행정 소송에서 원고는 A회사이다. 행정 소송에서 재심 판정을 취소한다면, 갑에 대한 해고는 부당 해고이지만, 을에 대한 해고는 부당 해고가 아니라고 본 것이다.

오답피하기 ① 갑은 쟁의 행위에 참가하였다는 이유로, 을은 근무 실적이 저조하다는 이유로 A회사로부터 해고되었으므로 A회사의 노동조합은 갑에 대한 해고에 대해서만 부당 노동 행위를 이유로 하여 노동 위원회에 구제 신청을 할 수 있다.
② 갑과 을 모두 ○○ 지방 노동 위원회의 결정과 별도로 A회사를 상대로 해고의 효력을 다투는 소를 제기할 수 있다.
③ 갑에 대한 해고에서 중앙 노동 위원회 위원장을 상대로 행정 소송을 제기한 자는 갑이다.
④ ○○ 지방 노동 위원회는 을의 해고를 부당 해고라 보았고, 이에 불복한 A회사가 중앙 노동 위원회에 신청한 재심 청구가 기각되었으므로 중앙 노동 위원회도 을의 해고가 부당 해고라고 보았다. 그러므로 을의 해고에 대해 ○○ 지방 노동 위원회와 중앙 노동 위원회의 판단은 같았다.

18 국제 관계를 바라보는 관점 이해

문제분석 제시된 자료에서 갑의 관점은 국제기구의 중요성을 강조하고 평화적이고 협력적인 관계를 통해 국제 에너지 자원을 관리할 수 있다고 보는 자유주의적 관점이고, 을의 관점은 에너지 자원이 국가 안보에 핵심적인 역할을 하기 때문에 대립하는 국가 간에 상대방의 국력과 동일한 군사력을 유지하기 위해 에너지 자원을 확보하는 것을 중요하게 보는 현실주의적 관점이다.

정답찾기 ④ 현실주의적 관점은 국제 사회에서 강제력을 행사할 수 있는 중앙 정부가 존재하지 않는다고 본다.

오답피하기 ① 현실주의적 관점은 국제 사회가 도덕적 규범보다 힘의 논리에 의해 지배된다고 본다.
② 현실주의적 관점은 세력 균형 전략으로 국제 질서 유지가 가능하다고 본다.
③ 자유주의적 관점은 평화를 달성하기 위한 방안으로 집단 안보를 강조한다.
⑤ 자유주의적 관점은 현실주의적 관점과 달리 개별 국가의 이익과 국제 사회 전체의 이익이 조화될 수 있다고 본다.

19 국제 연합의 주요 기관 이해

문제분석 A는 국제 사법 재판소, B는 안전 보장 이사회이다.

정답찾기 ③ 안전 보장 이사회의 안건은 15개 이사국 중 9개국 이상의 찬성으로 의결된다. 안전 보장 이사회에서 절차 사항이 아닌 실질 사항의 경우 상임 이사국이 거부권을 가진다. 안전 보장 이사회에서 이사국 15개국 중 12개국이 찬성하여 절차 사항이 아닌 사항이 담긴 결의안이 통과되었으므로 이에 거부권을 행사한 상임 이사국은 없었다.

오답피하기 ① 국제 사법 재판소는 서로 국적이 다른 재판관으로 구성된다.
② 국제 연합의 모든 회원국이 참여하는 최고 의결 기관은 총회이다.
④ 안전 보장 이사회의 비상임 이사국은 총회에서 선출한다.
⑤ 안전 보장 이사회는 국제 사법 재판소의 판결을 이행하지 않는 국가에 적절한 조치를 취할 수 있다.

20 선거 결과 분석

문제분석 최근 갑국의 의회 의원 선거 결과와 개편안을 적용한 차기 선거 결과는 다음과 같다.

〈최근 선거 결과〉

구분	A당	B당	C당	D당	합계
총의석수	1	1	4	0	6

〈개편안 적용 시〉

• 선거구 1－4, 2－5, 3－6 통합의 경우

구분	A당	B당	C당	D당	합계
선거구 1－4	220	180	170	30	600
선거구 2－5	190	120	320	170	800
선거구 3－6	300	70	130	100	600
합계	710	370	620	300	2,000

구분	A당	B당	C당	D당	합계
총의석수	4	1	1	0	6

• 선거구 1－4, 2－3, 5－6 통합의 경우

구분	A당	B당	C당	D당	합계
선거구 1－4	220	180	170	30	600
선거구 2－3	220	120	310	170	820
선거구 5－6	270	70	140	100	580
합계	710	370	620	300	2,000

구분	A당	B당	C당	D당	합계
총의석수	3	1	2	0	6

정답찾기 ③ 정당은 선거구별로 2인이 당선 가능하면 2인을 공천한다. 개편안 적용 시 선거구 1－4, 2－5, 3－6 통합의 경우 A당은 선거구 3－6에서 2인을 공천한다. 2인 모두 당선되면 A당의 총의석수는 4석이다. 개편안 적용 시 선거구 1－4, 2－3, 5－6 통합의 경우 A당의 총의석수는 3석이다.

오답피하기 ① 현행은 소선거구제이며, 개편안은 중·대선거구제이다. 개편안에서는 동일 선거구 내 당선자 간 유권자의 투표 가치 차등 문제가 발생할 수 있다.
② 개편안에서 선거구 1－2를 통합할 경우 해당 선거구 유권자 수가 다른 선거구 유권자 수의 2배 이상이 된다. 그러므로 선거구 1은 선거구 4와만 통합할 수 있다. 개편안에서 선거구를 통합할 수 있는 경우는 '선거구 1－4, 2－5, 3－6', '선거구 1－4, 2－3, 5－6'으로 총 2개이다.
④ 개편안에서 C당은 선거구 1－4, 2－5, 3－6으로 통합되면 총의석수는 1석이며, 선거구 1－4, 2－3, 5－6으로 통합되면 총의석수는 2석이다. 그러므로 선거구 1－4, 2－3, 5－6으로 통합을 선호한다.
⑤ B당은 현행과 개편안의 경우 모두 총의석수는 1석이다. D당은 현행과 개편안의 경우 모두 총의석수는 0석이다. B당과 D당 모두 선거 제도 개편에 따른 유불리는 없다.

실전 모의고사 5회

본문 123~128쪽

1 ①	2 ⑤	3 ③	4 ②	5 ④
6 ④	7 ④	8 ④	9 ④	10 ⑤
11 ①	12 ⑤	13 ③	14 ②	15 ②
16 ⑤	17 ⑤	18 ①	19 ③	20 ⑤

1 정치를 바라보는 관점 이해

문제분석 갑의 관점은 넓은 의미로 정치를 바라보는 관점, 을의 관점은 좁은 의미로 정치를 바라보는 관점이다. 따라서 (가)에는 넓은 의미의 정치와 좁은 의미의 정치에 모두 해당하는 사례가 들어가야 하고, (나)에는 넓은 의미의 정치에는 해당하지만 좁은 의미의 정치에는 해당하지 않는 사례가 들어가야 한다.

정답찾기 ① 넓은 의미로 정치를 바라보는 관점은 국가 형성 이전에 나타난 정치 현상을 설명하는 데 적합하다.

오답피하기 ② 넓은 의미로 정치를 바라보는 관점은 정치권력을 획득하고 행사하는 활동을 정치로 본다.

③ 넓은 의미로 정치를 바라보는 관점은 좁은 의미로 정치를 바라보는 관점에 비해 다원화된 현대 사회의 갈등 해결 양상을 설명하는 데 용이하다.

④ '학급 회의를 통한 스마트폰 이용 규칙 제정'은 좁은 의미로 정치를 바라보는 관점에서 정치로 보지 않으므로 (가)에 들어갈 수 없다.

⑤ '국회의 지방 자치법 개정안 의결'은 좁은 의미로 정치를 바라보는 관점에서도 정치로 보기 때문에 (나)에 들어갈 수 없다.

2 법치주의의 유형 이해

문제분석 A는 형식적 법치주의, B는 실질적 법치주의이다.

정답찾기 ㄷ. 통치 행위가 형식적 합법성을 갖춘 경우 실질적 정당성은 문제 삼지 않는 형식적 법치주의와 달리 실질적 법치주의는 형식적 합법성뿐만 아니라 실질적 정당성도 중시한다.

ㄹ. 법치주의는 권력자의 자의에 의해 권력이 행사되는 인치(人治)가 아닌 법에 의해 권력이 행사되는 법치(法治)를 강조한다. 따라서 형식적 법치주의와 실질적 법치주의 모두 국민의 기본권을 제한하기 위해서는 법적 근거가 필요하다고 본다.

오답피하기 ㄱ. 형식적 법치주의, 실질적 법치주의 모두 국가 권력의 자의적 행사를 경계한다.

ㄴ. 실질적 법치주의는 합법적 절차를 거쳐 제정된 법률이더라도 그 목적과 내용이 기본권 보장이라는 헌법 이념에 부합되어야 한다고 본다. 따라서 위헌 법률 심사제가 필요하다고 본다.

3 우리나라 헌법의 기본 원리 및 국제법의 법원(法源) 이해

문제분석 (가)는 국제 평화주의이며, A는 조약, B는 국제 관습법이다.

정답찾기 ③ '국제법과 조약이 정하는 바에 의한 외국인의 지위 보장'은 국제 평화주의의 실현 방안이다.

오답피하기 ① 헌법의 기본 원리 중 분단된 현실을 반영한 우리나라 특유의 원리는 평화 통일 지향이다.

② '재외 국민의 선거권 보장'은 국민 주권주의의 실현 방안이다.

④ 우리나라는 침략적 전쟁을 부인하는 것이지 모든 전쟁을 부인하는 것은 아니며, 전쟁 지역의 평화와 재건을 위해 국군을 파병하기도 한다.

⑤ 국제 관습법은 조약과 달리 비준 절차를 거치지 않더라도 국내법과 동등한 효력을 가진다.

4 대통령제 정부 형태와 의원 내각제 정부 형태의 비교

문제분석 갑국의 정당 제도는 양당제인데 T시기 행정부 수반 소속 정당의 의회 의석률이 30%이므로 갑국의 정부 형태는 대통령제이다. 을국의 정부 형태는 의원 내각제이며 T+1시기 행정부 수반 소속 정당의 의회 의석률이 35%이므로 T+1시기 을국에서는 연립 내각이 구성되었을 가능성이 높다.

정답찾기 ② 갑국의 정부 형태는 대통령제이다. 행정부 수반이 국가 원수의 지위를 동시에 가지는 것은 대통령제의 특징이다.

오답피하기 ① 행정부 수반이 법률안 거부권을 가지는 것은 대통령제의 특징이고, 행정부 수반이 의회 해산권을 가지는 것은 의원 내각제의 특징이다. 따라서 ㉠에는 '갑국', ㉡에는 '을국'이 들어간다.

③ 갑국의 정부 형태는 대통령제이므로 갑국에서는 연립 내각이 구성될 수 없다.

④ 갑국의 정부 형태는 대통령제이므로 의회가 내각을 불신임할 수 없다.

⑤ 대통령제에서는 의원 내각제와 달리 행정부 수반의 임기가 엄격히 보장된다.

5 기본권 유형 이해

문제분석 국가 및 공공 단체의 구성원으로서 그 직무를 담당할 수 있는 권리인 A는 참정권이다.

정답찾기 ④ 참정권은 국가의 정치적 의사 결정 과정에 참여할 수 있는 능동적 권리이다.

오답피하기 ① 자유권은 역사적으로 가장 오래된 기본권이다.

② 청구권은 다른 기본권을 보장하기 위한 수단적 권리이다.

③ 자유권은 국가 권력에 의한 간섭이나 침해를 배제하는 방어적 권리이다.

⑤ 헌법 재판소는 심판 대상 조항에 대해 입법 목적의 정당성은 인정되나 침해의 최소성에 반한다고 판단하였으므로 해당 조항은 과잉 금지 원칙에 위배된다.

6 우리나라 지방 자치 제도의 이해

문제분석 ○○시 의회는 지방 의회, ○○시장은 지방 자치 단체의 장이다.

정답찾기 ④ 지방 의회는 본회의에 제출된 지방 자치 단체의 예산안을 심의·확정한다.

오답피하기 ① 지방 의회는 의결 기관, 지방 자치 단체의 장은 집행 기관이다.

② 지방 의회는 조례를 제정할 수 있는 권한을 가지며 조례가 확정되기 위해 주민 투표를 거쳐야 하는 것은 아니다.

③ 지방 자치 단체의 장은 법령 또는 조례의 범위 내에서 규칙을 제

정할 수 있다.
⑤ 지방 자치 단체의 장과 지방 의회 의원 중 지역구 의원은 주민 소환의 대상이 될 수 있다. 따라서 갑, 을 모두 주민 소환의 대상이 될 수 있다.

7 우리나라 헌법 기관 이해

문제분석 A는 대법원, B는 헌법 재판소, C는 대통령이다.

정답찾기 ④ 대법원은 대통령 선거의 효력을 다투는 소송의 재판권을 가진다.

오답피하기 ① 헌법 재판소는 위헌 법률 심판권을 가진다. 대법원은 위헌 법률 심판 제청권을 가진다.
② 헌법 재판소는 법관의 자격을 가진 9인의 재판관으로 구성된다.
③ 정당의 목적이나 활동이 민주적 기본 질서에 위배될 때에 정부는 헌법 재판소에 그 정당의 해산을 제소할 수 있다.
⑤ 대법원장과 헌법 재판소장은 모두 국회의 동의를 얻어 대통령이 임명한다.

8 미성년자의 계약에 대한 이해

문제분석 미성년자인 갑이 을로부터 고가의 명품 가방을 구매하는 계약을 체결한 경우 (가)~(라)의 상황에 따라 법적 판단이 달라질 수 있다. 갑이 법정 대리인의 동의를 얻어 계약을 체결한 (가)와 갑이 신분증을 위조하여 성년자로 믿게 하고 계약을 체결한 (라)의 상황에서는 갑과 갑의 법정 대리인 모두 계약을 취소할 수 없다.

정답찾기 ④ 미성년자와 거래한 상대방은 미성년자의 법정 대리인의 추인이 있기 전까지 계약 체결의 의사 표시를 철회할 수 있다. 단, 계약 체결 당시 미성년자임을 알고 있었던 경우에는 철회권을 행사할 수 없다. 따라서 (나)에서 을은 (다)에서와 달리 갑의 법정 대리인의 추인이 있기 전까지 계약 체결의 의사 표시를 철회할 수 있다.

오답피하기 ① (가)에서 갑과 갑의 법정 대리인은 모두 계약을 취소할 수 없다.
② (나)에서 을은 갑의 법정 대리인에게 계약 취소 여부에 대한 확답을 촉구할 권리를 행사할 수 있다.
③ (라)에서 갑은 신분증을 위조하여 을에게 자신을 성년자로 믿게 하였으므로, 갑의 법정 대리인은 갑이 미성년자임을 이유로 계약을 취소할 수 없다.
⑤ (가)~(라) 중 갑이 계약을 취소할 수 있는 상황은 (나)와 (다) 2개이다.

9 정치 과정 이해

문제분석 정치 과정은 사회 구성원의 요구와 지지가 정책 결정 기구에 투입되어 정책의 결정과 집행이 산출되고 정치 주체에 의한 평가 및 재투입 등 환류가 이루어지는 일련의 과정이다. 정치 과정을 나타낸 그림에서 A는 투입, B는 산출이다.

정답찾기 ㄴ. 언론은 특정 사건이나 쟁점을 중점적으로 보도하여 사회적 의제를 설정하거나 여론을 형성할 수 있으며 이를 통해 투입에 참여할 수 있다.
ㄹ. '전동 킥보드 이용 시 주의 의무를 강화하는 도로 교통법 개정'은 정책 결정 기구인 국회에서 이루어진 산출의 사례에 해당하므로 (가)에 들어갈 수 있다.

오답피하기 ㄱ. 정당과 시민 단체 모두 정책 결정 기구에 해당하지 않는다.
ㄷ. 투입과 산출 모두 경제·사회·문화·생태 등의 정치 외적 요소의 영향을 받는다.

10 민법의 기본 원칙 이해

문제분석 고객이 반려동물의 소유권을 포기했다는 이유로 고객의 관여를 전면 금지하고 동물의 반환 및 비용 환급을 불가능하도록 규정한 약관 조항은 사업자의 의무를 이유 없이 경감하고 고객에게 부당하게 불리하여 민법의 기본 원칙 중 계약 공정의 원칙에 위배된다. 따라서 (가)는 계약 공정의 원칙이다.

정답찾기 ⑤ 계약 공정의 원칙은 계약의 내용이 사회 질서에 위반되거나 현저하게 공정하지 못한 경우 법적 효력이 발생하지 않는다는 원칙이다.

오답피하기 ① 소유권 공공복리의 원칙에 대한 설명이다.
② 사적 자치의 원칙에 대한 설명이다.
③ 과실 책임의 원칙에 대한 설명이다.
④ 사유 재산권 존중의 원칙에 대한 설명이다.

11 우리나라 헌법 기관 이해

문제분석 대통령에게 국무 위원의 해임을 건의할 수 있는 헌법 기관에는 국회와 국무총리가 있다. 행정부 최고 심의 기관은 국무 회의이므로 갑은 틀린 대답을 하였다. 을이 옳게 말했다면 A는 국무총리, B는 국회이다. 이 경우 병은 틀리게 말했고 정은 옳게 말했다. 반면 을이 틀리게 말했다면 A는 국회, B는 국무총리이고 이 경우 병은 옳게 말했고 정은 틀리게 말했다. 교사가 두 사람은 옳게 말하고 두 사람은 틀리게 말했다고 하였으므로 A는 국무총리, B는 국회이다.

정답찾기 ① A는 국무총리, B는 국회이므로 을과 정이 옳게 말하였다.

오답피하기 ② 국회는 국정 조사 및 국정 감사권을 가진다.
③ 헌법 재판소 재판관은 모두 대통령이 임명한다.
④ 국무총리는 국무 위원 임명 제청권을 가진다.
⑤ 국무총리는 국회의 동의를 얻어 대통령이 임명한다.

12 이혼의 법적 효과 및 부모와 자녀 간의 법률관계 이해

문제분석 갑과 을은 이혼 숙려 기간을 거친 후 법원으로부터 이혼 의사를 확인받아 이혼하였고, 을과 병은 법원의 판결을 통해 이혼하였다. 따라서 갑과 을의 이혼은 협의상 이혼, 을과 병의 이혼은 재판상 이혼이다. 한편, 을과 병의 혼인 중에 병은 B를 친양자로 입양하였으므로 입양 후 갑과 B의 친자 관계는 종료된다.

정답찾기 ⑤ 을과 병의 이혼 당시 A는 갑, 을과 친자 관계가 있고, B는 을, 병과 친자 관계가 있으며, C는 을, 병과 친자 관계가 있다.

오답피하기 ① 협의상 이혼은 법원의 이혼 의사 확인 후, 가족 관계의 등록 등에 관한 법률이 정한 바에 의하여 이혼 신고를 함으로써 효력이 발생한다.
② 재판상 이혼은 법이 정한 이혼 사유에 해당하는 경우에만 가능하다.

③ 이혼에 책임이 있더라도 혼인 중 취득한 재산에 대한 재산 분할권은 인정된다. 따라서 병은 을과 이혼하면서 혼인 중 취득한 재산에 대한 분할을 청구할 수 있다.
④ 을과 병의 이혼 후 병이 사망한다면 병의 직계 비속인 C와 B가 병의 재산을 상속받으며, 직계 존속인 정은 병의 재산을 상속받을 수 없다.

13 특수 불법 행위에 대한 이해

문제분석 갑이 친구 을 소유의 개를 산책시키던 중 입마개가 채워져 있지 않던 개가 병에게 달려들어 병이 상해를 입었으며 이로 인해 갑은 과실 치상죄로 벌금 50만 원을 선고받았다. 갑이 개에게 입마개를 채우지 않은 과실이 인정되므로 갑은 병에게 동물의 점유자 책임을 진다.

정답찾기 ㄴ. 병은 정신적 충격을 입었으므로 재산적 손해뿐만 아니라 정신적 손해에 대해서도 배상을 청구할 수 있다.
ㄷ. 갑은 동물의 점유자로서 병에게 동물의 점유자 책임을 지는데, 동물의 점유자 책임은 특수 불법 행위 책임에 해당한다.

오답피하기 ㄱ. 동물이 타인에게 손해를 가한 경우 동물의 점유자가 동물의 점유자 책임을 질 수 있으며 점유자가 동물의 종류와 성질에 따라 그 보관에 상당한 주의를 기울였음을 증명하면 책임이 면제된다. 동물의 점유자가 면책되더라도 동물의 소유자가 무과실 책임을 지는 것은 아니다.
ㄹ. 갑이 형사상 벌금형을 선고받은 것과 별개로 갑은 병에게 민사상 손해 배상 책임을 진다.

14 죄형 법정주의 이해

문제분석 심판 대상 조항 중 '명령 사항'이라는 개념이 모호하게 규정되어 일반인은 물론 세무 행정 실무자와 법률 전문가 사이에서도 법해석상의 혼란을 일으키고 있다는 내용을 통해 A원칙이 명확성의 원칙임을 파악할 수 있다.

정답찾기 ② 명확성의 원칙은 범죄와 형벌이 법률에 구체적으로 명확하게 규정되어야 한다는 원칙이다.

오답피하기 ① 적정성의 원칙에 대한 설명이다.
③ 성문 법률주의에 대한 설명이다.
④ 유추 해석 금지의 원칙에 대한 설명이다.
⑤ 소급효 금지의 원칙에 대한 설명이다.

15 범죄 성립 요건 이해

문제분석 갑이 을 소유의 가상 화폐를 사용한 행위에 대해 1심 법원은 재산상 이익을 얻었으므로 배임죄가 성립하지만 가상 화폐가 '재물'이 아니므로 횡령죄가 성립하지 않는다고 판단하였다. 갑과 검사 모두 항소하였으나 2심 법원은 이를 모두 기각하였고 갑은 상고하였다. 대법원은 배임죄의 주체는 '타인의 사무를 처리하는 자'인데 갑은 이에 해당한다고 볼 수 없다며 원심 판결을 고등 법원으로 파기 환송하였다.

정답찾기 ② 1심 법원은 횡령죄의 객체는 '타인의 재물'인데, 가상 화폐는 재물로 볼 수 없다며 갑에게 횡령죄가 성립하지 않는다고 판단하였다. 이는 갑의 행위에 대해 횡령죄의 구성 요건이 인정되지 않는다고 판단한 것이다.

오답피하기 ① 대법원이 원심 판결을 고등 법원으로 파기 환송하였으므로 2심 재판은 고등 법원, 1심 재판은 지방 법원 합의부에서 담당하였다.
③ 2심 법원은 갑과 검사의 항소를 모두 기각하였다. 따라서 1심 법원과 동일하게 가상 화폐를 재물로 볼 수 없다고 판단하였다.
④ 대법원은 갑이 '타인의 사무를 처리하는 자'에 해당하지 않으므로 갑의 행위가 배임죄의 구성 요건에 해당하지 않는다고 판단하였다.
⑤ 대법원은 갑에게 재산상 이익이 발생하지 않았다고 본 것이 아니라 갑이 배임죄의 주체인 '타인의 사무를 처리하는 자'에 해당하지 않는다고 판단하여 원심 판결을 파기 환송하였다.

16 형사 절차에 대한 이해

문제분석 갑은 구속 수사를 받고 1심 법원에서 징역 6월에 집행 유예 2년을 선고받았다. 이에 갑은 항소하였는데 2심 법원은 갑에게 무죄를 선고하였고 해당 판결이 확정되었다.

정답찾기 ⑤ 갑은 구속된 상태에서 수사를 받았으므로 무죄 판결 확정 이후 형사 보상 제도를 활용하여 구금에 대한 물질적·정신적 피해의 보상을 청구할 수 있다.

오답피하기 ① 갑은 고소를 당해 구속 수사를 받았다. 고소는 범죄의 피해자나 이해관계자가 수사 기관에 직접 범인을 처벌하도록 요청하는 것이다. 제3자가 수사 기관에 범죄 사실을 신고하여 처벌을 요청하는 것은 고발이다.
② 구속 영장 실질 심사(구속 전 피의자 심문)는 검사가 피의자에 대한 구속 영장을 청구하면, 판사가 피의자를 직접 대면하여 심문하면서 구속 사유가 인정되는지를 판단하는 것이다. 구속된 피의자는 자신의 석방을 위해 법원에 구속 적부 심사를 청구할 수 있다.
③ 갑은 1심 법원으로부터 집행 유예를 선고받았다. 집행 유예의 선고를 받은 후 그 선고의 실효 또는 취소 없이 유예 기간을 경과한 때에는 형 선고의 효력이 상실된다.
④ 배상 명령 제도는 일정한 사건의 피해자가 형사 재판 과정에서 민사적 손해 배상 명령을 받아낼 수 있도록 한 제도이다. 갑은 이 사건 형사 재판의 피해자가 아니므로 배상 명령을 활용할 수 없다.

17 부당 해고의 구제 절차 이해

문제분석 ○○회사가 갑이 자진 퇴사한 것으로 고용 보험 상실 신고를 하자 갑은 부당 해고에 해당한다며 □□ 지방 노동 위원회에 구제 신청을 하였다. □□ 지방 노동 위원회는 갑의 구제 신청을 기각하였고, 갑이 재심을 신청하였으나 중앙 노동 위원회도 갑의 재심 신청을 기각하였다. 이에 갑은 행정 소송을 제기하였고 법원은 중앙 노동 위원회의 재심 판정을 취소한다는 판결을 내렸다.

정답찾기 ㄷ. 갑이 제기한 소송은 중앙 노동 위원회 위원장을 상대로 한 행정 소송으로 중앙 노동 위원회의 재심 판정을 거친 후에 제기할 수 있는 소송이다.
ㄹ. 법원은 중앙 노동 위원회의 재심 판정을 취소한다는 판결을 내렸다. 이는 ○○회사가 갑이 자진 퇴사한 것으로 고용 보험 상실 신고를 한 것은 부당 해고에 해당한다고 판단한 것이다.

오답피하기 ㄱ. 갑은 회사에 사직 의사를 표시한 바 없음에도 자신을 퇴사 처리한 것은 부당 해고에 해당한다며 □□ 지방 노동 위원회에 구제 신청을 하였다. 자신의 근로 3권이 침해된 경우에는 부당 노동 행위에 대한 구제 신청을 할 수 있다.
ㄴ. 중앙 노동 위원회는 갑의 재심 신청을 기각하였다. 이는 갑과 ○○회사의 근로관계가 갑의 의사에 반해 일방적으로 종료되었다고 보기 어렵다고 판단한 것이다.

18 국내법과 국제법에 대한 이해

문제분석 시민적 및 정치적 권리에 관한 국제 규약은 국제법의 법원(法源) 중 조약에 해당한다. 민법과 형법은 국내법 중 법률에 해당한다.
정답찾기 ① 우리나라에서 조약에 대한 체결·비준권은 대통령이 가진다.
오답피하기 ② 조약은 원칙적으로 체결 당사자 간에만 법적 구속력을 가진다.
③ 국내법인 형법은 강제적으로 집행할 기관이 있다. 형법에 위반된 행위를 한 경우 형사 절차에 따라 수사 및 재판을 받을 수 있으며 판결이 확정된 경우 검사의 지휘에 따라 형이 집행된다.
④ 민법은 형법과 달리 개인과 개인 간의 사적인 생활 관계를 규율하는 법으로 사법에 해당한다.
⑤ 시민적 및 정치적 권리에 관한 국제 규약, 민법, 형법 모두 성문화된 형식으로 존재한다.

19 국제 연합의 주요 기관에 대한 이해

문제분석 A는 국제 사법 재판소, B는 안전 보장 이사회, C는 총회이다.
정답찾기 ③ 총회와 안전 보장 이사회 모두 법적 문제에 관하여 권고적 의견을 줄 것을 국제 사법 재판소에 요청할 수 있다.
오답피하기 ① 국제 사법 재판소의 재판은 국가 간 법적 분쟁을 대상으로 하며 개인은 재판 당사자가 될 수 없다.
② ㉠의 여부를 결정하는 과정에서 상임 이사국은 거부권을 행사할 수 있으므로 ㉠의 여부를 결정하는 것은 절차 사항이 아닌 실질 사항에 해당한다.
④ 총회와 안전 보장 이사회 모두 국제 사법 재판소의 재판관을 선출하는 권한을 가진다.
⑤ 안전 보장 이사회는 국제 평화와 안전 유지를 위해 필요한 경우 군사적 조치를 취할 수 있다.

20 선거 결과 분석

문제분석 갑국의 의회는 200인의 지역구 의원만으로 구성되며 최근 의회 의원 선거 결과는 다음과 같다.

〈갑국의 최근 의회 의원 선거 결과〉

정당	지역구 의석수(석)	득표율(%)
A당	105	42
B당	60	34
C당	30	19
D당	5	5

을국의 의회는 지역구 의원 100인과 비례 대표 의원 100인으로 구성되며, 전체 투표 총수의 12% 이상을 득표한 정당(의석 할당 정당)에만 비례 대표 의석을 배분하므로 d당은 비례 대표 의석을 배분받을 수 없다. 을국의 최근 의회 의원 선거 결과는 다음과 같다.

〈을국의 최근 의회 의원 선거 결과〉

정당	지역구 의석수(석)	득표율 (%)	의석 할당 정당의 득표 비율 (%)	비례 대표 의석수(석)	총의석수 (석)
a당	53	45	50	50	103
b당	30	27	30	30	60
c당	12	18	20	20	32
d당	5	10	–	–	5

정답찾기 ㄷ. 갑국 B당의 의회 의석률(30%)과 을국 b당의 의회 의석률(30%)은 같다.
ㄹ. 갑국에서는 A당(105석), 을국에서는 a당(103석)이 각각 과반 의석을 확보하였다.
오답피하기 ㄱ. 갑국의 지역구 의원 선거에서 각 정당은 선거구별로 1인의 후보자만 공천하며 각 선거구별로 선출되는 지역구 의원의 수는 같다. 그런데 A당이 과반 의석을 확보하였으므로 갑국은 한 선거구에서 1인의 의원을 선출하는 소선거구제를 채택하고 있음을 알 수 있다. 중·대선거구제에서는 동일 선거구 내 당선자 간 유권자의 투표 가치 차등 문제가 발생할 수 있다.
ㄴ. 을국에서 d당은 의석 할당 정당에 해당하지 않으므로 비례 대표 의석을 배분받지 못하였다.

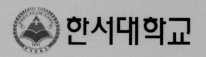

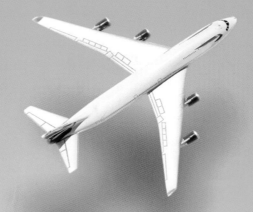

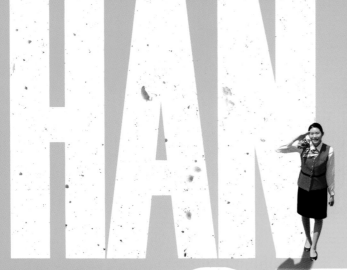